資源争奪の世界史

スパイス、石油、サーキュラーエコノミー

平沼光
Hikaru Hiranuma

日本経済新聞出版

資源争奪の世界史

スパイス、石油、サーキュラーエコノミー

はじめに

Introduction

エネルギー転換という変化の時代

「石油の一滴は血の一滴に値する」

これは、第一次世界大戦中の１９１７年にフランスの首相ジョルジュ・クレマンソーが石油の供給を求めてアメリカ大統領ウッドロウ・ウィルソンに宛てた電文の中で語られた言葉である。この言葉からわかるように、石油は世界大戦の戦況を左右するほど重要な資源であった。

資源としての石油の重要性は、日本が対米戦争を始めるきっかけとなったことからもわかる。ＡＢＣＤ包囲網により、輸入の多くを依存していた英米系の石油会社からの石油供給を断たれた日本は、石油を求めて南下し第二次世界大戦へと向かって行った。

第二次世界大戦後も、モータリゼーションの浸透などにより石油は経済的、戦略的資源として重要な役割を担った。

そのため、産油国の中東諸国で紛争が起こるたび石油は紛争のカードとされ供給不安定化が起こり、世界経済に大きな混乱をもたらすなど、石油は争ってでも手に入れなければならない欠かすことのできない資源として不動の地位を築いてきた。

しかし、ここに来てその地位を揺るがす事態を迎えている。世界的な気候変動問題に対処するため、世界の平均気温上昇を産業革命以前に比べて２度未満に保つことを目標としたパリ協定が２０１６年11月に発効されたことにより、世界は石油、石炭をはじめとする化石燃料依存から脱却し、再生可能エネルギーの普及拡大を推進するエネルギー転換という変化の時代を迎えたのだ。

コロナ禍が資源エネルギーへ及ぼす影響

世界がエネルギー転換へと動いているなか、資源エネルギーの動向に影響を及ぼすこれまでにない事態が起きている。

２０２０年３月11日、世界保健機関（ＷＨＯ）は新型コロナウイルス（ＣＯＶＩＤ－19）のパンデミック（世界的流行）を宣言。感染拡大を防ぐため世界各国ではロックダウン（都市封鎖）が行われ、人の移動や経済活動が制限されるという事態に陥ったのだ。

２０２０年４月14日に国際通貨基金（ＩＭＦ）が公表した世界経済見通しでは、新型コロナウイルスのパンデミックにより世界経済は１９３０年代の世界大恐慌以来の最悪の景気後退に陥るとの見解も示され、世界経済はこれまで経験したことのない停滞を強いられた。経済の停滞はエネルギーの需要縮小をもたらし、原油価格も急落した。

２０００年４月20日には、ニューヨーク市場において国際的な原油取引の指標であるＷＴＩ（ウエスト・テキサス・インターミディエート）の５月物の先物価格が１バレルあたり前日比約56ドル下落し、マイナス37・63ドルという史上初の〝マイナス価格〟を記録した。

コロナ禍以前より、石油市場は産油国による市場獲得争いから供給過剰に陥っており、アメリカをはじめとして各地の石油貯蔵基地は満杯状況だったところへ、コロナ禍で需要が急激に落ち込んだことでさらに原油がダブつき、原油の生産者やトレーダーが買い手にお金を払って原油を引き取ってもらう状況、すなわち〝マイナス価格〟という異常事態が起きたのだ。

２０２０年の第１四半期（１〜３月）のエネルギー需要を見ても、全体で前年同期比▲３・８％減少したことが国際エネルギー機関（ＩＥＡ）から報告されている。

エネルギー別では、石炭が▲８％、天然ガス：▲３％、石油：▲５％、原子力：▲３％と、化石燃料と原子力は軒並み前年同期比マイナスとなっている。

また、ＩＥＡによる２０２０年のエネルギー需要予測でも、２０１９年と比べて全体で▲６％の需要減が見込まれており、エネルギー別では、石炭が▲８％、天然ガス：▲５％、石油：▲９％、原子力：▲２・５％となっており、第１四半期と同様に通年でも化石燃料と原子力が前年比マイナスとされている。

一方、再生可能エネルギーの２０２０年第１四半期の需要は、化石燃料と原子力が軒並み前年同月比マイナスとなっているのに対し、１・５％の増加となっている。

ＩＥＡの２０２０年の需要見通しでも１％の需要増加が見込まれており、再生可能エネルギーはコロナ禍において最もレジリエンス（回復力）のあるエネルギーとされている。

なぜコロナ禍という状況においても再生可能エネルギーは需要を伸ばし、レジリエンスの高いエネルギーとなっているのかは改めて詳説するが、かつては「石油の一滴は血の一滴」と言われた石油がマイナス価格をつけるほど、その価値は大きく揺らぎ、資源としての転換期を迎えている。

6 資源エネルギーの現在、過去、未来

振り返ってみると、我々人類はこれまでにもいくつもの資源の移り変わりを経験している。石器時代の人類は石を資源として用い、石斧や黒曜石を砕いた鍬《くわ》などをつくりだし、狩りや漁を行い生活を成り立たせていた。

弥生時代には、鉄を資源として農工具や武具などの鉄器をつくりだし、社会を発展させている。鉄器の誕生はこれまでの石器と比べて格段の生産性を生み出し、資源は石から鉄へと移っていった。

同時期には銅や錫《すず》を資源とした青銅製の銅剣、銅矛といった青銅器も作られるようになり、鉄や青銅をより多く手に入れることが富と権力を得るために欠かせないものとなっていった。スパイスも富を得るために争奪戦が繰りひろげられた。

蒸気機関などの動力が実用化される前は、人間も労働力という資源として奴隷という形で売買されていた。

近代では、第一次産業革命において蒸気機関のエネルギー源となった石炭が軽工業を発展させた。石炭の産地であったイギリスがその舞台となった。

第二次産業革命では石炭よりも利便性の高い石油が登場し、石炭を利用した蒸気機関から石油をエネルギー源とする内燃機関へと動力の革新が起きたことで重工業を発展させている。前述のように石油は戦略資源となっていっ

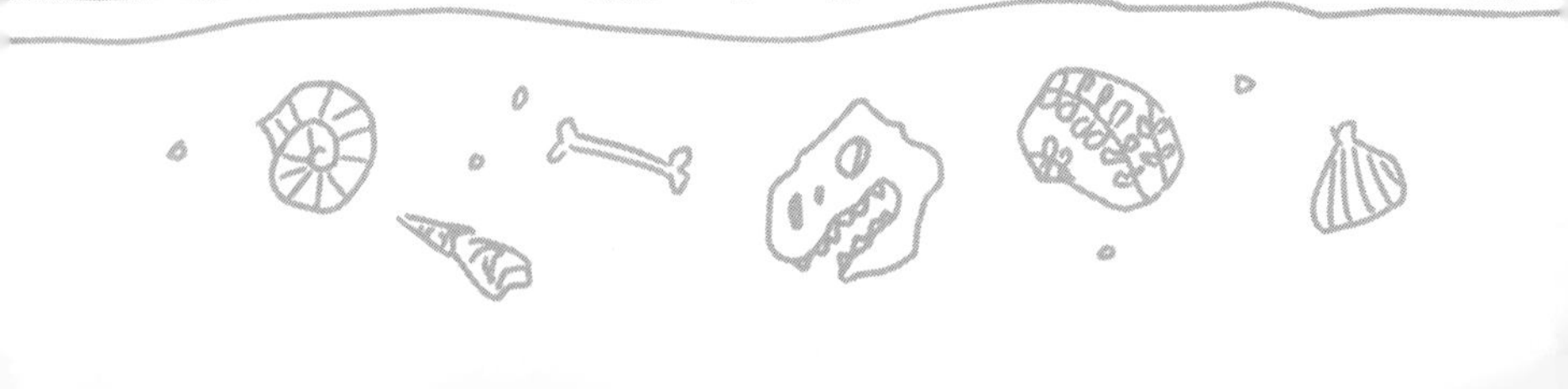

た。

そして現代、石油が資源としての転換期を迎えているように、資源やエネルギーは固定化されたものではなく、時代とともに移り変わってきた。

その移り変わりのなかで、資源を手に入れた国や地域はその優位性を誇り、持たざる国はなんとか資源を手に入れようと奔走し、そのせめぎあいの中で時には武力をともなう争奪を繰り広げてきた。

本書はそうした資源エネルギーの移り変わりと争奪戦を過去から現代にわたり紐解くとともに、未来に向かって資源エネルギーがどのように移り変わるかを考察するものである。

日本人の多くは、〝資源〟と聞いた時に、石油、石炭、天然ガスなどの地中に埋蔵された化石燃料を思い浮かべるのではないだろうか。しかし、そもそも〝資源〟に明確な定義はない。

資源とは何かについて、例えば文部科学省では、「人間が社会活動を維持向上させる源泉として、働きかける対象となりうる事物」と定義しており非常に漠とした捉え方をしている。

人間が働きかける対象となる事物が資源であるとすれば、未来の資源を見通すにあたっては、「化石燃料が資源」という日本人のステレオタイプ的な思考を排し、これまで誰が、何に対して、どのように働きかけて資源を生み出したのか、そして、次は誰が、何を資源とするため働きかけるかという視点は欠かせない。

筆者がプロジェクトリーダーを務める公益財団法人東京財団政策研究所の資源エネルギープロジェクトでは、そうした視点を持って次世代の資源エネルギーの可能性を考察してきた。本書はその成果の一端をまとめるものである。なお、食料、水などは対象としていないことを申し添えておきたい。

本書の執筆においては、国内外にわたり様々な方々にご協力をいただいた。ここであらためて感謝を申し上げたい。そして、『原発とレアアース』（共著、日経プレミアシリーズ）、『２０４０年のエネルギー覇権』（日本経済新聞出版）に続き、本書を執筆する機会を与えてくださった日経ＢＰ日本経済新聞出版本部の堀口祐介氏には、心から感謝を申し上げたい。

２０２１年３月

平沼光

〈参考文献〉
Global Energy Review 2020 The impacts of the Covid-19 crisis on global energy demand and CO_2 *emissions*, IEA, April 2020
文部科学省科学技術・学術審議会資源調査分科会（第35回）配布資料9　平成25年4月5日

Contents

目次

contents

chapter 2

第2章

近代化の扉を開けた石炭

chapter 3

第3章

資源獲得競争を加速させた石油、天然ガス

イギリス東インド会社（提供：World History Archive／ニューズコム／共同通信イメージズ）

chapter.1

第１章

スパイス戦争
資源争奪の大航海時代

金に負けない貴重な資源

1

胡椒1オンスは金1オンスの価値

胡椒などのスパイスは、スーパーの調味料売り場に行けばいつでも手頃な値段で買える。特に珍しくもなく、それこそ一般家庭のキッチンや町の食堂でも常備されていて、とても〝資源〟などという言葉は当てはまらない。それが現代人のスパイスに対する認識ではないだろうか。

しかし、中世ヨーロッパではスパイス欲しさに大航海に繰り出し、果ては争奪の戦闘まで繰り広げたほど、当時は極めて貴重な資源として扱われていた。

なぜ中世ヨーロッパではスパイスが貴重な資源とされたのか。

中世ヨーロッパの食料輸送は現代のように発達したものではなく、広い地域を時間をかけて輸送されるものであった。そのため、肉の腐敗の防止など食料を腐敗から防ぐ防腐効果のあるスパイスが必要であったという説がある。

スパイスを防腐剤として使ったという説には諸説あり真偽は明らかではないが、古代エジプトではミイラづくりにおいて腐食防止のためスパイスが使われていた。

また、スパイスは料理の調味料として、そして薬としての薬効が珍重されたという。スパイスを料理に使うことで肉の臭みを消したり、料理に刺激的な味覚を加えることができた。そして薬効があり健康に良いとされ、中世ヨーロッパではスパイスが料理にふんだんに使われた。

一度スパイスをふんだんに使った香ばしく深みのある料理を食べてしまったら、その後はスパイスなしの料理は考えられないであろう。

このようにスパイスは中世ヨーロッパで珍重され、胡椒（ペッパー）１オンスは金１オンスと交換されるほど重要なものであった。

とかく日本人は「資源は地中に埋まった化石燃料」というステレオタイプな思考に陥りがちだが、そうした考えをリセットするため、本書の始まりとなる第１章では、およそ現代では〝資源〟とは捉えがたい〝スパイス〟を最初の国際的な資源争奪の事例として取り上げ、その歴史を紐解いてみよう。

世界を虜にした4大スパイス

一言でスパイスと言っても世界には350種類以上のスパイスがあるとされている。なかでも胡椒（ペッパー）、クローブ（チョウジ）、ナツメグ、シナモンは、世界の歴史を動かした四大スパイスと呼ばれている。

各国の料理に最も広く使われ、スパイスの王様とされる胡椒（ペッパー）は、インド南西部のアラビア海に面するマルバラ海岸が原産地で、長い間通貨と同等に扱われてきた。

胡椒には、黒胡椒（ブラックペッパー）、白胡椒（ホワイトペッパー）、緑胡椒（グリーンペッパー）などがあるが、すべて同じ実を時期を変えて収穫したものである。

今ではインドネシア、マレーシア、ベトナム、ブラジルなどでも栽培されているが、マルバラ海岸産の黒胡椒は最高級品とされている。

肉料理に多く使われるクローブの原産地は、香料諸島と呼ばれるインドネシアのモルッカ諸島である。

クローブは肉料理との相性が良いというだけでなく、抗菌作用としての薬効があることも注目され、虫歯の治療薬としても使われてきた。

ナツメグの原産地は、クローブと同じくインドネシアのモルッカ諸島。スパイスのナツメグはナツメグの実の種子の部分であるが、種子のまわりの網目状の赤い皮の部分はメースと呼ばれるスパイスになり、ナツメグの実からは2種類のスパイスが取れる。

モルッカ諸島
インドネシア東端のパプアとスラウェシ島にはさまれたパンダ海に浮かぶ島々。現在の正式名称はマルク諸島（Maluku）。人口は約260万人、面積は約4万2800㎢。

『東方見聞録』
イタリア人マルコ・ポーロの旅行記。マルコ・ポーロが1271年から1295年にかけての中央アジア・中国への旅行の体験談を、物語作者ルスティケッロ・ダ・ピサが記録したもの。日本を「黄金の国ジパング」として紹介した。

どちらも肉料理に多く使われるが、メースはナツメグの10分の1しか収穫できないことから高級品とされている。また、ナツメグは、漢方でニクズクと呼ばれ胃腸薬として知られている。

シナモンはクスノキ科の常緑樹の樹皮からつくられ、その原産地はスリランカである。シナモンの歴史は古く、『旧約聖書』にも登場し、今でもシナモンロールやシナモンコーヒーなど甘味と相性の良いスパイスとして馴染みがある。

こうしたスパイスは、大航海時代に入る前までは主に東西貿易によってヨーロッパにもたらされていたが、東西貿易の中継地を牛耳っていたイスラム商人は貿易ルートとなる陸路を抑え、決してスパイスの原産地を明かすことはなかった。

そのため、スパイス利権はイスラム商人に独占され、イスラム商人から高値で買い取るしかなかったという時代が続いた。

スパイス利権によってアラビアの町は大いに繁栄し、アラビアンナイト（千夜一夜物語）の舞台ともなったが、そうした状況をある冒険家が一変させることになる。

『東方見聞録』で知られるマルコ・ポーロである。

1 スパイス争奪の道筋を開いた4大人物

スパイスのベールを剝いだマルコ・ポーロ

マルコ・ポーロ
（1254〜1324）

『東方見聞録』はヴェネツィア商人マルコ・ポーロの旅行記であり、約25年に及ぶ東洋への旅の様子が克明に記録されている。

そのなかには、モルッカ諸島のスパイスの原生に関する情報も記されており、イスラム商人によって隠されていた原産地情報が初めて明るみに出されたのである。

『東方見聞録』はラテン語やヨーロッパ各国の言語に翻訳され、その情報はヨーロッパ全土に広まることになった。

『東方見聞録』に記された東洋の絹織物や黄金の国ジパング、そしてスパイスが生い茂る島々の情報は、ヨーロッパ人の好奇心と野心を大いに掻き立て、海を渡って東洋に繰り出す15世紀の大航海時代を迎えるきっかけとなった。

スパイスを発見できなかったコロンブス

クリストファー・コロンブス
（*1451〜1506*）

『東方見聞録』に記された東洋の富を目指してまず動いたのが、イタリア人のクリストファー・コロンブスである。

コロンブスの「サンタマリア号（Santa Maria）」はヨーロッパから出港し西回りの航路を進むことで、絹や金、スパイスの宝庫であるインドやモルッカ諸島に到達できることを確信し、スペインの後ろ盾を得て１４９２年８月３日に３隻の船を率いて１回目の大航海の旅に出ている。そして、同年10月12日、ハバマ諸島のサンサルバドル島に到着。現地を探検し現在のキューバを発見。

原住民が身に着けていた金の装飾品を見て、ここが黄金の国ジパングであると期待を持ったが、『東方見聞録』に記されたような黄金にあふれた町は発見できず、スペインへと帰国している。

その後もコロンブスは１５０４年までに４回にわたって大西洋を渡りアメリカ大陸に到達しているが、クローブやナツメグなどのスパイスは発見できず、代わりにアメリカ大陸から唐辛子を最初に持ち帰ったとされている。

結果としてコロンブスの大航海はスパイスを見つけることはできなかったが、アメリカ大陸という新大陸に到達したことでまだ見ぬ新天地へとさらなる航海へと拍車をかけることとなった。

胡椒を持ち帰ったバスコ・ダ・ガマ

こうして大航海への熱が高まるなか、ちょうどコロンブスが2回目の航海を終えた頃に、ポルトガルの航海者バスコ・ダ・ガマがアフリカ大陸西海岸沿いを進む航海に出ている。

バスコ・ダ・ガマはアフリカ大陸最南端の喜望峰を回航し、1498年についにインド西海岸のカリカット（現在のコーチン）に到達。『東方見聞録』に「胡椒海岸」として記されたマラバル海岸の探索を実現し、船を満杯にするほどのスパイスを持ち帰ることに成功している。

バスコ・ダ・ガマが発見したこのインド航路は、イスラム商人に独占されてきたスパイスの利権を打破し、胡椒やシナモンを安価に手に入れる海のスパイスロードと呼ばれるようになった。

この発見により、スパイスの中継地として栄えていたアラビア、ペルシア、ベニスは衰退の道をたどることになる。

バスコ・ダ・ガマ
（1524〜1880）

バスコ・ダ・ガマによるインド航路の発見とスパイスの獲得は、ポルトガルにさらなる東方諸国の支配に向かわせることとなった。

ポルトガルによる東方諸国の制圧で活躍した航海者が、フェルディナンド・マゼランである。

香料諸島にたどり着いたマゼラン船団

マゼランはインド沿岸やマラッカの制圧で活躍したが、その功績は母国ポルトガルではあまり評価されなかった。そのため、マゼランはスペインの市民権を得て、世界周航計画をポルトガルではなくスペイン王室に持ち込んでいる。

スペイン王室の後ろ盾を得ることに成功したマゼランは、1519年9月20日、5隻の船と船員265名からなるマゼラン船団による世界周航へと出発した。

大西洋を南アメリカ大陸に向けて出航し、

図1　海のスパイスロード（インド航路）と陸のスパイスロード

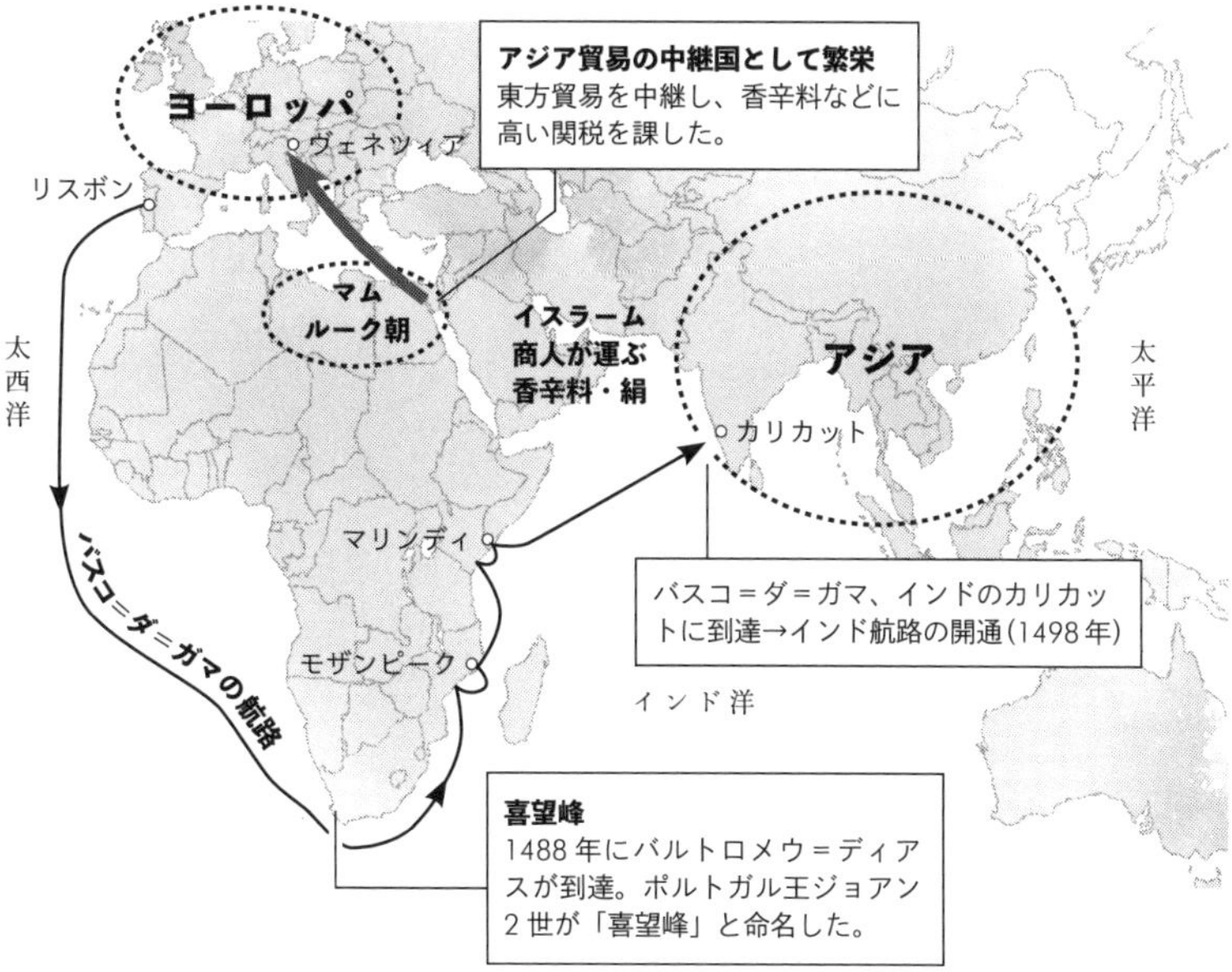

出所：『世界史』（成美堂）をもとに作成

1520年10月には南アメリカ大陸の南端、マゼラン海峡を発見。そのまま太平洋の横断に成功し1521年3月にグアム島に到着している。

同年、船団はフィリピンのセブ島に立ち寄っているが、その際起きた現地人との戦闘でマゼランは非業の死を遂げる。

マゼラン亡き後も航海士のファン・セバスティアン・エルカーノが船団を率いて航海を続け、ついにクローブ、ナツメグなどのスパイスの産地、香料諸島と呼ばれるインドネシアのモルッカ諸島にたどり着く。

そして、1522年9月、モルッカ諸島でスパイスを積み込んだ「ヴィクトリア号（Victoria）」が母国スペインの港へと帰港した。

出港時は5隻だった船はヴィクトリア号1隻のみとなり、帰国できた船員もわずか18名だったという。

過酷極まる航海を経て得られたのは、その代償を補うほどのスパイスと、地球は球体で海はつながっているという歴史的な大発見であった。

こうして、マルコ・ポーロ、コロンブス、バスコ・ダ・ガマ、マゼランという4名の冒険者により、スパイスはどこから来るのか、すなわちスパイス原産地の謎が解き明かされ、スパイスを手に入れるための航路が切り拓かれた。

こうして4名の冒険者が切り拓いた航路は、スパイスを奪い合うスパイス戦争へと向かわせる道筋を開くことにもなった。

フェルディナンド・マゼラン（1480〜1521）

3 スパイス戦争の勃発

スパイス戦争を導いた造船技術の進化

4名の冒険者によりスパイスへの航路が切り拓かれ、ヨーロッパ各国がスパイス争奪の航海に乗り出すわけだが、それは大海を渡りきる性能を持った船があって初めて可能となった。すなわち、スパイス戦争は、造船技術の進化によって始まったともいえる。

大航海時代の初期に用いられていたのは、3本マストに大小3枚の三角帆、または、四角い帆を張ったt数50tから200t級のキャラベル船であった。

しかし、キャラベル船は大海を渡る長い航海には積載量が足りないという弱点があった。

そこで開発されたのがキャラック船である。キャラック船は、3本のマストを持ち、前2本に横帆、3本目に三角形の縦帆を取り付け、それまでの船のように横帆か縦帆のどちらか一方ではなく、両方を組み合わせることによって逆風状態での航行も可能になり、操船性能を飛躍的に向上させている。

キャラック船は大型で積載能力が高く、最大で約1000tクラスの船も登場し、風雨をしのぐ構造として甲板や船首楼を備えたことで、長期間の航海でも多くの荷物を積載して航行することが可能となった。

1492年、大西洋横断とアメリカ大陸到達を成し遂げたコロンブスのサンタマリア号、そして、1522年、初の世界一周を果たしたスペインのマゼラン船団の一隻、ビクトリア号もキャラック船で、まさに大航海時代の幕開けを告げた船と言える。

さらに17世紀になるとキャラック船を進化させたガレオン船という船種が開発されている。ガレオン船はキャラック船のような背の高い船首楼をやめ、船体構造を改良し積載量や居住性をより向上させたほか、最大5本のマストを持たせたことで航行速度のアップも図られたものとなっている。

ガレオン船としては、後述するイギリスの海賊として有名なフランシス・ドレークの「ゴールデン・ハインド号（Golden Hind）」がよく知られている。

切手になったコロンブスのサンタマリア号（提供：ecliff6）

大海を渡りきる高性能な船の開発、そしてスパイスにアクセスできる航路が切り拓かれたことによってヨーロッパ各国はこぞってスパイスを求め大海原に出ていった。

勢いに乗るポルトガル

なかでも胡椒やクローブ、ナツメグはインドのマラバル、インドネシアのモルッカ、バンダでしか採れなかったため、産地をめぐる激しい争奪戦が繰り広げられた。

まず頭角を現したのがポルトガルである。バスコ・ダ・ガマのインド航路によりポルトガルはインド支配を強め、１５０３年にはコーチンに要塞を築きインドにおける欧州初の植民地としている。

インド支配を強めたポルトガルは胡椒の支配も強め、１５０３年から１５４０年にかけてヨーロッパで消費された胡椒の大半はポルトガル人が運んできたものとされた。

勢いに乗るポルトガルは、軍事力にものを言わせて東方諸国に進出。１５１１年にはマラッカ王国を征服し、海上交通の要衝であるマラッカ海峡を手中にするに至っている。

そして、１５１２年にポルトガル人のフランシスコ・セランの船がモルッカ諸島に到達し、ポルトガルは香料諸島と呼ばれたモルッカ諸島の先占を進めていった。

そうしたなか、マゼラン船団が１５２２年にモルッカ諸島からスパイスを持ち帰ってきたことからスペインもモルッカ諸島への進出を強めていくことになり、ポルトガルとスペインによるモルッカ諸島の領有権争いが始まることになる。

ポルトガルとスペインが争ったモルッカ諸島の覇権

スパイスを積んだ「ヴィクトリア号」の帰還によりモルッカ諸島の価値を認識したスペインと、モルッカ諸島の先占を進めていたポルトガルの間には、モルッカ諸島の所有権をめぐる「モルッカ問題」が発生した。

当時、モルッカ諸島の各島には国王や有力者がおり、互いが常に争っている状況であった。なかでも、テルナテ島とティドレ島は、モルッカ諸島の二大勢力であり対立軸となっていた。

こうした現地の対立構造を背景にして、先行してモルッカ諸島の占有を進めていたポルトガルはテルナテ島の勢力と結びつき、後から来たスペインはティドレ島の勢力に与して、モルッカ諸島における覇権を争う戦闘を繰り返すことになった。

1527年1月のポルトガル側によるティドレ島への襲撃は、3日におよぶ激戦で、スペインの旗艦である「サンタ・マリア号」が被弾し放棄される事態となった。

数度にわたる戦闘を経るうちに、スペインは弱点に苦しむようになった。

ポルトガルはマラッカなどの要衝を押え補給基地としていたが、スペインはモルッカ諸島の海域に補給基地を持たなかったため次第に疲弊していったのだ。

スペインからマゼラン海峡を渡り太平洋を越えてモルッカ諸島に補給船隊を派遣することは可能であったが長い航海となること。また、モルッカ諸島から喜望峰を回ってスペインに帰るルートはポルトガルの勢力圏を航行することになり困難であったことなどが、スペインの弱点となった。

そうしたなか、ポルトガルとスペインの本国同士が条約を締結したことによりモルッカ諸島での両国の争いも終止符が打たれることになる。

1526年、スペイン国王のカール5世とポルトガル国王ジョアン3世の妹イザベルが結婚し、ジョアン3世もまたカール5世の妹カタリナと結婚したことで、両王家は親戚関係となったのだ。

当時スペインは深刻な財政問題を抱え、ポルトガルも植民地のブラジル海岸におけるフランスの海賊行為に悩まされていたため、モルッカ諸島で争っている場合ではなくなったのだ。

そして、1529年4月22日、サラゴサ条約が締結され、スペインはモルッカ諸島における領有権とその他一切の権限をポルトガルに売却することで決着がついた。

サラゴサ条約
1529年4月22日にサラゴサにてスペインとポルトガルの間で締結された平和条約。

オランダ東インド会社の誕生

スペインとの争いに終止符が打たれモルッカ諸島の覇権を手にしたポルトガルであったが、次なる進出者に覇権の座を明け渡すことになる。

オランダの台頭である。

オランダのモルッカ諸島進出の背景には、ポルトガル人のアジアへの航海に同行し、アジアのスパイス入手ルートの情報を得たオランダ市民の存在がある。

オランダはそうした市民からの情報をもとにモルッカ諸島への航海に向けて艦隊を編成。1598年にモルッカ諸島に到着した艦隊は、およそ1年で大量のスパイスを積み込んで帰国している。

この航海における総利益率は400%にものぼり、オランダ人のモルッカ諸島への関心に火をつけることになった。

1601年には計65隻からなる14もの艦隊がモルッカ諸島に向けて出航しているが、こうした航海ラッシュは混乱ももたらした。モルッカ諸島に赴いたオランダ船同士が、スパイスをめぐって争うことになったのである。

当時、航海を行う会社には、個人経営の貿易会社や当座組織のような会社が乱立していた。航海はあくまで個人利益のためのものであり、統制のとれたものではなかった。

そのためスパイスの供給過多や価格の暴落などが発生し問題となっていた。そうした混乱を抑え、利益を最大化するため、船主や貿易会社を取りまとめ一元化するオランダ東インド会社(VOC)が1602年に設立された。

オランダ東インド会社の設立により統制され、オランダの力は増した。1605年にはポルトガルからモルッカ諸島を奪うことに成功し、武力で現地人を屈服させ植民地化を進めた。

1641年にはマラッカも占領し、1656年にはポルトガル領であったシナモンの産地のセイロン島コロンボも攻略している。1662年にはインド西海岸のコーチンも傘下に収め、

オランダ東インド会社
1602年、東洋貿易を目的としてオランダの諸会社が合同で設立した会社。オランダ政府の庇護のもと、ジャワ島(現在のジャカルタ)を中心にして、香料貿易や植民地経営を成功させたが、18世紀末にイギリスの台頭により解散した。

オランダはスパイス争奪の強者となった。

海賊の力を借りたイギリス

ポルトガル、スペイン、そしてオランダが大航海の表舞台で活躍し経済を拡大する一方、立ち遅れたイギリスは焦燥感を募らせていた。

遅れを取り戻す手段としてイギリスが選択したのは、海賊であった。

海賊に、金、銀、スパイスを積んだスペイン船やポルトガル船を襲わせ、イギリスに略奪品を持ち帰ることで多額の富を手に入れられると考えたのだ。いわゆる〝海賊マネー〟である。〝海賊マネー〟の稼ぎ頭としてエリザベス１世の下で活躍し、女王から厚い信頼を得ていたのが、「女王陛下の海賊」として知られるフランシス・ドレークである。

ドレークの海賊行為によってイギリスにもたらされた富は、実に国家予算３年分に匹敵する約60万ポンドであった。その半分にあたる約30万ポンドは、エリザベス女王の懐に入ったとされている。

ドレークは海賊行為だけでなくスペイン無敵艦隊との海戦を勝利に導いたことや、世界周航を成し遂げたことでもイギリス史に名を残し、エリザベス女王からナイトの称号も授与されている。

ドレークは、スパイス争奪においても重要な役割を果たした。

フランシス・ドレーク
（1543〜1596）
16世紀のイギリスの航海者。西インド諸島のスペイン植民地略奪にエリザベス女王の認可を得た海賊として活躍。マゼランに次いで世界一周に成功したのち、英国艦隊の司令官としてスペイン無敵艦隊を撃破するという功績をあげた。

無敵艦隊
16世紀、フェリペ2世時代に世界最強と称されたスペイン艦隊の称で「アルマダ」とも呼ばれる。1588年、130隻の艦隊でイギリス上陸作戦に向かう途中、ドーバー海峡でドレークらのイギリス艦隊に大敗し、帰途暴風雨に遭って壊滅。スペインの制海権は失われた。

ドレークの世界周航は計画されたものか偶然なのかは諸説あるが、ドレークは1577年12月に「ゴールデン・ハインド号」でイギリス南西部のプリマス港を出港。

西アフリカ沖のヴェルデ岬諸島をポルトガル船を襲撃しつつ航行しマゼラン海峡を回航、1579年11月にクローブの産地であるモルッカ諸島のテルナテ島に到着している。

テルナテ島についたドレークは、テルナテ島の有力者スルタン・バブラとの交渉によりクローブを大量に購入。ゴールデン・ハインド号にクローブを満載し、1580年9月下旬にイギリスに帰国した。

この航海の利益率は、スパイスとその他の略奪品と合わせておよそ4600％（出資額の約46倍の配当）にまでなったという。

世界周航と言えばマゼランが有名であるが、航海の途中で非業の死を遂げて帰国はかなわなかったことを考えると、生きて世界周航を成し遂げた船長は海賊であるドレークということになるかもしれない。

ドレークのゴールデン・ハインド号（復元）（提供：Joel W.Rogers）

イギリス東インド会社の設立

ドレークの航海の成功により、エリザベス女王の勅許状を得た冒険商人のジェームズ・ランカスターが1592年にプリマス港を出港し、マラッカ海峡に到達。ポルトガル船を略奪し、スパイス貿易の重要港となるジャワ島北西端のバンタムにイギリスの基地を築くに至っている。

冒険商人とは、貿易商と海賊の二つの顔を持つ者とすると理解がしやすい。普段は貿易を生業にしているが、洋上でスペイン船やポルトガル船に出合った場合など、状況に応じて海賊行為を働くのである。

1599年にはこうした貿易商人が100人以上集まり、東インド地域での貿易の独占のため東インド会社を設立する嘆願書を、エリザベス女王宛てに起草している。

そして、オランダ東インド会社が設立される2年前となる1600年に、イギリス東インド会社が設立されたのである。

イギリス東インド会社が設立されたことでイギリスはスパイス探索の動きを強めるが、オランダ東インド会社に比べ出資規模も10分の1程度と明らかな力の差があった。

そのため、イギリスは様々な策を講じてモルッカ諸島でのスパイス探索を行ったが、ことごとくオランダに進出を阻まれることになり、なかなか勢力を伸ばせず、イギリスとオランダの溝は深まっていった。

日本のサムライがきっかけをつくったイギリス対オランダの対立

イギリスとオランダの本国同士の間では、1619年に互いに協力するという協定が結ばれたが、スパイスを目の前にしたモルッカ諸島の現地では、協定をよそにトラブルは絶えなかった。

そんななか、クローブが採れるモルッカ諸島のアンボン島で事件が起こる。アンボン島にはオランダが強固な要塞を築いていたが、イギリスは商館を置くことを許され両国が共存していた。

しかし、全長50km、幅16kmの小さな島に、スパイスを少しでも多く獲得しようと狙う二つの国が共存するのは無理な話であった。

当時、イギリス、オランダの両東インド会社とも、日本のサムライを航海と現地の警護役として、また戦闘における優秀な傭兵として雇っていた。

日本では1614年に大坂夏の陣が終わり、戦国時代の終わりを迎えていた。大規模な戦が無くなり、多くのサムライが職を失うことになった。

それに目を付けたヨーロッパ各国は、徳川幕府の許しを得て屈強なサムライを東アジア攻略の戦力として雇い入れたのである。

雇い入れられたサムライはさすがに戦国時代の歴戦を戦い抜いてきただけあり、モルッカ諸島での戦いにおいて大変な活躍をしたという。

アンボン島においてもサムライが傭兵として雇われていたが、イギリス商館に雇われていたサムライにオランダの要塞を襲撃するスパイ容疑がかけられ、イギリス商館員はじめ傭兵のサムライがオランダの手により残酷な拷問の末処刑されるというアンボン事件が起きた。

この事件も影響し、イギリスとオランダの協力関係は決裂。現地でスパイス探索の十分な成果をあげられていなかったイギリスは、以前よりモルッカ諸島から撤退する方向にはあったが、この事件により撤退が加速されることになった。

アンボン事件でイギリスはオランダに深い怨恨を持つことになり、後の英蘭戦争の火種ともなったとされている。

技術に始まり技術が終わらせたスパイス戦争

このようにヨーロッパ各国が争い、血を流してまでスパイスを奪い合ったスパイス戦争は、意外な形で幕引きが訪れる。

幕引きの立役者となったのは、フランスである。

フランスもスパイスを求めて1527年にモルッカ諸島に向けて2隻の船を出港させているが失敗し、船も1隻失い1530年に帰国している。その後フランスは、スパイス貿易はポルトガルに任せ、もっぱらアフリカ西海岸沖でポルトガル船を略奪することに専念している。

そうしたなか、1770年、マダガスカルの東にあるモーリシャス島のフランス人提督が自分の監督管下の島にクローブとナツメグの苗をこっそり持ち込み、移植することに成功したのだ。

これまでにもスペイン人がナツメグやクローブなどのスパイスの移植を試みていたが、技術的に未熟だったためか失敗していた。それだけに、フランスの成功は快挙であった。

こうして原産地から盗木により移植を成功させる技術が進化したことにより、イギリスがクローブやナツメグをマレー半島西方のペナン島に移植するなど原産地以外の栽培地が広がっていった。

そのうち、原産地よりも移植地のほうが生産量が増す事態になり、スパイスの産地としてのモルッカ諸島に対するヨーロッパ各国の植民地政策の意義は失われ、スパイス戦争も自然消滅することになった。

こうしてスパイス戦争は移植技術の進化により終焉を迎えたわけだが、振り返ってみるとスパイス戦争を導くことになった原因の一つは、造船技術の進化であった。

大海原を渡りきる船が開発されなければスパイス戦争は起こらなかっただろう。すなわち、スパイス戦争が始まったのも、それを終わらせたのも技術の進化が背景にあるのだ。

とかく日本人は、資源とは石油、天然ガス、石炭などの化石燃料と意識しがちであるが、そうした日本人のステレオタイプな感覚をリセットするため、本章ではおよそ現代では〝資源〟と捉えがたいスパイスを最初の資源争奪の事例として取り上げた。

資源はなにも地中深くに埋まっている化石燃料のことを指すのではない。人々が関心を示し、意図をもって働きかければ何でも資源になる可能性があるのだ。
そして、それを資源として活かし、また廃れさせる背景には常に技術の進化がある。21世紀の地球人は、発想の転換による脱炭素社会の実現を迫られている。

〈参考文献〉
庄司邦昭「船が開いた世界の扉」『季刊新日住金』Vol.2、2013年5月
フレッド・ツァラ『スパイスの歴史』原書房、2014年
マレーシア政府観光局Webサイト　http://www.tourismmalaysia.or.jp/region/malacca/history.html
合田昌史「〈論説〉世界分割の科学と政治：「モルッカ問題」をめぐって」京都大学情報リポジトリ紅、1992年11月1日
生田滋『大航海時代とモルッカ諸島』中公新書、1998年
山田吉彦『海賊の掟』新潮新書、2006年
竹田いさみ『世界史をつくった海賊』ちくま新書、2011年
『山川 日本史小辞典』（改訂新版）2016年、山川出版社　http://www.historist.jp/word_w_a/entry/038873/

リバプール・マンチェスター鉄道開業の様子
（提供：World History Archives／ニューズコム／共同通信イメージズ）

chapter. 2

第 2 章
近代化の扉を開けた石炭

1 森林破壊を防いだ石炭

森林資源の枯渇に陥ったヨーロッパ

大航海時代によるヨーロッパ各国の海外植民地政策により、貿易船や軍艦の建造が増すことになったが、一方で肝心の船を造るための木材が不足するという事態に陥っている。

1588年にスペインの無敵艦隊がイギリス艦隊に敗れるなど、国家の安全保障のためにはどうしても軍艦は必要であったが、砲台を備えた軍艦を一隻建造するには、約2500本の巨大なオーク材が必要とされた。

また、戦闘による船の破損や海中の木材を食い荒らす二枚貝の一種であるフナクイムシの食害により10年から20年ごとに船を再建造しなければならなかったことから、膨大な量の木材が

オーク材
ブナ科コナラ属の総称でナラ（楢）材のこと。加工しやすい種が多く、家具やフローリング材などに使用されている。

切り出され木材が不足するという事態が起きている。

木材を必要としたのは造船だけではなかった。16世紀当時、鉄をつくるためには木材を原料とした木炭が使われており、鉄の増産も森林資源の枯渇を招くことになった。

ヨーロッパのなかでも特に森林資源の減少に悩んでいたのがイギリスである。島国であるイギリスは他国に比べ森林資源に乏しいだけでなく、需要も旺盛であった。16世紀初頭のイギリスの鉄の生産量はドイツの2倍、フランスの6倍にあたる年間約6万tにのぼっていた。年間6万tの鉄を生産するには約12万tの木炭を必要としたが、木炭にする前の原木は約120万tも必要であった。

また、フランスでは16世紀初頭には国土面積の35%を占めていた森林面積が、鉄の増産のために木炭を大量に使用したことから、17世紀央には25%にまで減少してしまっている。

こうした森林資源の減少はヨーロッパ全土で進行し、18世紀には危機的な状況になっていた。これを食い止めたのが、石炭の登場である。

古文書に登場する石炭

石炭の歴史は古く、中国では紀元前4世紀から紀元後3世紀頃の秦から漢の時代にかけて執筆されたとする古代中国の地理書『山海経《せんがいきょう》』や三国時代の地理書

スペイン無敵艦隊とイギリス艦隊の海戦の様子（提供：whitemay）

『水経注』にも記述がある。

また、中国の新疆文物考古研究所が2015年6月に行った吉仁台溝口遺跡と墓地での発掘調査では、同遺跡から大量の石炭、炭粒、燃え残った石炭の塊、古人が調理と暖を取るために使用したと見られるかまどと灰坑を発見している。

この遺跡は今から約3500年前の青銅時代のものと推測され、既にそのころから中国では石炭が使用されていたことがうかがえる。

古代ギリシャの紀元前315年の文献には、石炭を燃焼し鍛冶に使っていたという記述もあり、石炭は古くから利用されていた。

新疆の吉仁台溝口遺跡で出土した石炭（提供：新華社／共同通信イメージズ）

木炭から石炭への転換を実現したダービー親子

18世紀にはいっても製鉄には木炭を必要とし、そのため木材価格は高騰し、しばしば製鉄工場が操業停止に追い込まれる事態も発生した。

前述したように、石炭は古文書にも登場するように古くから使われてきており、鉄の製造においても石炭を使えばよいと思われるだろう。しかし、執拗に木炭が使われてきたのには訳がある。

石炭で鉄の精錬を行った場合、石炭に含まれる硫黄分が影響し鉄がもろくなってしまうというデメリットがあったのだ。このデメリットを解消するため長い間技術の開発に取り組んだが、なかなか解決できないでいた。

16世紀から続いたこの問題を解決したのが、イギリスのエイブラハム・ダービー1世である。

エイブラハム・ダービー1世は石炭を蒸し焼き（乾留）することで抽出される硫黄分の低いコークスを用いた製鉄技術を、１７０９年に開発した。

そして、その子どもであるダービー2世は１７３５年にコークス高炉によって鋼の原料となる銑鉄の生産に成功し、石炭による鉄の製造をさらに進化させた。

こうして長きにわたり木炭という資源に依存していた製鉄分野は、石炭をコークスにして使うというダービー親子の技術開発により、石炭の利用へと徐々に移行していった。

まさに、技術の進化が、木炭という資源から石炭という資源に移行させたのである。

〈参考文献〉

リチャード・ローズ『エネルギー４００年史』草思社、２０１９年
田中紀夫「エネルギー文明史―その３　三大エネルギー革命と自然環境の変貌」石油・天然ガスレビュー、独立行政法人 石油天然ガス・金属鉱物資源機構、２００４年９月号
松島潤、川崎達治、窪田健二、鈴木秀顕、高橋豊、冨田新二、早坂房次、林農、松田智『エネルギー資源の世界史』一色出版、２０１９年
サイエンスポータルチャイナＷｅｂサイト「新疆で中国最古の石炭使用跡発見！　石炭使用開始の歴史千年以上早まる」独立行政法人科学技術振興機構、２０１６年11月３日　https://spc.jst.go.jp/news/161101/topic_3_04.html

2 石炭とイギリスの産業革命

石炭を採るために開発された蒸気機関

ダービー1世がコークスを用いた製鉄技術を開発したのと同じ頃、石炭の採掘においても革新的な技術の進歩があった。

森林資源の減少により、薪の代わりに廉価な石炭が家庭の暖房などの燃料として使われ、石炭の採掘が盛んに行われるようになっていたが、石炭を採掘する際に炭坑から湧き出す地下水をなんとかしなければ石炭の採取効率が上がらないという問題があった。

炭坑に湧き出た水を汲みだす作業には馬が使われていたが、馬の力では多くの時間と労力がかかることから、馬よりも力がある新たな動力が必要となっていた。

そうしたなかで登場したのが、トーマス・ニューコメンが1712年に開発した蒸気機関である。

この蒸気機関は、石炭でボイラーを炊き、できた蒸気をシリンダに満たし、シリンダ内に水を噴射させ冷やすことで内部の蒸気を凝縮させシリンダ内を減圧し、真空状態にするものである。

シリンダ内が真空状態になるため、シリンダに連結されたピストンが大気圧で押され下降し、水を汲み出すという仕組みの発明だ。

ニューコメンが開発した蒸気機関は地下約47mの坑道から水を汲み上げ、その費用も馬を使った場合の六分の一という低コストを実現している。

こうして、人類の歴史上初めて熱を動力にする蒸気機関が実用化されたのだ。

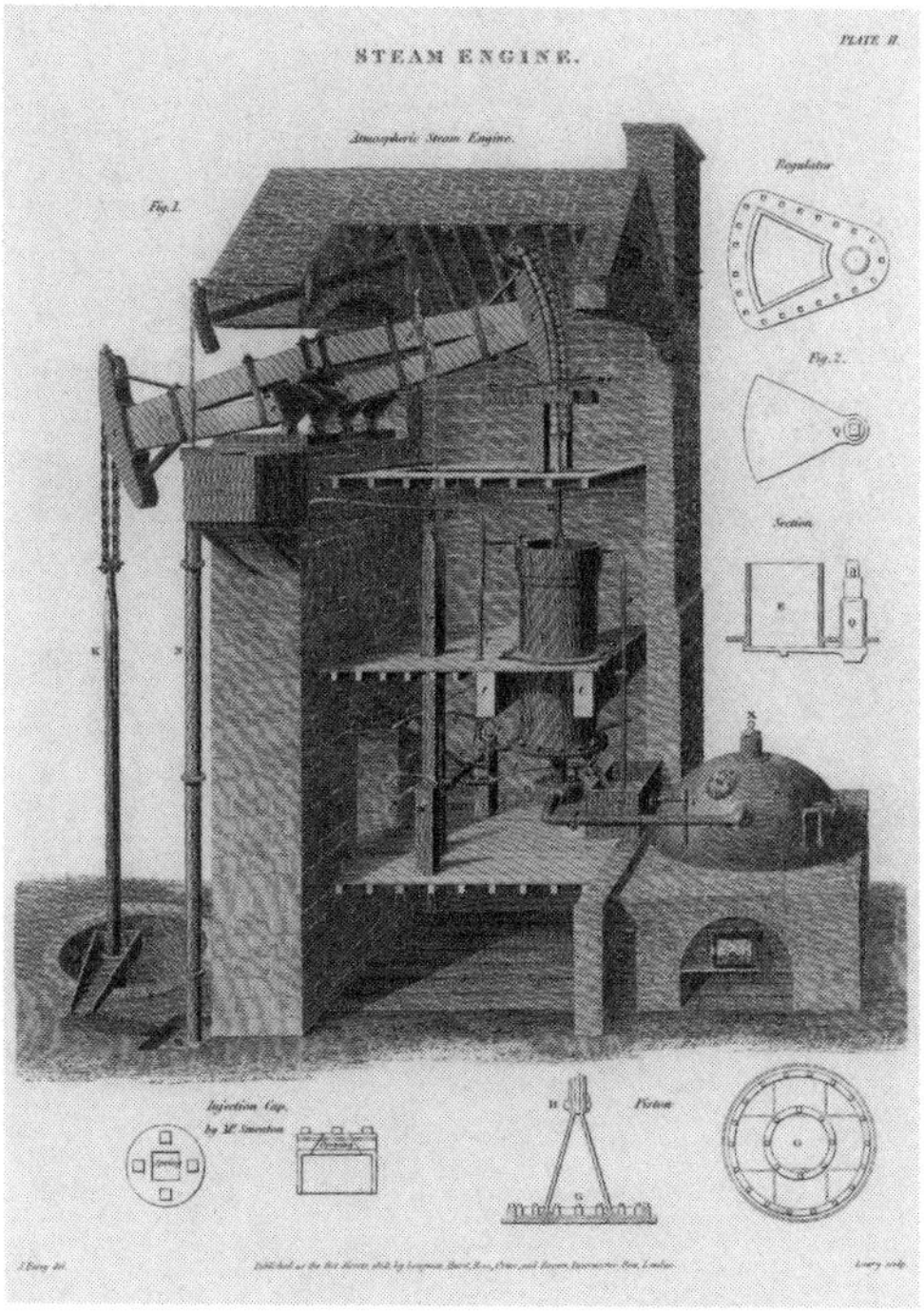

ニューコメンの蒸気機関（提供：World History Archive／ニューズコム／共同通信イメージズ）

蒸気機関の実用の幅を広げたワット

ニューコメンの発明は蒸気機関の実用を実現したものであったが、燃料として多くの石炭を必要とすること、また、単純な上下運動しかできなかったことなど未熟な点もあった。

そうした未熟な点を克服し、蒸気機関の実用の幅を広げたのが、有名なジェームズ・ワットである。

ニューコメンの蒸気機関は、一つのシリンダで蒸気を温めたり冷やしたりする構造となっているため、一度冷やしたシリンダを再び加熱することから、燃料として多くの石炭を必要とした。

石炭を採掘するための蒸気機関が石炭を多く消費していては本末転倒で意味がない。

ニューコメンの蒸気機関の効率性に問題を感じたワットは、効率を向上させる技術開発に取り組んだ。

そして、シリンダ内で温められた蒸気を別の容器に移動させることで、シリンダ内を冷やすことなく高温を保ち、蒸気を移動させた容器内で冷水を噴出し蒸気を冷やして凝縮させる「分離凝縮器」（復水器）の開発に至っている。

ワットが開発した「分離凝縮器」（復水器）による蒸気機関は、実にニューコメンの蒸気機関の3倍の効率を発揮したという。

ワットは蒸気機関の開発にさらに取り組み、1775年には実業家のマシュー・ポールトン

ジェームズ・ワット
（1736〜1819）
英国の機械技術者。T・ニューコメンの大気圧機関の改良から蒸気機関を発明、産業革命の発展に貢献した。その功績を称え、国際単位系（SI）における仕事率の単位の「ワット」は、彼の名前を由来としてつけられた。

と手を組み共同事業として「ボールトン・アンド・ワット商会」を設立。
そして、1781年、シリンダ内のピストンが下がる時だけではなく、上がる時にも反対側から蒸気を入れることで上下運動を回転運動に変える技術も開発。性能と汎用性が高められた蒸気機関は、紡績工場や織物工場などにも広がっていった。

世界初、石炭蒸気で走る乗り物の登場

ニューコメンとワットが、真空と大気圧との差を利用して作動する大気圧機関とも呼ばれる蒸気機関の開発と実用化を進めた一方、「強力蒸気」と呼ばれる高圧蒸気のみでピストンを直接駆動させる高圧蒸気機関の開発と実用化を進めたのが、リチャード・トレヴィシックである。

ニューコメンとワットの大気圧機関では、出力を上げるにはシリンダのサイズを大きくしていかなければならなかった。

ボールトン・アンド・ワット商会が1792年に製作した大気圧機関のシリンダの直径は約175㎝、上下運動のストロークの長さは270㎝もあり、当時既に大型なものになっていた。

これに対して高圧蒸気機関は、機関の大きさに関わらず、蒸気の圧力を高めれば高めるほどより強い力で作動するものであることから、圧力に耐えられる堅牢なボイラーにより小型化す

リチャード・トレヴィシック
（1771〜1833）

ることが理論的に可能であった。

さらに、高圧蒸気機関には「分離凝縮器」(復水器)は必要ないため、機関構造をシンプルにできる利点もあった。

トレヴィシックがまず取り組んだのが、高圧蒸気機関を用いた車の製作である。

1801年のクリスマス、トレヴィシックはパフィング・デヴィル号(Puffing Devil)と名付けた蒸気車の試運転を実施。パフィング・デヴィル号は7~8名の人間を乗せて見事に走行し、ここに世界初の蒸気機関を動力にした人が乗る乗り物が世に送り出されたのだ。

そして1803年には改良を加え、より実用的にした蒸気車をロンドンで約6カ月にわたり走らせるに至っている。

蒸気車を世に送り出したトレヴィシックは、いよいよ蒸気機関車の開発に取り掛かる。そして、1804年2月21日、貨車と客車に10tの鉄と乗客70名を乗せた蒸気機関車、ペナダレン号を世界で初めてレールの上を走らせることに成功したのだ。

蒸気機関車の走行を成功させたトレヴィシックは、炭坑や鉄鉱石採掘場の排水用高圧蒸気機関の製造、販売にも取り組んだ。石炭や鉄鉱石の需要増大とともに、炭坑もより深くなったため、効率的な排水がますます必要になってきていたのだ。

トレヴィシックが製造する高圧蒸気機関はその構造上、ボールトン・アンド・ワット商会の大気圧機関に比べ小型でありながら高効率、そして価格も安いという優れものであった。

排水用高圧蒸気機関の製造、販売により高圧蒸気機関のさらなる技術を向上させたトレヴィシックは、新たな蒸気機関車を開発した。その名は「キャッチ・ミー・フー・キャン号（Catch Me Who Can）」。

風変わりな名前であるが、その名前が意味するところは「誰か捕まえられるものなら捕まえてみろ」である。この名前から新開発の機関車へのトレヴィシックの自信のほどがうかがえる。

トレシヴィックは新開発のキャッチ・ミー・フー・キャン号の性能を世に示し、売り込むための一大イベントを企画した。ロンドンのノース・ガウアー通りとユーストン・ロード周辺の空き地に直径約30mの円形のレールを敷き、その周りをぐるっと塀で囲んだ見世物小屋のようなイベント会場を設置し、そのなかでキャッチ・ミー・フー・キャン号を走らせるデモンストレーションを1808年7月に実施したのだ。

デモンストレーションは、キャッチ・ミー・フー・キャン号の試乗券が販売されるなど興行的な色合いで開催されたが、会場の地面がひどくぬかるんでいたことやレールの破損などによるトラブルが相次ぎ、期待

TRIAL OF TREVITHICK'S ENGINE ON A CIRCULAR RAILWAY, IN A FIELD NEAR THE NEW ROAD, LONDON, 1808.

（提供：World History Archive／ニューズコム／共同通信イメージズ）

キャッチ・ミー・フー・キャン号のデモンストレーションの様子

したほど世間の関心を集めることはできなかった。

キャッチ・ミー・フー・キャン号をうまく興行できなかったトレヴィシックは結局、蒸気機関車の開発、販売を断念する。

高圧蒸気機関を開発し、蒸気車、蒸気機関車を世に送り出すという偉業を成し遂げたトレヴィシックであるが、蒸気機関による移動交通手段の実用化を果たすことはできず、貧困のうちに生涯を閉じている。

産業革命の代名詞、蒸気機関車の実用化

トレヴィシックが初めて蒸気機関車を走らせてから21年後、ついに蒸気機関車の実用化が果たされる。歴史に名を残したその人物は、「鉄道の父」と呼ばれるジョージ・スティーブンソンである。

読者のなかには、ジョージ・スティーブンソンと聞くと蒸気機関車を開発した人物と誤解されている人もいるかもしれない。

前述の通り蒸気機関車を開発したのはトレヴィシックでありスティーブンソンではないのだが、蒸気機関車の実用化は歴史認識を誤解させてしまうほどインパクトがあったということであろう。

スティーブンソンは、イギリスの土木技術者であり機械技術者である。スティーブンソンが

ジョージ・スティーブンソン
（*1781~1848*）
イギリスの発明家。ワットの蒸気機関を応用し、蒸気機関車を製作。1825年に世界最初の鉄道を建設。

最初に蒸気機関車を製作したのは1814年。キリングワース炭坑の石炭輸送用の蒸気機関車を設計している。

プロイセンの軍人にちなんで「ブリュヘル号（Blücher）」と名付けられたスティーブンソンの最初の機関車は、世界初となる輪縁付きの車輪を採用し、車輪と線路の摩擦によって走行することで、時速6・4㎞で30ｔの石炭を積載し傾斜を上ることを可能にしている。

ブリュヘル号の製作後も蒸気機関車の開発を進めたスティーブンソンは、その技術力が認められ、ストックトンとダーリントン間の鉄道建設を請け負うことになる。そして、1825年9月27日、世界初の蒸気機関車による公共鉄道となるストックトン・ダーリントン鉄道の開業を成し遂げたのである。

ストックトン・ダーリントン鉄道では石炭輸送を目的として蒸気機関車を走らせていたため、人が乗った客車は馬が牽引していた。すなわち、蒸気機関車と馬の両方がストックトン・ダーリントン鉄道のレールを走っていたことになり、鉄道としてはまだまだ原始的なものであった。

スティーブンソンは近代的な鉄道の建設にも取り組んだ。リバプール・マンチェスター鉄道である。この鉄道は、蒸気機関車専用で、イギリス最大の貿易港リバプールとイギリス最大の工業都市マンチェスターの間のおよそ50㎞を乗客も乗せて走るものだった。

しかし、その建設は難航した。運河や駅馬車の関係者、宿屋の経営者などが自分たちの商売に悪影響があるとして、線路予定地の測量を邪魔するなど大反対したのだ。

この頃、蒸気機関車について「列車の速度が48㎞を超えると社内に空気が入らなくなり窒息死する」「汽車に驚いて牛が乳を出さなくなる」などといったまことしやかな噂が反対する人々を煽るように広がっていた。

いつの時代でも新しい体制への移行には、必ず古い体制側の大きな抵抗が起こるが、鉄道という新たな移動手段も古い体制側の抵抗にあったということだ。

こうした抵抗を抑えるため、また、蒸気機関車が最適な選択肢であることを確認するためにも、従来の方式である定置式の蒸気機関を使って貨車をケーブルで牽引する方法や馬などの移動手段よりも、圧倒的に優れているということを示す必要があった。

そのため、リバプール・マンチェスター鉄道の取締役会は機関車の競走会、いわゆるコンペを行い一番優秀だったものを採用することを決定した。コンペは、リバプールの東16kmほどにあるレインヒルという村で1829年10月初旬に開催された。当日は、競走を見ようと1万人以上の人が会場に詰め掛けた。

コンペに参加するには速度基準や安全基準など高い参加基準をクリアする必要があり、高い基準をクリアし参加できたのは5台の蒸気機関車であった。そのなかには、スティーブンソン親子が開発した「ロケット号（Rocket）」もあった。

ジョージ・スティーブンソンの息子のロバートは、優秀な技術者であるとともに父親が経営する会社の共同経営者として活躍していた。ロケット号は、そうしたスティーブンソン親子の技術の結晶とも言える蒸気機関車であった。

Fig. 39. — Vue extérieure de la locomotive de Stephenson, la *Fusée* (Rocket).

ロケット号（提供：Mary Evans Picture Library／共同通信イメージズ）

コンペの結果は、唯一最後まで走り続けたロケット号の圧勝に終わり、ここに蒸気機関車の優れた性能が証明されたのだ。

コンペの結果を背景に、1830年12月1日に蒸気機関車によるリバプール・マンチェスター鉄道の試運転が行われ、綿花、小麦、麦芽、オートミールと15名の乗客の合わせて総重量86tの列車が平均速度20kmの走行に成功。そして、9カ月後の1831年9月15日には全線が開業し、ここに産業革命の代名詞と言える蒸気機関車による公共交通機関が誕生したのだ。

〈参考文献〉
リチャード・ローズ『エネルギー400年史』草思社、2019年
http://www.cc.matsuyama-u.ac.jp/~kwatanab/Ztaikai/2015/
田中紀夫「エネルギー文明史―その3　三大エネルギー革命と自然環境の変貌」『石油・天然ガスレビュー』独立行政法人 石油天然ガス・金属鉱物資源機構、2004年9月号

COLUMN

世界初の鉄道事故

本格的な蒸気機関車による公共鉄道として世界初と言えるリバプール・マンチェスター鉄道の開業であるが、実はその開業式で世界初となる鉄道事故も起きてしまっている。開業式に参加していたリバプール選出の下院議員でリバプール・マンチェスター鉄道の開業に功績のあるウィリアム・ハスキソン（William Huskisson）が、なんと機関車にひかれて死亡するという事故が起きてしまったのだ。本格的な蒸気機関車による公共鉄道として世界初と言えるリバプール・マンチェスター鉄道の開業式は、皮肉なことに世界初の鉄道事故が起きた日としても人々の記憶に残されることになった。

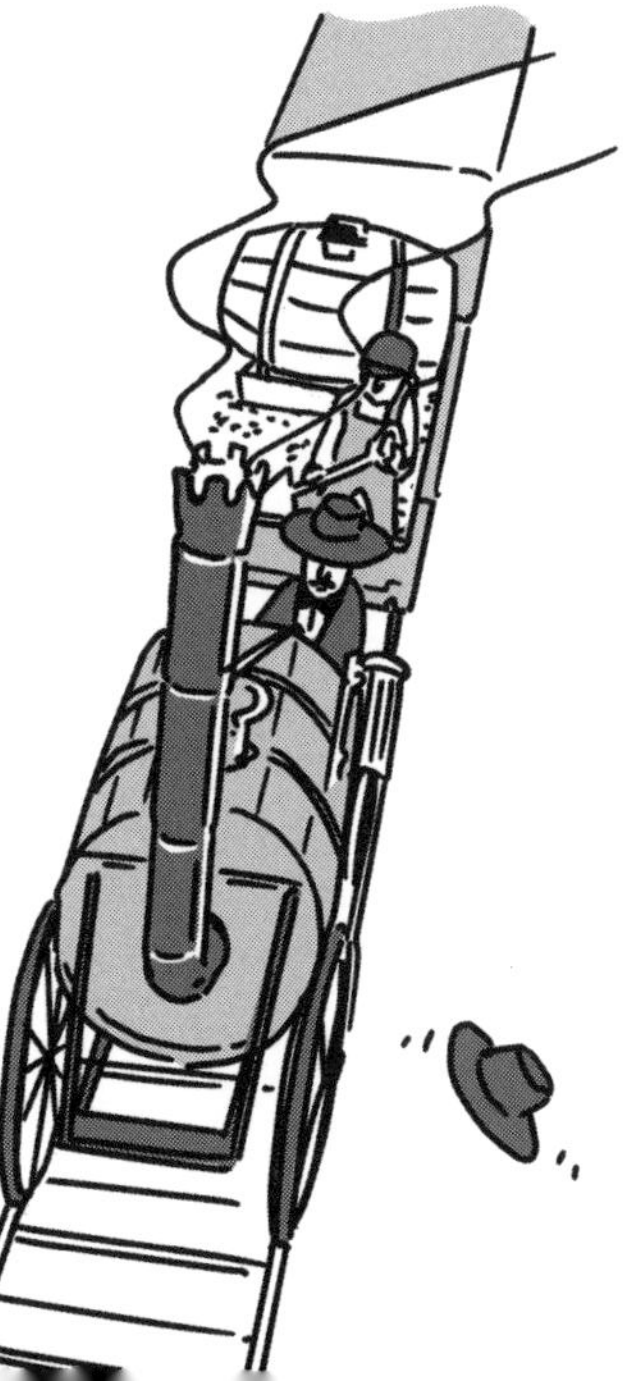

3

石炭という資源がもたらしたもの

世界が知った資源＝繁栄の条件

前述したように、石炭が使われるようになったのは、木炭という資源の枯渇問題に対応することが主なきっかけであった。

そこから人の知恵が働きかけることで、石炭の弱点を克服したコークスが開発され、石炭は単なる代替資源としてだけではなく真の意味で利用価値の高い資源となっていった。

また、石炭を燃料にした大気圧蒸気機関が開発されたことで、熱エネルギーを動力エネルギーに転換することが可能となり、炭坑の排水の効率化や紡績工場や織物工場の生産性の向上を実現した。

さらに、蒸気機関は高圧蒸気機関へと進化し、大量の物を速く、確実に輸送する蒸気機関車による公共交通網が生み出されている。蒸気機関車の実用化は、当時の時間と空間の概念を大きく覆したと言える。

こうした一連の石炭利用がイギリスを中心にして起こり、イギリスに産業革命と言われる繁栄をもたらした。イギリスで起きた石炭利用による産業革命はやがてアメリカに波及し、そして世界各国へと広がっていった。

今日の我々の生活は、何らかのエネルギー源を用いて動力機関をはじめとするデバイスを稼働させることで高い生産性や快適な暮らしを実現している。そうしたエネルギー源として近代化の扉を開いたのが、石炭なのだ。

この時代、石炭を奪い合うという資源争奪は起きていないが、石炭という資源なくしては繁栄は成し得ないこと、すなわち、資源が繁栄の条件であることを世界は身をもって経験し、資源を確保することの重要性が強く認識されたのである。

日本にやってきた巨大な蒸気船

イギリス発の蒸気機関の発達と石炭資源の重要性向上の影響は、遠く日本にまで及ぶことになる。

嘉永6（1853）年6月3日、4隻の艦隊を率いて浦賀沖に現れたペリーは、日本とアメリカの友好と通商（貿易）、アメリカ船への石炭と水・食料の供給、難破民の保護を求めることを記したアメリカ合衆国フィルモア大統領の国書を携え、日本の「開国」を求めてきた。

ペリー艦隊の4隻のうち、旗艦「サスケハナ号（Susquehanna）」と「ミシシッピ号（Mississippi）」は蒸気機関船で、その推進機構は石炭を燃やしてボイラーで蒸気を起こし、蒸気でエンジンを動かして、その力で船体中央の両側面にある外輪を回転させて推進するものであった。

旗艦のサスケハナ号は1850年に建造され、全長78・3m、排水量2450t、乗組員300名であった。

日本の千石船がおよそ100t程度であったことを考えると、サスケハナ号はその20倍以上になり、日本人の目にはとてつもない大きさに見えたことだろう。

「泰平の眠りをさます上喜撰（＝蒸気船）、たった四杯で夜も寝られず」という狂歌が残っているように、見たこともない巨大な蒸気船の来航は人々が夜も眠れぬほどの騒ぎとなっていたことがうかがわれる。

ペリー
（*1794～1858*）
アメリカの海軍軍人。東インド艦隊司令長官として、嘉永6（1853）年軍艦4隻を率いて浦賀に来航し日本に開国をせまる。翌年再び来航し、日米和親条約を締結した。

石炭が目的だったペリーの来航

当時、欧米諸国では、ロウソクやランプ油、潤滑油の製造に、鯨から取れる油分「鯨蠟」が用いられており、アメリカは油を採るためだけに捕鯨を盛んに行っていた。

ペリーの来航目的も日本を捕鯨船の中継基地とすることが一つの目的であったが、フィルモア大統領の国書に書かれているように石炭の確保も大きな目的であった。

当時の日本では塩田方式による製塩が行われていたが、塩を煮詰めるために薪が使われていた。その結果、ヨーロッパと同様に森林の伐採が進んでしまい、日本も薪の枯渇という状況に陥っていた。

そのため、薪に代わる燃料として山口県宇部地方や福岡県筑後地方にある石炭が注目され、18世紀後半には製塩のための石炭採掘が広く行われるようになっていた。

日本に石炭資源があることを知ったアメリカは、日本で石炭を調達できればアジア貿易の中継基地にできると考えたのだ。

アメリカからアジアへの長旅では多くの石炭を積み込む必要があり、その分貨物が減ってしまうが、日本で石炭を補給できれば、積み込んでいく石炭の量を減らすことができ、その分貨物を積み込めるというわけだ。

かくして、ペリーは嘉永7（1854）年1月16日、7隻の艦隊を率いて再び来航し、和親条約の締結を迫り、幕府は3月3日に横浜村で12条の日米和親条約（神奈川条約）を締結することになる。

ペリーは、日本の石炭を確保することがアメリカの繁栄に寄与することを十分に理解していたことであろう。

そこに、アメリカが極東の小国である日本の開国にこだわった理由があるのだ。

欧州連合設立のきっかけとなった石炭

石炭を目当てにペリーが日本に開国を迫ったように、石炭は現代に至るまで世界の国際関係に様々な影響を及ぼしている。

今日、欧州の政策を動かしている欧州連合の設立も、実は石炭が大きく影響している。

第二次世界大戦後の1952年、フランス・西ドイツ・イタリア・ベネルクス3国（ベルギー・オランダ・ルクセンブルク）の6カ国による、石炭・鉄鋼の生産を共同管理する機関、ヨーロッパ石炭鉄鋼共同体（ECSC）が設立された。

ECSC結成の目的は、独仏の石炭と鉄鋼の資源を共同の機関の管理下に置き、様々な戦争のきっかけとなっていた独仏間の軍事的な対立を永久に回避することであった。

石炭と鉄鋼は軍事産業の中核であり、多くの炭鉱と製鉄所が集中していた独仏国境沿いのアルザス、ロレーヌ、ザール、ルール地方の領土的帰属をめぐって両国がたびたび戦争を起こしてきたことから、軍事的手段ではなく国際的な枠組みの構築というルール設定によりその原因を取り除こうとしたのだ。

ECSCはその効果を発揮し、加盟国も当初の6カ国から5次の拡大を経て27カ国になり、欧州全域に広がった。このECSCが、後の欧州共同体（EC）、さらに現在の欧州連合（EU）に発展するヨーロッパ統合の基礎となったのだ。

こうして世界は、石炭という資源が繁栄のためになくてはならない条件であること、そして、それをコントロールすることが国際関係をも左右することを経験し、いかに資源が重要であるかを学んでいったのだ。

〈参考文献〉
横須賀市民文化財団 編集『続横須賀人物往来』（財）横須賀市生涯学習財団、1999年
EU MAG「EUはどのように創設されたのですか?」 http://eumag.jp/questions/f0513/

ドレークの石油掘削井戸 （写供：World History Archive／ニューズコム／共同通信イメージズ）

chapter. 3

第 3 章

資源獲得競争を加速させた石油、天然ガス

1 「燃ゆる水」、石油の登場

古代から利用されていた石油

近代化の扉を開き、世界に資源の重要性を知らしめた石炭も、石油という次の資源の登場により主役の座を降りることになる。

石油の存在ははるか昔より知られており、古くは紀元前3000年頃にメソポタミアで、地面から染み出た原油が変化してできた炭化水素の天然アスファルトを、建造物の接着や水路の防水などに使っていた。

また、紀元前3000年頃のエジプトでは、ミイラの保存に防腐材として天然アスファルトを使用していた。

『旧約聖書』では、ノアの箱舟の防水材やバベルの塔のレンガの接着剤として天然アスファルトが登場している。

日本では、縄文時代から接着剤として天然アスファルトが使用されており、青森県、秋田県、新潟県などの遺跡から、天然アスファルトを使った矢尻や、アスファルトで補修された土器や土偶が多数出土している。

また、『日本書紀』には、天智7（668）年、越の国（新潟地方）から「燃ゆる土」と「燃ゆる水」が近江大津宮に献上されたという記録が残っている。

アスファルトから生産された灯油

現代では、石油はガソリン車の燃料をはじめとして様々な用途に使われているが、石油を加工して最初につくられたのは、明かりを灯す灯油であった。

石油が掘削されるようになるまでは、地面から染み出るアスファルトがもっぱら利用されていた。カリブ海の島国、トリニダード・トバゴにある天然アスファルトが湧き出る湖のピッチ湖や、ロサンゼルスにある天然アスファルトの池であるラ・ブレア・タールピットなどがよく知られていた。

このアスファルトを利用して灯油をつくりだしたのが、カナダ人のエイブラハム・ゲスナー博士である。ゲスナー博士はトリニダード島のアスファルトを用いて蒸留による分離実験を約

2000回にわたり行い、1846年に灯油の精製に成功した。

分離精製したての未処理の灯油は、燃やすと鼻につく匂いとひどい煙をあげ、そのままでは使用することはできなかった。そのため、酸や石灰を使って加工処理を施すことで改良を加え、匂いも煙も出ない灯油、ケロシンの製造に成功している。

ゲスナー博士は照明用の燃料を生産するケロシンオイル社を共同経営者とともに設立し、ケロシンの量産に取り組んだ。当時のケロシンに対する評価は高く、その明るさは鯨油や鯨蠟よりも数倍も明るく、値段も鯨蠟の6分の1、ガス灯の半分という安さであったという。

このケロシンという灯油は、現代においてもキャンプの照明道具であるランタンの燃料に使われており、その明るさや安さを現代でも体験できる。

こうした高い評価のもと、ケロシンオイル社はケロシンの量産を進め、1859年には日産1・9万ℓ、年産570万ℓを超えるケロシンが生産され、石油を加工した最初の製品が世に送り出された。

アスファルトに代わるオイルクリークの石油

ケロシンの量産が進むころになると、炭坑から産出されるアスファルトを含んだ瀝青炭《れきせいたん》がケロシンの主な原料として使われるようになっていた。

同時に、灯油を生産する会社があちこちで創業し、過当競争に突入する勢いとなった。

灯油の生産でさらなる利益を上げるには、炭坑から手間とコストをかけて採掘する瀝青炭ではなく、より安価に灯油を精製できる原料が望まれた。そこで目が付けられたのが、オイルクリークの石油である。

当時、アメリカのペンシルベニア州西部のベナンゴ郡の農場で、地面から石油が湧き出し流れとなった石油の川「オイルクリーク」が見つかっていた。オイルクリーク流域に住んでいた原住民のセネカ族は、オイルクリークの石油を沸騰させてつくった軟膏を万能薬として使っていた。

原住民が薬として利用していた石油であるが、アスファルトから灯油をつくるのと同じ方法で、石油でも灯油を精製することが可能であることがわかっていたことから、炭坑から労力をかけて掘り出す瀝青炭ではなく湧き出た液状の石油を使えば従来よりも安価に灯油が精製できるのではと、もくろんだのである。

しかし、石油の価値がまだ定まらないこの時代、石油を商業化するにはどのくらいの投資が必要なのか、また、投資に見合うだけの石油をどうやってオイルクリークから産出すればよいのかなど、産出方法もわからないほど手探りの状況であった。

世界初、岩塩掘削技術による石油産出

石油は使い物になるのか、ならないのか。その問いに答えを出したのが、エドウィン・L・

ドレークである。

もともとドレークはマサチューセッツからミシガンを走る鉄道の車掌であり、コネチカット州ニューヘイブンのセネカ石油会社が石油採掘の現場責任者として迎え入れている。

ドレークは石油にまったく接点がなく採掘技術者でもないことから、異色の人事と言える。ドレークはミシガン州の民兵として働いていたこともあり、大佐の地位にあったという。本当に大佐だったのかは諸説あるが、採掘現場となったペンシルベニア州オイルクリーク流域のタイタスビルではドレーク大佐と呼ばれていたという。

石油の採掘は、側溝を掘って石油を滲み出させる方法が何度も試されたが、思うように石油を湧出させることはできなかった。そのためドレークは、当時既に確立していた蒸気機関を使った岩塩掘削技術によって採掘することを考えた。

当時は蒸気機関を使ったボーリングにより塩水井と呼ばれる井戸を掘り、地中の岩塩から染み出す塩水を汲み出し、蒸発させて塩を製造することが、普通に行われていた。

その際、しばしば石油が混じることがあり、混じった石油を集めて売る場合もあった。

この技術を用いて石油が埋蔵されている場所に井戸を掘れば、塩水と同じように石油を汲み出すことができると考えたわけだ。

1858年5月、タイタスビルに到着したドレークは、石油採掘を開始した。採掘効率を上げるため、ボーリングした井戸に木製のケーシング管を挿入し井戸の崩壊を防ぎ井戸を維持する技術も開発したが、一体どこを掘れば石油が出るのかはまったくの未知で採掘は難航した。

エドウィン・L・ドレーク
(1819〜1880)

ドレークは黙々と採掘を進めるが一向に石油は出ず、いつしか周りからは奇人変人扱いされるようになっていったという。

こうした状況が続き、投資家からも愛想を尽かされ資金も乏しくなり、銀行から借金をする事態に陥っている。

誰もがあきらめかけていた1859年8月、ボーリングした井戸のパイプの出口まで約1mというところまで石油が湧き上がってきたのだ。

ついにドレークは石油を掘り当て、ここに世界で初めて機械掘りによる石油採掘が成功し、後に化石燃料の代表格となる石油産業の扉が開かれたのだ。

一攫千金のオイルラッシュ

ドレークの石油採掘成功は、タイタスビルの住民に衝撃を与えた。

それまで変人扱いしていたドレークに対して「いつか成功すると俺は思っていたんだよ！」といったよくありがちなコメントが住民から聞こえてきそうである。

タイタスビルの住民は、後に続けとばかりに一攫千金を狙ってオイルクリークの採掘権を得ようと殺到した。ペンシルベニアのオイルラッシュの始まりである。

オイルクリーク沿岸には次々と石油を採掘するやぐらが立てられ、ドレークの石油採掘成功から1年後には、石油の採掘は日産16万ℓにおよんだ。これは灯油に換算すると8万ℓ分の灯油に相当した。

誰もが予想しなかった石油の採掘成功であったことから、オイルラッシュの過程では混乱も起きている。

石油の採掘方法はドレークによって考えられたが、採掘した後のことまで考えが十分に及んでいなかったのだ。

例えば、汲み上げた石油を何に貯めるかもよく考えられていなかった。そもそも石油を貯める専用の容器などなかったことから、ありとあらゆる樽がかき集められた。樽の需要を見込んで樽屋の買収も起きたという。

そのうち適当な容器としてバレルと呼ばれるウイスキー貯蔵樽に石油が入れられるようになり、これが石油の単位としてバレル（約159ℓ）が使われる由来となっている。

採掘した石油をどのように運ぶかも問題であった。

汲み出した石油を精製するには、オイルクリークから製油所に運ばなければならなかったが、大量の石油樽を積んだ馬車による輸送は難儀なものであった。

そこで考えられたのが、船による輸送であった。川沿いであるという地理を活かしてのことだが、その方法は大胆なものであった。

なんと川の支流に堰をつくり水を堰《せ》き止め、一気に開放することで人工的な洪水を起こし、その波で石油を積んだ船を一気に下流に押し流すというものであった。

洪水を人工的に起こすなど今では到底考えられないが、当時のオイルラッシュの熱狂ぶりがうかがえる光景である。

ドレークが採掘した油井は石油が自噴するものではなかったが、そのうち自噴するほどの規模の油井も見つかるようになった。

そうした規模の大きな油井を手に入れた地主のなかには、何千万ドルもの大金を稼ぐ者もいた。

石油採掘で一攫千金を当てる者も現れるとオイルクリークの開発はさらに進み、1862年にはオイルクリーク鉄道が敷設され、さらに採掘現場から鉄道までパイプラインが引かれるなど、石油運搬のインフラも整うようになっていった。

こうして石油が開発され表舞台に出るようになると、灯油は、高額な瀝青炭ではなく安価な石油で製造されるようになっていった。

ペンシルベニア州でのオイルラッシュは、その後乱開発による供給過多などによりおよそ10年で終息を迎えているが、アメリカの石油採掘はペンシルベニア州だけにとどまらず、テキサス州やカリフォルニア州などの西部諸州にも広がっていき、資源としての地位を高めていったのだ。

石油に目を付けたロックフェラー

当時はまだ石油の主な用途は灯油に限定されていたが、いち早く石油とい

石油掘削井戸が立ち並ぶ当時のオイルラッシュの様子
（提供：Bettmann／ゲッティ／共同通信イメージズ）

う資源の可能性に目を付けたのが、ジョン・D・ロックフェラーだ。

ロックフェラーは石油の将来性を見込み、1870年にオハイオ州でスタンダード石油会社（Standard Oil Company of Ohio）を創立。まず取り組んだのは、石油産業のなかでもリスクの少ない輸送、精製、販売といった下流部門の掌握であった。

ロックフェラーは徹底したコスト管理と作業効率化で他を圧倒し、1872年までに米国の石油全精製能力の4分の1を手中にした。

あわせて各地の有力販売会社の買収も進め販売網を確保し、販売シェアを全米の3分の1にまで拡大した。

また、石油の輸送部門の掌握も精力的に行い、1876年までに全米の石油輸送関連の鉄道と幹線パイプラインのほとんどを手に入れ、スタンダードオイルグループはアメリカの石油業界を牛耳る大企業へと成長した。

石油の探索、産出といったリスクの高い石油産業の上流部門は避け、リスクの低い下流部門を掌握するというロックフェラーの戦略の勝利というところだろう。

しかし、こうしたスタンダードオイルグループの独占への反発もあり、1911年に独占を禁止するシャーマン反トラスト法が適用された。スタンダードオイルグループは、グループを構成していた30を超える石油会社に解体されることになった（図2）。

スタンダードオイルグループは解体されたものの、この解体で生き残ったエクソン、モービル（後のエクソンモービル）、ソーカル（後のシェブロン）が国際石油企業として活躍した。

ジョン・D・ロックフェラー
（1839〜1937）
アメリカ合衆国の実業家。1870年にオハイオ州でスタンダード石油会社（Standard Oil Company of Ohio）を創立。石油ビジネスで富豪となり「石油王」と呼ばれた。

これらスタンダードオイルグループを前身とする3社に加え、ロイヤル・ダッチ・シェル、アングロ・ペルシャン（後のブリティッシュ・ペトロリアム（BP））、テキサコ、ガルフを加えた7大石油メジャーはセブンシスターズと呼ばれ、国際的な石油産業に大きな影響を与えていくことになる。

石油の需要を飛躍的に伸ばしたガソリン車の開発

ロックフェラーがいち早く石油に目を付けたように、石油は明かりを灯す灯油としてではなく動力の燃料としての需要を飛躍的に伸ばすことになる。

ガソリンで動く内燃機関を搭載したガソリン車の登場である。

ガソリン車の普及というと1908年に登場したヘンリー・フォードのT型フォード車が思い浮かぶが、ヘンリー・フォードがガソリン車を開発したわ

図2　スタンダードオイルの解体とセブンシスターズ誕生概要

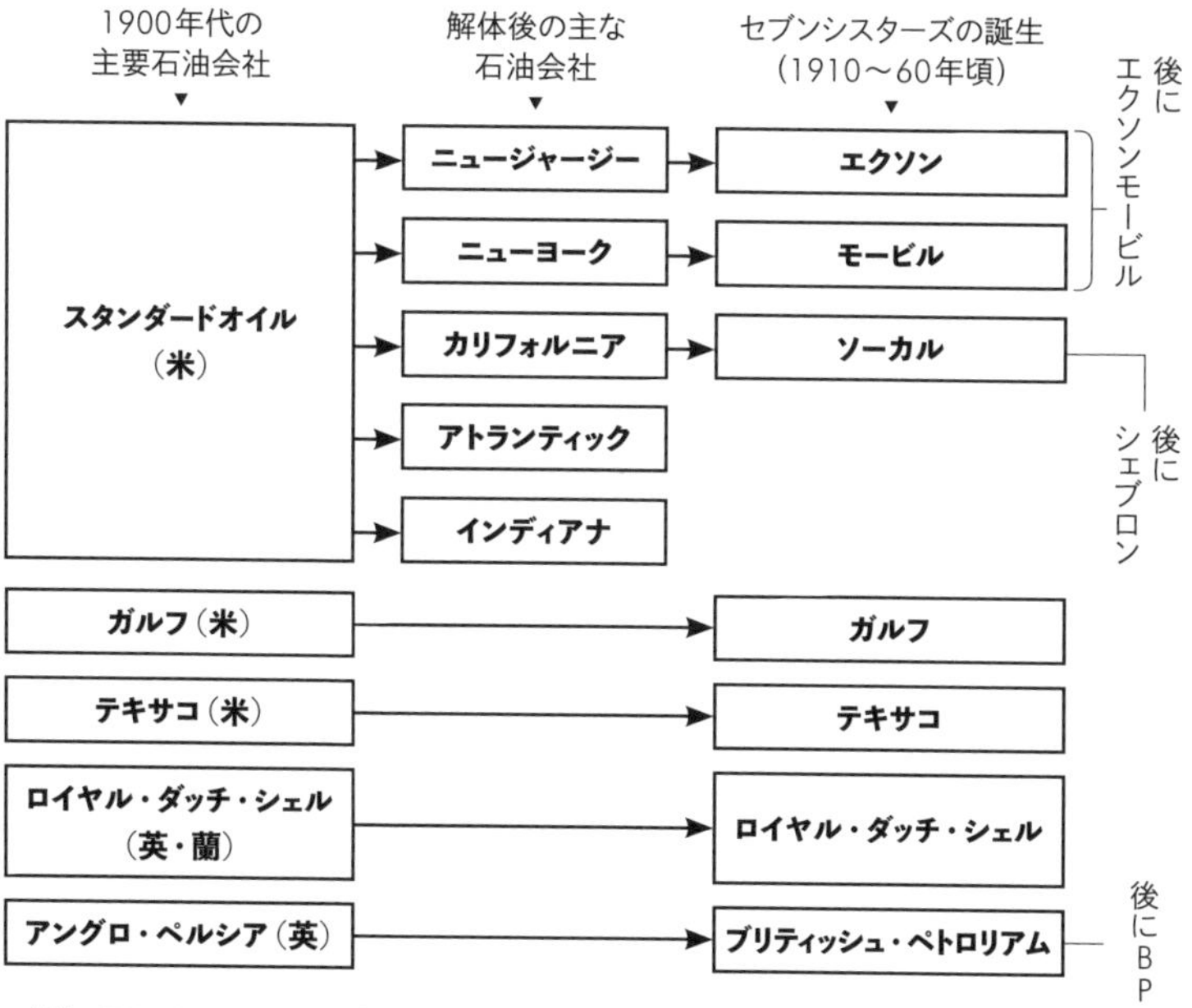

出所：ENEOSホームページ「石油便覧」他から筆者作成

けではない。

今日の石油の主な用途となるガソリン車を世に送り出したのは、カール・ベンツとゴットリープ・ダイムラーの二人である。

ダイムラーは、1834年に南ドイツのヴュルテンベルク王国ショルンドルフ（現在のバーデン＝ヴュルテンベルク州レムス＝ムル郡）に生まれた。

幼い頃から機械好きだったダイムラーは、シュツットガルトの高等工業学校に進学しエンジニアの道に入り、〝内燃機関の父〟アウグスト・オットーに師事し、1875年にオットーのもとで、世界初の4サイクルエンジンの運転実験に成功。

その後、オットーの元を離れ独立し、1885年に内燃機関を搭載した木製の2輪車「ニーデルラート」の走行テストに成功している。

これは現代の内燃機関の先駆けと言えるものであり、この年ダイムラーは、「ガソリンまたは石油を動力とする機械装置を搭載した車両」に対する特許を取得している。また、翌年の1886年には、駅馬車にエンジンを取り付けた世界初の4輪自動車「ダイムラー・モトールキャリッジ」を製造している。

ダイムラーより10歳年下のベンツは、バーデン大公国ミュールドルフ（現在のバーデン＝ヴュルテンベルク州カールスルーエ）に生まれる。地元のカールスルーエの工業学校で内燃機関の技術を学んだ後に独立し、1878年に2サイクルエンジンを完成させている。

そして、1885年にはガソリンエンジンで走る3輪自動車「パテント・モトールヴァーゲン」を開発し、試運転に成功する。翌86年には特許が認められたことで、ベンツは世界初のガソリンエンジンをつくったエンジニアとされた。

一方、ダイムラーの4輪自動車「ダイムラー・モトールキャリッジ」もほぼ同時期に製造されていることから、二人が開発した2台の自動車が現代へと続くモータリゼーションの始祖となるのだ。

そして、1926年、ゴットリープ・ダイムラーのダイムラー・モトーレン社とカール・ベンツのベンツ&カンパニー社が合弁し、現在のダイムラー社としてその歴史は引き継がれている。

二人が開発したガソリンエンジンは、その後ヘンリー・フォードのT型フォード車の大量生産化により燃料としての石油の需要を飛躍的に伸ばすことになっていく。

〈参考文献〉
ENEOSホームページ「石油便覧」 https://www.eneos.co.jp/binran/document/part01/chapter01/
メルセデスベンツWebサイト「Mercedes Story」 https://www.mercedes-benz.jp/brand/magazine/story/01.html
ナショナルジオグラフィックWebサイト「ダイムラーの四輪車、車と燃料の歴史」 https://natgeo.nikkeibp.co.jp/nng/article/news/14/6109/
リチャード・ローズ『エネルギー400年史』草思社、2019年

カール・ベンツ（1844〜1929）

ゴットリープ・ダイムラー（1834〜1900）

2 石油争奪の時代

第一次世界大戦の行方を左右した石油

1903年にフォード・モーターを設立したヘンリー・フォードは、一部の富裕層や趣味の乗り物ではない〝大衆のための車〟をつくることを目指した。

当時、自動車の値段は2000ドル以上が相場であったなか、1908年にT型フォードは850ドルという破格の値段で発売され、翌年1年間で1万台以上という驚異的な台数を売り上げている。

1910年にはミシガン州ハイランドパークに工場を新設し量産体制を整え、1913年には現代の自動車生産ラインの原型となるベルトコンベヤーを使った流れ作業による車の組み立てという画期的な生産方式が取り入れられている。

ベルトコンベヤーによる生産方式により、これまで1台の車の製造に13〜14時間かかっていたのが、1時間半にまで短縮されたのである。

こうしてダイムラーとベンツが開発したガソリン内燃機関を搭載した車は、フォードによって瞬く間に世に広がり、それとともに様々なものが蒸気機関からガソリン内燃機関へと切り替わっていった。

それは特に軍事分野で著しく、軍艦や戦車、そして戦闘機などにガソリン内燃機関が搭載され、石油は軍事燃料としての性格を強くしていった。

そうしたなか、1914年6月28日に、オーストリア帝国領のサラエボで、オーストリア皇太子夫妻がボスニア系セルビア人の青年に銃撃され死亡したサラエボ事件を発端に、第一次世界大戦が勃発。

ドイツ、オーストリア、オスマン帝国を中心とした同盟国と、イギリス、フランス、ロシアを中心とした連合国の二陣営による戦いが始まることになる。

T型フォードとヘンリー・フォード（提供：Underwood Archives／Universal Image Group／共同通信イメージズ）

戦闘は、石油を燃料とする戦車や戦闘機、軍艦などの近代兵器の戦いとなった。

それはすなわち、石油を確保しなければ戦いに勝つことができないことを意味していたが、20世紀初め、世界の石油はその約6割をアメリカが、そして約2割がロシアによって生産されていた。

世界の石油生産がアメリカとロシアにより占められているなか、1917年5月、アメリカが連合国側に加わり参戦することになる。

連合国側にとって産油国であるアメリカが味方についたことは、大きな転機となった。

そして1917年12月、冒頭で紹介したように、フランスの首相ジョルジュ・クレマンソーは味方となったアメリカ大統領ウッドロウ・ウィルソンに「石油の一滴は血の一滴に値する」と記した電文を送り、10万tの石油の供給を緊急要請し、アメリカはこれに応じている。

一方、産油国を味方に持たない同盟国は、連合国による海上封鎖などにより次第に石油確保の道を閉ざされ、1918年11月ついにドイツが降伏し、同盟国側の敗北で戦争の幕が閉じられている。

戦勝国による敗戦国の石油の囲い込み

第一次世界大戦により石油の確保が国の存亡を左右することを思い知った欧米各国は、石油の囲い込みを始めるようになる。

フランス首相
ジョルジュ・クレマンソー
（1841〜1929）

アメリカ大統領
ウッドロウ・ウィルソン
（1856〜1924）

同盟国側であったオスマン帝国のメソポタミア地方（現イラク）には、豊富な石油資源があることが有望視されていた。イギリスは、いち早くこの地域を自国の勢力下に収めようと動いたのである。

メソポタミア地方の石油開発については、第一次世界大戦前となる1914年3月にアングロ・ペルシャン（後のブリティッシュ・ペトロリアム）が50％、ロイヤル・ダッチ・シェルが25％、ドイツ国立銀行が25％を出資するトルコ石油（Turkish Petroleum Co.）が設立されていたが、イギリスとフランスは秘密裏に交渉を重ね、第一次世界大戦後の1920年4月のサンレモ協定によって、ドイツ国立銀行の持ち分25％をフランス政府に与えることが決められたのだ。

戦勝国である英仏が敗戦国の石油資源の囲い込みを行ったのである。

これは英仏石油連合の形成であり実質的なアメリカ外しであるとして、世界に衝撃を与えた。

メソポタミアの石油資源を狙うアメリカはイギリ

図3　メソポタミア地方

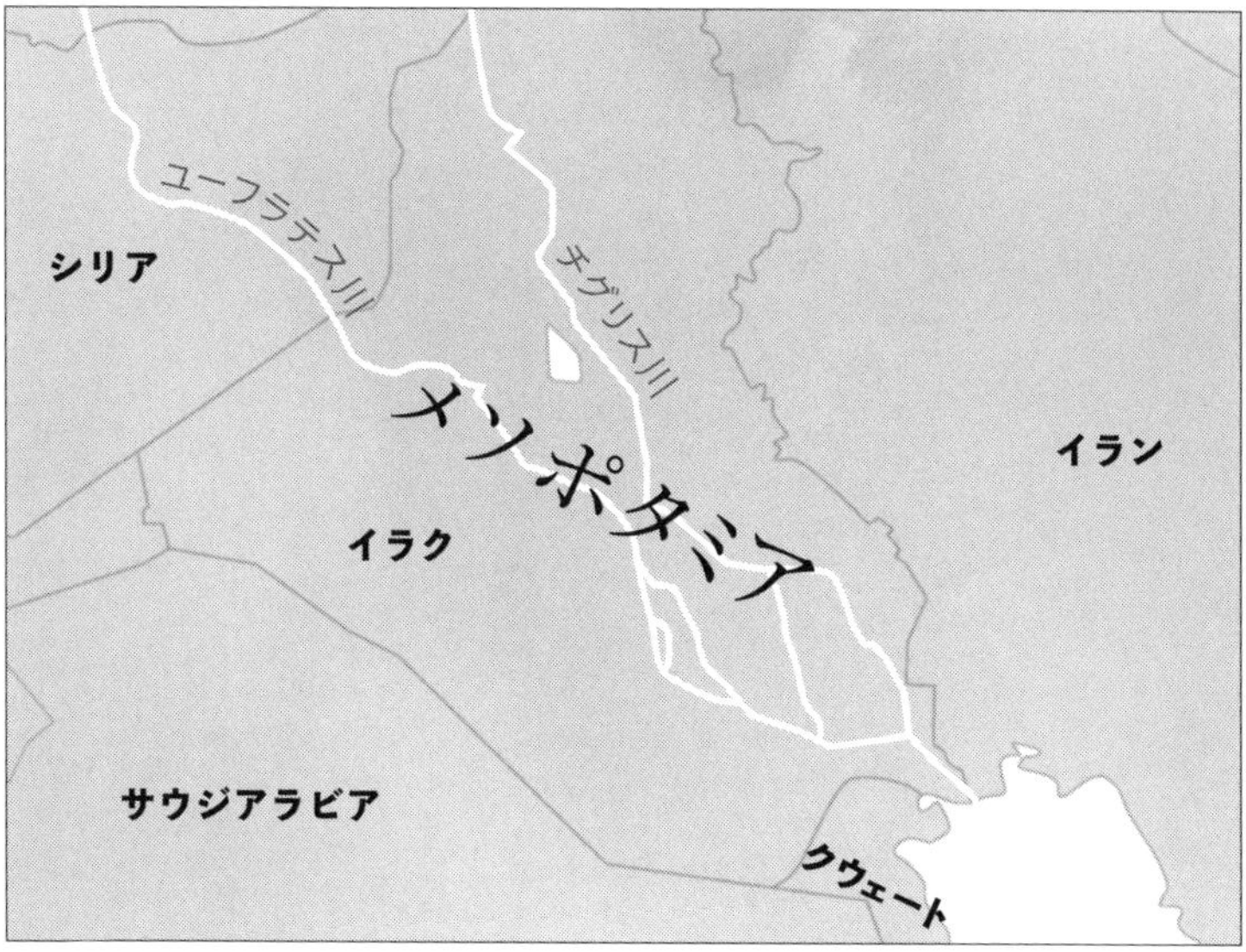

スに猛反発し、英米間の緊張が高まることになるが、対立をしていても得にならないと判断したイギリスが、1928年7月にアメリカ企業の参加を認めたことで、英米の争いもようやく終息している。

1920年4月のサンレモ協定以降、英米が妥協に至るまでおよそ8年という時間がかかっているが、それほど石油を確保することの重要性が第一次世界大戦で認識されたということであろう。

石油メジャーによる石油支配

トルコ石油へのアメリカの石油企業の参加と同時に、トルコ石油参加各社の間では、旧オスマン帝国領土内における石油利権の共同所有と共同操業を義務付けることが決められた。一国の抜け駆けを許さないということだ。

旧オスマン帝国領土内とはどこまでを包括するのか。

その範囲は地図に赤線で示され、ペルシャとクウェートを除く中東の重要地帯のすべてが含まれていた。

この時に交わされた協定は、旧オスマン帝国領土の範囲を地図に赤線で示したことから「赤線協定」と呼ばれるようになった（図4）。

赤線協定は単なる企業間の協定にとどまらず、イギリス、フランス、アメリカ各国政府の承

サンレモ協定

第一次世界大戦後の1920年4月、イギリス、フランス、イタリア、日本、ギリシャ、ベルギーの各国がベルサイユ条約の実施および中東の石油と委任統治の問題を討議するため、イタリアのサンレモで行った会議により取り決められた協定。

会議により、旧オスマン帝国領のアラブ民族居住地域を国際連盟の委任統治領として、イギリス、フランス両国が、分割管理することが取り決められ、敗戦国のドイツに代わりフランスがメソポタミアの石油利権を持つトルコ石油の株を25％取得するとともに、シリアを経由する地中海向けのパイプライン建設を認めたのが、サンレモ協定である。

認のもとに締結されたことから、より拘束力のある政府間協定としての性格を兼ね備えており、中東の石油資源に対する欧米の石油メジャーによる支配を一層強めるものとなった。

欧米が中東の石油への関与を強めるなか、1920年代後半にはオクラホマ州のセミノール、カリフォルニア州のケルトマンヒルズなどで大油田の発見が相次ぎ、石油の供給力は増大していった。

さらにアメリカ国外でも、ベネズエラ、ソ連、ペルシャなどで生産が増強されたことにより石油の生産過剰が起きたことで値引き合戦が始まり、世界の石油企業に大きな打撃を与える事態となっている。

これを契機として、1928年9月、石油メジャーである現在のエクソンモービル、ロイヤル・ダッチ・シェル、ブリティッシュ・ペトロリアムは「アクナカリー協定」または「現状維持協定」と呼ばれる包括的なカルテル協定を締結した。

この協定は、アメリカとソ連を除く世界市場で各

図4　赤線協定の範囲

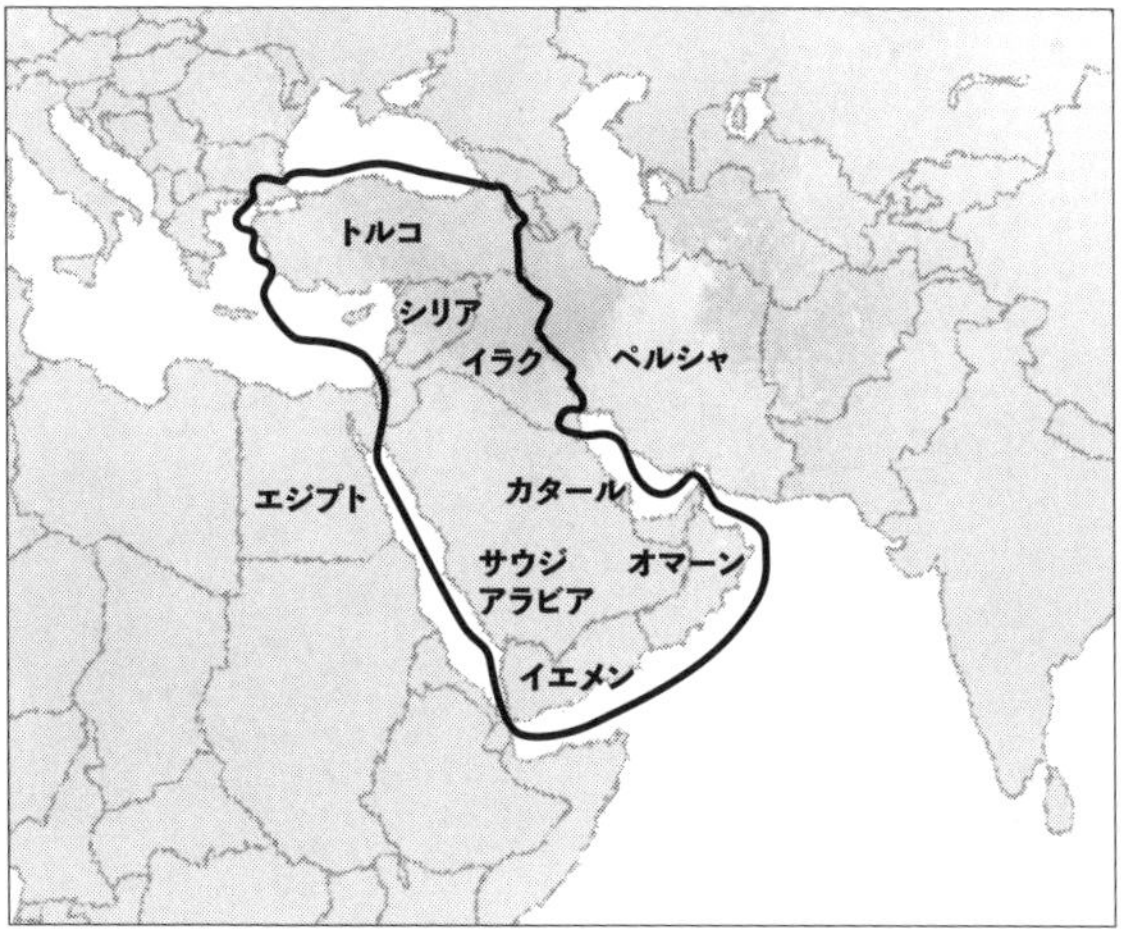

社の生産・販売シェアを、原則として1928年当時のものに固定することを骨子としたカルテルで、その後数十年にわたり世界の石油市場を欧米の石油メジャーが支配する基礎となった。

1920年代後半のアメリカでの油田発見に続き、1930年代には中東における石油開発も本格化している。

1938年2月、クウェートでブルガン油田が発見され、そして同年3月にはサウジアラビアにてダンマン油田という巨大油田が石油メジャーにより発見されたのを契機に、石油メジャーは相次いで中東に進出している。

こうして1930年代半ばまでには、石油メジャーのセブンシスターズによる石油支配の体制が出来上がっていったのだ。

石油を持つ国と持たない国の戦いだった第二次世界大戦

欧米の石油メジャーが着実に石油支配を進めているなか、日本は、1932年に中国東北部に「満州国」を建設。さらに中国内での勢力範囲を広げようとして日中戦争へと進んでいった。

日中戦争は長期化し、日本は打開策として中国を支援していたイギリス、アメリカからの中国への物資の補給路を断つため、フランス領インドシナに進出した。

こうした日本の動きを警戒したアメリカは、1941年8月、対日石油輸出を全面的に禁止している。

当時の日本は石油調達のほとんどをアメリカに依存していたため危機感を募らせ、これはアメリカ（America のA）、イギリス（Britain のB）、中国（China のC）、オランダ（Dutch のD）による日本包囲網（ABCD包囲網）であるとした。

そして、危機感を募らせた日本は状況打破のため、12月8日、ハワイの真珠湾攻撃に踏み切り、太平洋戦争へと突入していったのだ。

日本は石油などの資源を求めて南下し東南アジアや太平洋の島々に進出していくが、1942年のミッドウェイ海戦の敗北を境に制海権を失い石油調達の航路を閉ざされ、1945年には石油の輸入はほとんどゼロになってしまった。

石油供給の道を失ってしまった日本の戦局は、次第に不利になっていく。

図5　「満洲国」の油田と日本の探鉱（試掘）地点

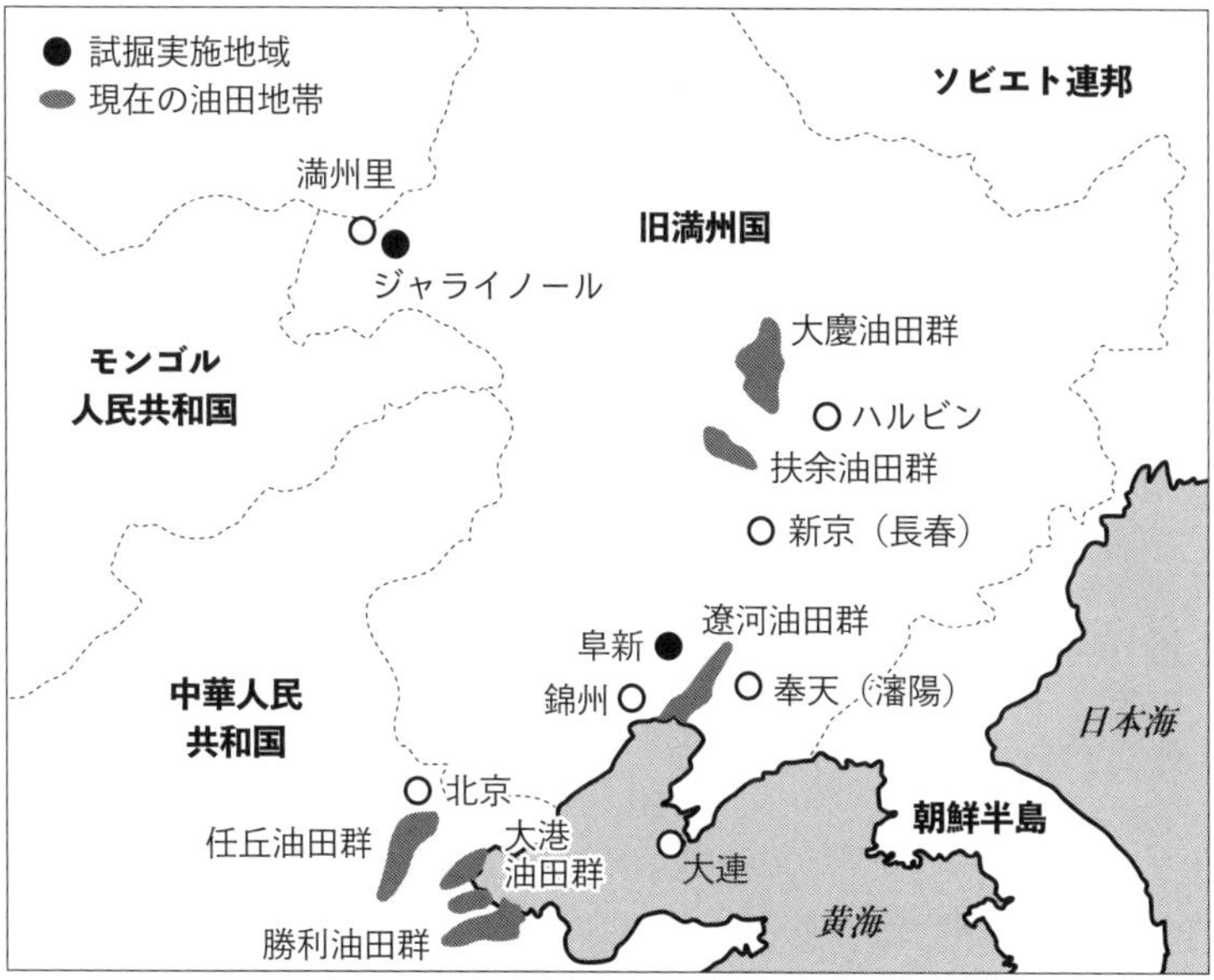

出所：岩間敏「戦争と石油（1）～太平洋戦争編～」『JOGMEC石油・天然ガスレビュー』2006.1. Vol.40 No.1

そして、1945年3月10日、爆撃機B29による東京大空襲を受け、8月6日には広島に原子爆弾が落とされ、3日後の8月9日には長崎にも原子爆弾が落とされ、多くの命が失われたのち、8月15日に敗戦を迎えた。

石油は戦略上もっとも重要であることは第一次世界大戦で実証されていたにもかかわらず、十分な石油獲得の施策を講じないまま戦争を行った結果であった。

石油メジャーを中心に着実に石油の支配を進めてきた欧米と、確固たる石油の供給源を持たなかった日本の戦いは、まさに石油という資源を持つ国と持たざる国との戦いであったと言える。

人造石油という奇策で戦わざるを得なかったドイツ

第二次世界大戦で日本と同盟関係にあったドイツは、第一次世界大戦の敗戦から石油の重要性は痛いほど知っていたことであろう。

第二次世界大戦で、ドイツはソ連領のバクー油田や北コーカサスの油田を手に入れることを主要な目的の一つとして1941年にソ連への攻撃を行っている。

COLUMN

「満州国」の石油

中国では戦後、大慶油田（2004年生産量：93万バレル／日）、遼河油田（同30万バレル／日）、勝利油田（同53万バレル／日）の三大油田が発見されている。このうち、大慶油田と遼河油田は旧満州国内にあり、日本は戦前に、遼河油田から東に山一つ越えた地点で石油探鉱を行った経緯がある。

当時の探鉱では石油を発見することができなかったが、もし山一つ隔てた地点で探鉱を行っていれば、日本は30万バレル／日の産油規模の油田を手に入れていただろう。戦争開始前となる1940年の日本の国内原油生産量は0・6万バレル／日、石油輸入量7・3万バレル／日、石油消費量5・8万バレル／日であったことを考えると、もし、日本が旧満州で石油を発見できていたら、第二次世界大戦の行方も変わっていたかもしれない。

特にバクー油田は、第一次世界大戦でもドイツが標的としていたにもかかわらず、あと一歩のところで手に入れられなかった因縁の油田である。

ドイツによるソ連攻撃の作戦名は、神聖ローマ帝国皇帝フリードリヒ1世のあだ名の「赤ひげ」を意味する「バルバロッサ（Barbarossa）」と名付けられ、1941年6月22日奇襲攻撃とともに開始された。

ドイツによる巧妙な奇襲攻撃であったが、1942年11月にはソ連の〝厳しい冬〟という伏兵に苦戦するようになり、1943年1月、撤退を余儀なくされている。

第一次世界大戦に続き、またしても石油の奪取に失敗したのだ。

石油の奪取に失敗したドイツは、どうやって石油を手に入れていたのか。

なんとドイツは石油途絶に備え、自国に豊富にある石炭を液化して人造石油を生産する技術を早くから開発していたのである。

石炭液化の方法は、1913年に発明された直接液化法と1920年代に発明された間接液化法の2種類に大別される。

直接液化法は石炭を溶剤と混合し、高温高圧で水素化分解することで石炭から液体燃料を得るもの。間接液化法は、石炭をガス化し一酸化炭素と水素を生成し、そこから液体炭化水素を合成しガソリン、軽質油の液体燃料を得る方法で、フィッシャー・トロプシュ合成（FT合成）と呼ばれる。

直接液化法、間接液化法ともドイツで発明されており、第二次世界大戦中のドイツの石油供給の多くを人造石油が占めていた。

しかし、生産コストが高いうえに供給力にも限界があること、そして連合国の空爆により人造石油工場が次々と破壊されていったことなどから追い詰められていくことになる。

人造石油については、日本もドイツに習い戦時中に国内生産を試みている。

1939年には、人造石油の製造を目的に尼崎人造石油を設立。製鉄所のコークス炉ガスを利用して、日本では最大規模となる年産量4万~10万kℓの人造石油の製造を計画した。

尼崎人造石油は1943年に試運転にこぎつけているが、原料のコークス炉ガスの不足などから生産量はわずか100kℓにとどまり、1944年8月には運転を中止している。

そして、同年10月には北海道人造石油、尼崎人造石油、三池石油合成の3社の合併により日本人造石油が設立され、尼崎人造石油は日本人造石油の尼崎工場となったが、1945年の空襲によって工場は壊滅している。

ドイツ、日本という石油を持たざる国が奇策として用いた人造石油であったが、第二次世界大戦が連合国の勝利で終わったように、結局、石油資源を潤沢に持つ国にはかなわなかった。

中東の石油を中心とした地勢図の構築

第二次世界大戦後の石油産業は石油メジャーを中心に営まれ、供給源は中東・アラブ地域に集中していった。

石油を持たない日本などの国は、中東の石油を輸入することが主な石油の調達方法となり、石油メジャーは中東を中心として大型の油田をジョイント・ベンチャーなどの方法で支配していく体制をますます強化していった。

こうして、中東が世界の石油供給源となったということに加え、第二次世界大戦後の石油産業の大きな変化として、それまで世界最大の石油輸出国であったアメリカが輸入国に転じている。

１９４８年に世界総石油生産量の59％を占めたアメリカの比率は、１９５５年には44％にまで低下し、石油の純輸入国となっている。

一方、石油の消費地である西ヨーロッパでは、石油輸入量に占める中東の比率が１９４８年には49・２％であったのが、１９５８年には80・８％へと急激に増加し、中東を中心とした石油供給の構造が出来上がっていった。

石油の輸入国となったアメリカは、中東の石油確保に乗り出すことになる。

最大の石油供給源となったペルシア湾岸がソ連により支配されることを恐れたアメリカは、１９４７年のトルーマン・ドクトリン、そして１９５７年のアイゼンハワー・ドクトリンにおいて、産油国がソ連、またはソ連の支援を受けた勢力に攻撃された場合はアメリカ軍を派遣することを確約し、中東への関与を高めていった。

諸外国が中東でプレゼンスを高めるなか、中東の産油国も自国の利益を守るため動き出すことになる。

トルーマン大統領（1884～1972）

アイゼンハワー大統領（1890～1969）

１９５９年２月、石油メジャーが産油国政府の了承なく一方的に中東原油価格を引き下げるという事態が起きた。

中東で思いのままに活動していた石油メジャーの驕りとも見られる行動である。

この事態に危機感を持ったイラク、イラン、クウェート、サウジアラビアおよびベネズエラの5カ国は、１９６０年9月、イラクの首都バグダッドで石油輸出国会議を開催。

石油価格を安定させ、不必要な価格変動が起こらないよう石油メジャーに対し共同行動をとること等を目的として、石油輸出国機構（Organization of Petroleum Exporting Countries：ＯＰＥＣ）の設立を決議した。

ＯＰＥＣに加盟する産油国は増加していき、１９６０年代末に10カ国だった加盟国は、２０１９年1月時点で14カ国に達している。

また、アラブの主要石油輸出国であるサウジアラビア、クウェート、リビアの3カ国は、石油による利益を最大限に発展させ、重要な収入源とすることを旨として、１９６８年1月9日にアラブ石油輸出国機構（Organization of Arab Petroleum Exporting Countries：ＯＡＰＥＣ）を創設している。

ＯＰＥＣやＯＡＰＥＣの設立は、自国の石油を外国の石油メジャーの食い物にされるのは許さないという産油国の意思の表れと言えるだろう。

こうして中東の石油をめぐり石油メジャーと呼ばれる欧米の石油企業、各国政府、そして中東の産油国により、今日まで続く石油を中心とした地勢図が構築されていった。

ＯＰＥＣ
石油輸出国機構。石油メジャー（国際石油資本）に対抗して産油国の利益を守るため、1960年にイラン、イラク、サウジアラビア、クウェート、ベネズエラの産油5カ国が、石油の価格維持・生産調整などを目的として結成した国際機構。

ＯＡＰＥＣ
アラブ石油輸出国機構。1968年にクウェート、サウジアラビア、リビアの3カ国で結成。石油産業を中心に産油国が経済活動における協力を行うことを目的に設立した国際機関。

第四次中東戦争
1973年10月6日に、エジプト、シリア両軍がスエズ運河方面とゴラン高原方面で同時にイスラエルに攻撃をしかけて始まった戦争。エジプトが軍事行動

紛争に翻弄される中東の石油

石油供給の地勢図が出来上がっていくとともに、石油は軍需はもとより自動車の燃料など生活に欠かせない資源としての地位を不動のものとしていった。

その半面、中東産油国での紛争などが石油の供給に直接影響を及ぼし、石油はそのたびに戦略カードとして使われることになった。

その典型的な事例が、2度にわたる石油ショックだ。

1973年10月6日、スエズ運河東岸とゴラン高原におけるイスラエル軍とエジプト、シリア軍の武力衝突により第四次中東戦争が勃発した。

この戦争が始まるとOAPECをはじめとするアラブ産油国が、イスラエル寄りの国々に対し、原油の輸出を禁止した。石油が紛争の戦略カードとされたのだ。

こうしたアラブ産油国の戦略は、石油価格の高騰を生み出し、世界の政治、経済に大きな影響を与えた「第一次石油ショック」を引き起こした。

日本では、第二次世界大戦で石油不足により敗れたという苦い経験もあってか、人々の間に「石油供給が途絶えれば、物が手に入らなくなるのでは?」という不安が募り、トイレットペーパーや洗剤の買い占めに走らせ、日本全国の店頭から商品が消えてしまうという事態が起きた。

第一石油ショックが世界に及ぼした影響は大きく、1974年に、キッシンジャー米国務長

によりイスラエルとの紛争の政治的解決の糸口を見出そうとして開始したとされる。

戦後処理のために1973年10月22日に国連安保理決議338号が採択され、1973年12月21～22日には中東和平ジュネーブ会議が開かれている。その後アメリカのキッシンジャー国務長官の斡旋により、イスラエルとエジプト、イスラエルとシリアとの間にそれぞれ兵力引き離し協定が結ばれた。

キッシンジャー米国務長官
（*1923～*）

官の提唱を受けて、経済協力開発機構（OECD）の枠内における自律的な機関として、加盟国によるエネルギー協調を推進する国際エネルギー機関（International Energy Agency：IEA）が設立されるに至っている。

その後、1978年から1979年にかけて起こったイラン革命に端を発し、二度目の石油の供給ショックが起きている。

イラン革命によって石油価格は高騰し、サウジアラビアの代表原油であるアラビアン・ライトのスポット価格は1978年9月の12・8ドル／バレルから1980年11月には42・8ドル／バレルへ3・3倍にも急騰し、世界に大きな社会的混乱を招いた「第二次石油ショック」となった。

1980年から1988年にかけて発生したイラン・イラク戦争でも、石油施設などが攻撃対象とされたことで石油の供給不安定化という事態になっている。

紛争により石油が翻弄される事態はその後も続いた。

1990年8月2日、イラク軍がクウェートへ侵攻したことで世界的な油田地帯であるペルシア湾岸の一部が戦場と化した。湾岸戦争である。

これにより、原油価格は急騰し、ドバイ原油のスポット価格が7月の17・1ドル／バレルから9月には37・0ドル／バレルへ2・2倍の高値となっている。

イラクは、度重なる国連の撤退勧告を無視してクウェート占領を続けたため、国連決議にもとづき、アメリカを中心としてヨーロッパ諸国や中東諸国を含めた約30カ国により結成された

イラン革命

1979年2月、パフラビー朝の国王独裁を打倒し、イスラム教にもとづく共和国を樹立した革命。亡命中のホメイニ師が帰国して指導者となった。

イラン・イラク戦争

両国間にあるペルシアとアラブという民族対立や、両国の間を流れるシャット・アルアラブ川の領有権をめぐる対立を背景に、1980年9月22日イラクによる大規模な越境攻撃によって始まり、1988年8月20日の停戦発効までおよそ8年間にわたって戦われた。

多国籍軍が、1991年1月17日、ついにイラクへの爆撃を行う「砂漠の嵐」作戦を開始。

多国籍軍による1カ月以上にわたる爆撃で壊滅的な打撃を受けたイラク軍は敗走し、2月27日にブッシュ大統領（当時）が勝利宣言を行い終戦へと向かっている。

このように中東で紛争が起こるたびに石油の供給危機が起こり、世界は大きな影響を受けてきた。これは、いかに世界が中東の地中に埋蔵されている在来型の石油に依存していたかということを物語っていると言えるだろう。

しかし、こうした中東依存の事態も、非在来型資源の登場で状況は大きく変わることになる。

図6　日本の原油輸入価格と石油製品小売価格

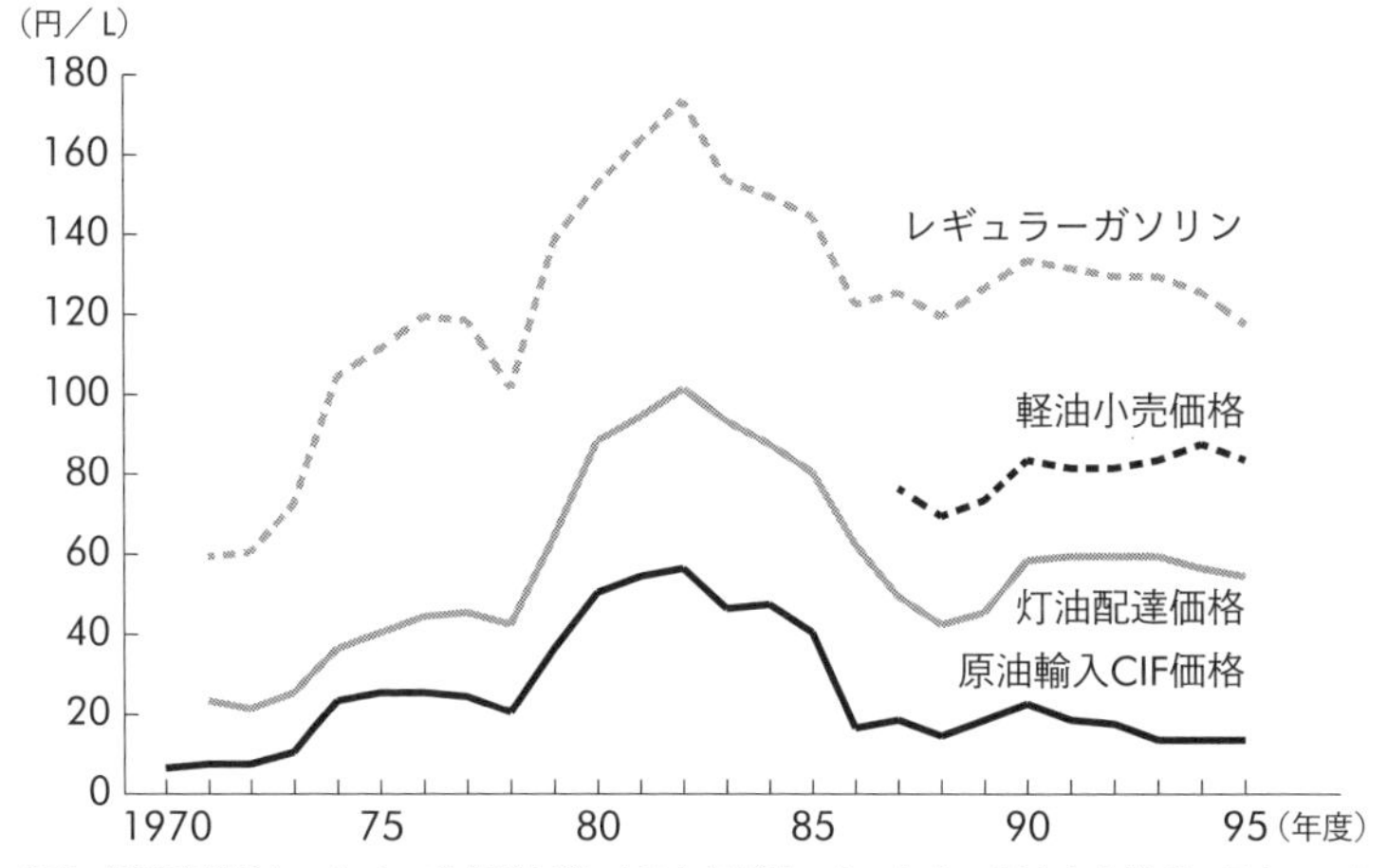

出所：経済産業省ホームページ「石油がとまると何が起こるのか？ ～歴史から学ぶ、日本のエネルギー供給のリスク？」

〈参考文献〉

GAZOOホームページ　https://gazoo.com/article/car_history/140919_1.html

ENEOSホームページ「石油便覧」　https://www.eneos.co.jp/binran/document/part01/chapter01/

田中紀夫「エネルギー文明史―その2　エネルギーを巡る文明の興亡」『石油・天然ガスレビュー』独立行政法人 石油天然ガス・金属鉱物資源機構、2004年1月号

田中紀夫「エネルギー文明史―その1」『石油・天然ガスレビュー』独立行政法人 石油天然ガス・金属鉱物資源機構、2003年11月号

岩間敏「戦争と石油（1）～太平洋戦争編～」『JOGMEC石油・天然ガスレビュー』2006年1月号、Vol.40 No.1

本村眞澄「ロシアの石油・ガス開発は欧州市場とともに発展してきた」『JOGMEC石油・天然ガスレビュー』2014年11月号 Vol.48 No.6

Web版尼崎地域史事典『apedia』
http://www.archives.city.amagasaki.hyogo.jp/apedia/index.php?key=%E5%B0%BC%E5%B4%8E%E4%BA%BA%E9%80%A0%E7%9F%B3%E6%B2%B9

マイケル・T・クレア『世界資源戦争』廣済堂出版、2002年

松島潤、川崎達治、窪田健司、鈴木秀顕、高橋豊、冨田新二、早坂房次、林農、松田智『エネルギー資源の世界史』一色出版、2019年

3

非在来型化石燃料、シェールガス・オイルの登場

石油ショックで注目されるようになった天然ガス

アメリカでドレークが1859年8月に機械掘りによる石油採掘に成功してから、第二次世界大戦を経て、1950年頃には石油はエネルギーの主流となっていた。

ドレークの機械掘りでは石油とともに天然ガスも採掘井から発生したが、液体である石油に比べ、気体である天然ガスは貯蔵と輸送が難しく扱いにくいものであった。そのため天然ガスは、採掘井の周辺などの限られた地域の照明用などにしか利用されていなかった。

気体という特性上、なかなか扱いが難しかった天然ガスであるが、天然ガスの産地から消費

地までをつなぐパイプラインの建設が進むと、1880年頃から利用は増加していった。
1883年には天然ガスの生産地から当時製鉄業が盛んに行われていたペンシルベニア州ピッツバーグまで天然ガスパイプラインが建設され、工業用の燃料として天然ガスの大量消費も始まっている。

燃料として天然ガスが使われるようになったとはいえ、石油が主流であることに変わりはなかった。しかし、2度の石油ショックの経験から、中東に偏在している石油は紛争の影響など地政学的なリスクがあることを世界は学び、石油に比べ世界中に賦存し地域偏在性が少なく、埋蔵量も豊富な天然ガスが注目されるようになった。

2018年末の世界の石油埋蔵量の地域別シェアを見ると、中東諸国だけで埋蔵量の約50%を占めている。

一方、天然ガスの2018年末の世界の埋蔵量の地域別シェアは、中東諸国が約38・4%と高いもの

図7　地域別天然ガス埋蔵量（2018年末）

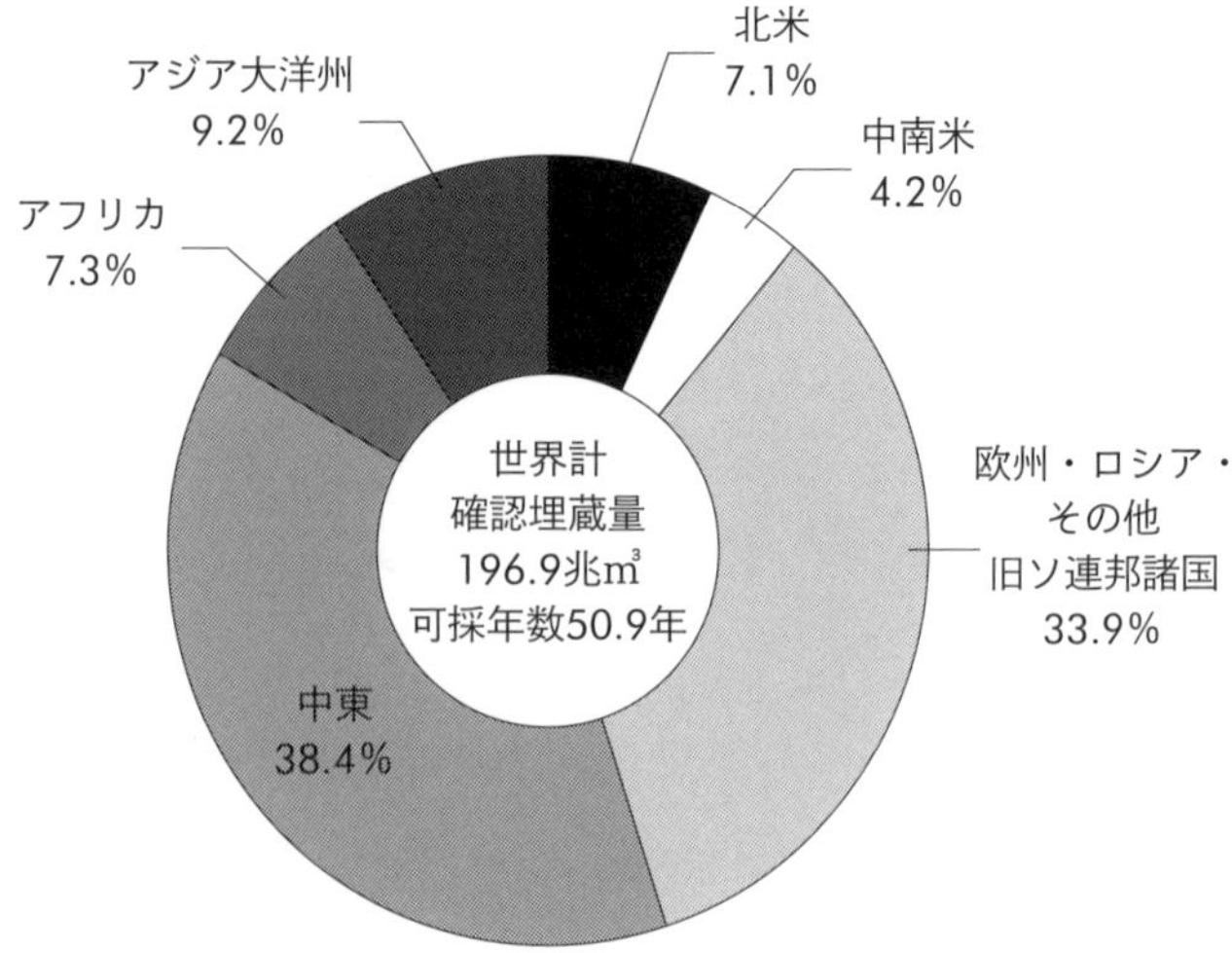

出所：経済産業省　令和元年度エネルギーに関する年次報告（『エネルギー白書2020』）

の、欧州・ロシアおよびその他旧ソ連諸国が約33・9%と続いており、石油に比べて、天然ガス埋蔵量の地域的な偏在性は比較的小さいと言える（図7）。

こうして石油に代わる燃料として天然ガスが注目されるようになったわけだが、天然ガスのプレゼンスをさらに高める資源が登場することになる。シェールガス（shale gas）という非在来型天然ガスだ。

非在来型天然ガスとは何か

「非在来型天然ガス」とは一般的にあまりなじみのない言葉だが、一体何であろうか。

簡単に言うと、非在来型天然ガスとは通常の油田やガス田以外から生産される天然ガスのことで、タイトサンドガス、炭層メタン、バイオマスガス、シェールガスなどがそれに当たる。

非在来型天然ガスに対して、これまで世界で生産されてきた天然ガスは在来型の油田系ガスと呼ばれる。主に原油の採掘とともに生産される天然ガスで、その貯留層は砂岩に含まれているものが多い。

一方、非在来型天然ガスは必ずしも油田と関係なく、貯留層も砂岩ではなく石炭層やシェール（頁岩《けつがん》）となっている。また、砂岩であっても浸透率が低くガスを抽出しにくい層などに貯留されているのが、特徴だ。

非在来型天然ガスの存在は以前より知られていたが、従来の石油開発の技術では採掘が難しいとされ、非在来型天然ガスに手を出そうなどというのは愚か者のすることとされてきた。
しかし、その常識を覆し、非在来型天然ガスのシェールガスを抽出する技術が確立され、天然ガス市場にかつてない衝撃を与えることになる。

3種の技術が実現させたシェールガスの生産

シェールガスは、石油やガスのもととなる有機物を多く含んだ泥質岩という地層に貯留する非在来型天然ガスの一種である。その貯留層が泥質岩のなかでも特に固く、薄片状に剥がれやすい性質のシェール（頁岩）層に含まれることから、シェールガスと呼ばれている。

在来型天然ガスの採掘は、ドレークの油井の機械掘りを原型として、掘削地点に鉄塔のような「やぐら」を組み、回転しながら岩盤を掘り進む「ドリルビット」（あなを掘る刃先）で空隙が広く天然ガスがまとまって溜まっている地下数千mの貯留箇所に向けて垂直に掘削しながら「掘管」を挿入していく方法で行われる。

一方、シェールガスの場合は、在来型天然ガスのようにまとまって貯留されているのではなく、地中の水平方向に広がるシェール層の隙間に閉じ込められている。そのため、垂直に穴を掘る従来の手法では十分な採掘はできない。

頁岩が重なった頁岩層（提供：Science Source／アフロ）

シェールガスは北米を中心にその存在が知られていたが、掘削技術が確立されていなかったことによりなかなか開発が進んでいなかった。

しかし、2000年代に開発された「水平坑井《こうせい》」（水平掘り技術）、「水圧破砕」（フラクチャリング）、「マイクロサイズミック」という3種の技術を応用するという革新的なアイデアにより、シェールガスの低コスト生産が可能となった。

「水平坑井」とは、水平方向に広がるシェール層を水平方向に掘削していく技術である。

在来型のガス田の掘削が垂直方向に坑井を掘っていくのに対し、シェール層を水平に掘ればガスと接触する面積が増えることから、「水平坑井」の技術開発によって、垂直方向に坑井を掘るのに比べ1坑あたりの天然ガスの生産量を3～5倍に増やせるようになった。

「水圧破砕」は、「水平坑井」で掘った坑井に水などの圧縮した液体を流し込んで圧力をかけることで

図8　「シェール革命」を可能にした3つの技術革新

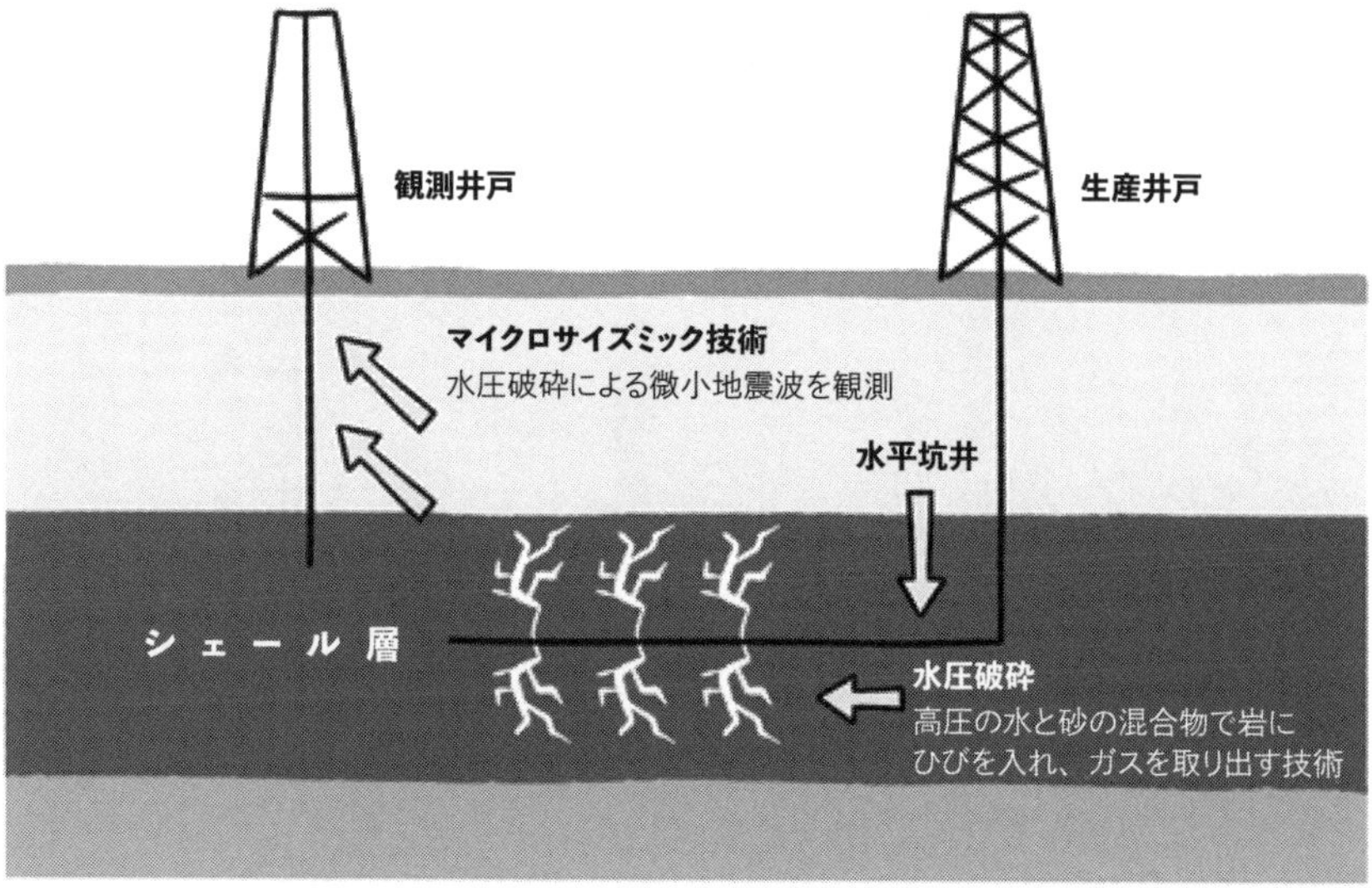

出所：経済産業省『平成26年度エネルギーに関する年次報告（エネルギー白書2015）』

シェール層に人工的な割れ目（フラクチャー）を生じさせ、シェールに閉じ込められているガスを流れやすくする技術である。

「マイクロサイズミック」は、「水圧破砕」により人工的な割れ目を生じさせる際に発生する地震波を観測・解析し、フラクチャーの進展を検知することでガスの回収率の向上を図る技術である（図8）。

これら3種の技術を応用するという革新的なアイデアにより、これまで無理だとされていたシェールガスの採掘が可能となったのだ。

シェールガスの資源量

3種の技術の応用で採掘が可能となったシェールガスであるが、その資源量はいかほどのものであろうか。

2013年6月に米エネルギー情報局（EIA）が公表したレポート「Technically Recoverable Shale Oil and Shale Gas Resources（技術的に回収可能なシェールオイルおよびシェールガス資源）」によると、技術的に回収が可能な世界のシェールガス資源量の合計は7299Tcf（兆立方フィート）とされている。これは、天然ガス全体の世界の技術的回収可能量の32%に相当するとしている。

シェールガスの技術的回収可能量（Tcf）の上位10カ国は、①中国：1115、②アルゼンチン：802、③アルジェリア：707、④アメリカ：665、⑤カナダ：573、⑥メキシコ：545、⑦オーストラリア：437、⑧南アフリカ：390、⑨ロシア：285、⑩ブラジル：245となっている。
ちなみに、2008年の日本の天然ガス消費量は約3・3Tcfであったことを考えると、資源量トップの中国には日本の消費量約338年分の天然ガスが存在するということになる。そのインパクトの大きさがわかるだろう。

アメリカ発のシェールガス革命

膨大な資源量のシェールガスの開発が本格的に世界で進めば、世界の天然ガス市場の構造に大きな影響を及ぼす。

そうしたインパクトのあるシェールガス開発にいち早く取り組み、成果を挙げているのが、アメリカだ。

2004年当時、アメリカのシェールガスの生産はほぼゼロであった。しかし、2007年にはアメリカの全天然ガス生産の約8％をシェールガスが占めるようになり、2011年には約30％にまで伸びている。

その後もシェールガスの生産は増加し、今やアメリカの天然ガスの主力となっている。

こうしたアメリカのシェールガスの本格生産は、アメリカだけではなく世界の天然ガス市場に影響を及ぼすようになる。

２０１０年、世界3位の天然ガス埋蔵量を誇るカタールは液化天然ガス（LNG）プラントを増設し、世界最大級となる年産７７００万ｔの天然ガス生産体制を確立させた。

カタールの狙いは、天然ガスの生産量を大幅に増やしアメリカをはじめとした需要国に供給することで、天然ガス供給国としてのプレゼンスを高めることにあった。

しかし、輸出先として狙っていた肝心のアメリカは、前述の通り自国内のシェールガスの生産体制を固め海外からのＬＮＧ輸入を大幅に縮小してしまった。

その結果、行き先を失ったカタール産のＬＮＧが安値で欧州市場に流れ込み、玉突き式で欧州に天然ガスを供給してきたロシアにまで影響が出たという結果になっている。

従来、ＬＮＧの価格は石油価格に準拠してその価格が推移していたが、それとは関係なくアメリカのシェールガス開発が世界の天然ガス市場に大きな影響を与える「シェールガス革命」が起きたのだ。

シェールガス革命を導いたのは誰か？

革命と呼ばれるほどの衝撃をもたらしたシェールガスであるが、これは決して石油メジャーのような大企業が世に送り出したのではない。

シェールガスを世に送り出す基盤を築いたのは、独立系ベンチャー企業の石油掘削会社であるMitchell Energy社の経営者であったジョージ・Ｐ・ミッチェルである。

シェールガスに手を出すのは愚か者と考えられていた当時、ミッチェルは天然ガスが豊富に含まれているとされたペンシルベニア州からテキサス州に広がるバーネット頁岩層に目を付ける。

従来の方法ではシェール層から天然ガスを取り出すのは無理とされていたなか、ミッチェルは「水圧破砕」を応用してシェール層から天然ガスを取り出すアイデアを思いついた。

そして1998年、ミッチェルは「水圧破砕」を応用した方法でバーネット頁岩層からシェールガスを取り出すことに成功し、「シェールガス開発の父」と呼ばれることになる。

その後、2002年にはMitchell Energy 社を買収したDevon Energy 社が水平坑井と水圧破砕を組み合わせた方法を実践することで、アメリカにおけるシェールガス開発がさらに進展した。

こうしたシェールガスの開発は、Mitchell Energy 社を買収したDevon Energy 社をはじめ、Chesapeake 社、XTO Energy 社などのベンチャースピリットあふれる中堅石油会社が担っていき、シェールガス革命の扉を開くことになった。

シェールガス開発の基礎を築いたミッチェルは財を築き、富豪として2013年7月26日、94歳でその生涯を閉じている。

まさに、シェールガス革命は、オイルラッシュに並ぶ現代におけるアメリカンドリームと呼べるだろう。

こうしたシェールガス革命の動きに石油メジャーも黙ってはいない。

2009年12月14日、エクソンモービルが非在来型ガス資源開発の大手XTO Energy 社を買

ジョージ・P・ミッチェル（1919〜2013）

収することを発表。発表された買収価格は、XTO Energy社の時価総額に25%のプレミアムを付けた410億ドルであった。これはエクソンが天然ガスの将来性、特に非在来型資源の可能性を高く評価したものと、市場に受け取られている。

とかく資源エネルギーの争奪というと資源国と非資源国間の争いや武力による戦闘を思い浮かべがちだが、エクソンモービルのXTO Energy社買収劇に見られるように、企業間のビジネス競争こそが資源エネルギー争奪の大きな舞台なのだ。

シェールガス輸出のカギとなったパナマ運河の拡張

シェールガス開発の勢いに乗りアメリカは天然ガスの輸出を増やしていき、2017年には天然ガスの純輸出国にまで上り詰めている。

では、誰が天然ガスを輸入しているのか。2018年の世界の液化天然ガス(LNG)の総輸入量4310億m³におけるシェア上位5位を見ると(図9)、輸入シェア1位:日本(26・2%)、2位:中国(17%)、3位:韓国(14%)、4位:ヨーロッパ(16・6%)、5位:その他アジア(10・6%)となっており、アジア圏だけでおよそ7割を占めている。

なかでも断トツは日本で、天然ガス輸出ビジネスにとって上客になっている。

天然ガスビジネスの成功のカギを握るのは、いかにしてアジアのお客を取り込むかであるが、アメリカのアジアへのシェールガス輸出のボトルネックとなっていたのがパナマ運河である。

アメリカのシェールガス輸出拠点の多くは、東海岸や南部メキシコ湾岸（テキサス州、ルイジアナ州他）にある。特に、メキシコ湾岸には、天然ガスが豊富なシェール層がある。

メキシコ湾岸からアジアへ向けての輸出を考えると、その航路は中米のパナマ運河を航行するコースが最短となるが、１９１４年に開通したパナマ運河の幅は約33ｍであるのに対し、天然ガスを液化して輸送する一般的なＬＮＧ船の幅は33ｍを大幅に超えるので、サイズ的に航行ができないという問題があった。

パナマ運河を航行できるのは、全幅32・３ｍ、長さ２９４・１ｍ、喫水12ｍ以下のサイズの船で、このサイズは「パナマックス」と呼ばれた。

ちなみに、２０１９年９月26日に商船三井に引き渡された最新鋭のＬＮＧ船「マーベル・ヘロン号（ＭＡＲＶＥＬ ＨＥＲＯＮ）」の全幅は48・94メートルでパ

図9　世界のLNG輸入（2018年）

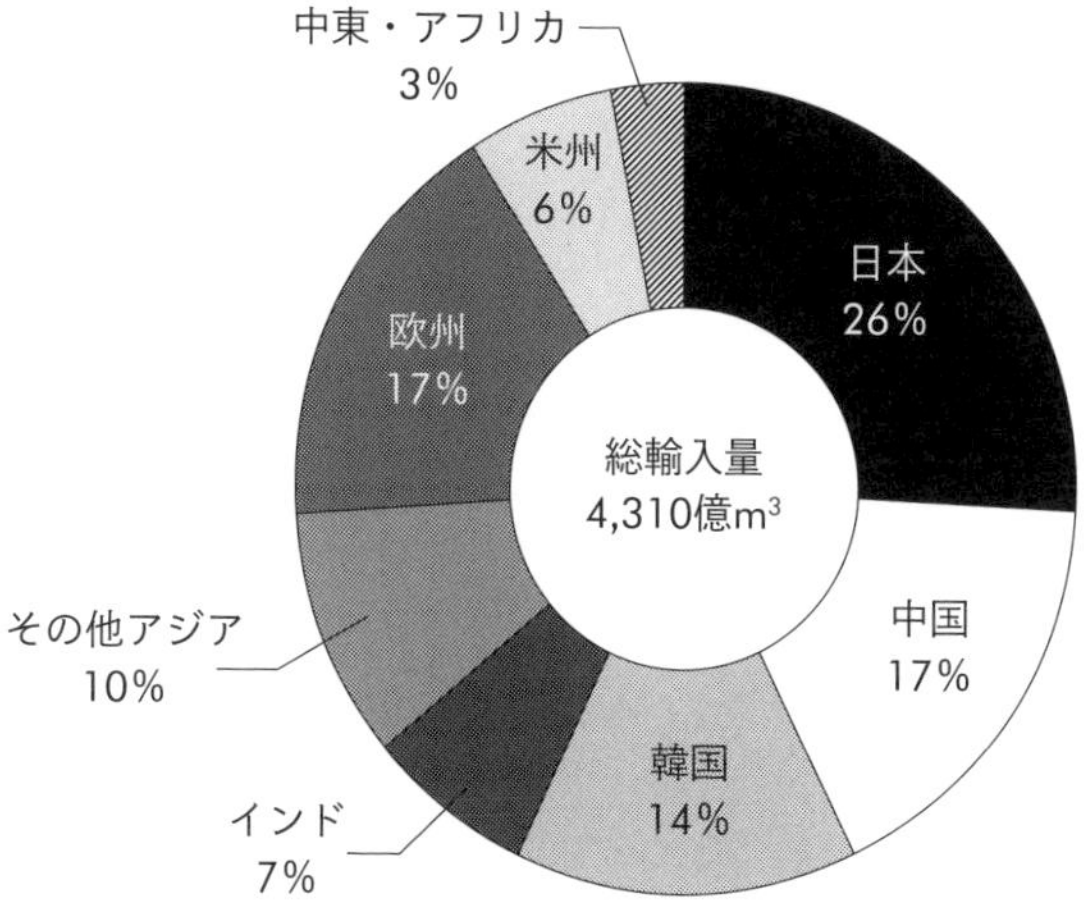

出所：経済産業省『令和元年度エネルギーに関する年次報告（エネルギー白書2020）』

ナマックスを大きく超えてしまう。

そのため、アジアへは、スエズ運河経由でおよそ42日間、マゼラン海峡経由でおよそ50日間もかかるルートを取らざるを得ないことになる。それでは、輸送コストがかかりすぎて採算が厳しくなる。

しかし、こうした事態は２０１６年６月に激変する。２００７年９月から工事を開始し、９年間という時間をかけて、およそ１００年ぶりにパナマ運河に新たな運河が開通したのだ。

新たに開通した新運河の幅は約50ｍで、船の長さ最大３６６ｍ、幅49ｍ、喫水15・２ｍの船が通ることができ、このサイズを「ネオパナマックス」と呼ぶ。このサイズであれば、マーベル・ヘロン号も航行が可能だ。

パナマ運河の拡張により、メキシコ湾岸からＬＮＧを積載したＬＮＧ船が、およそ25日間で日本に到着することが可能となった。

そして、２０１７年１月、メキシコ湾岸のＬＮＧ

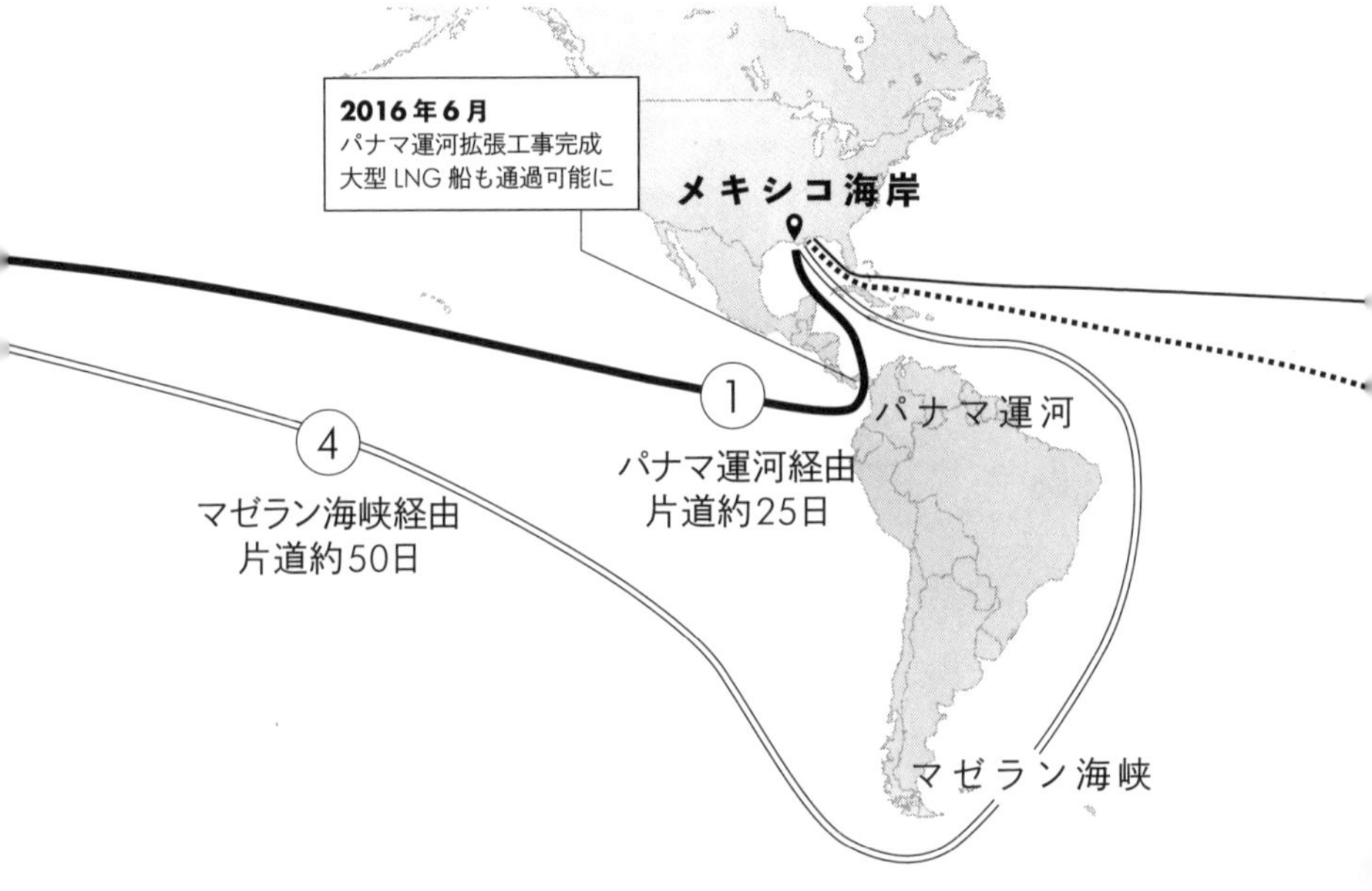

拠点からアメリカのシェールガス7万tを積んだLNG船「オーク・スピリット号」が、新潟県上越市の中部電力上越火力発電所に到着した。これは、日本がアメリカのシェールガスを調達した第一号の事例となる。

こうして、大航海時代にスパイスを求めてバスコ・ダ・ガマがインド航路を、マゼランがマゼラン海峡を開拓したように、パナマ運河の拡張という新たな航路の開拓は、アメリカの天然ガス輸出のアジアへの門戸を開いたのだ。

パナマ運河を造った日本人

アメリカのアジア向けシェールガス輸出のカギであり、日本にとってはアメリカのシェールガスを調達するうえで欠かせないパナマ運河であるが、実はその建設には日本人が関わっていることをご存じだろうか。

図10　メキシコ湾岸から日本への主な航路

出所：国土交通省「我が国のエネルギー調達の取組」エネルギー輸送ルートの多様化への対応に関する検討会 第1回資料5（平成26年4月25日）に一部加筆

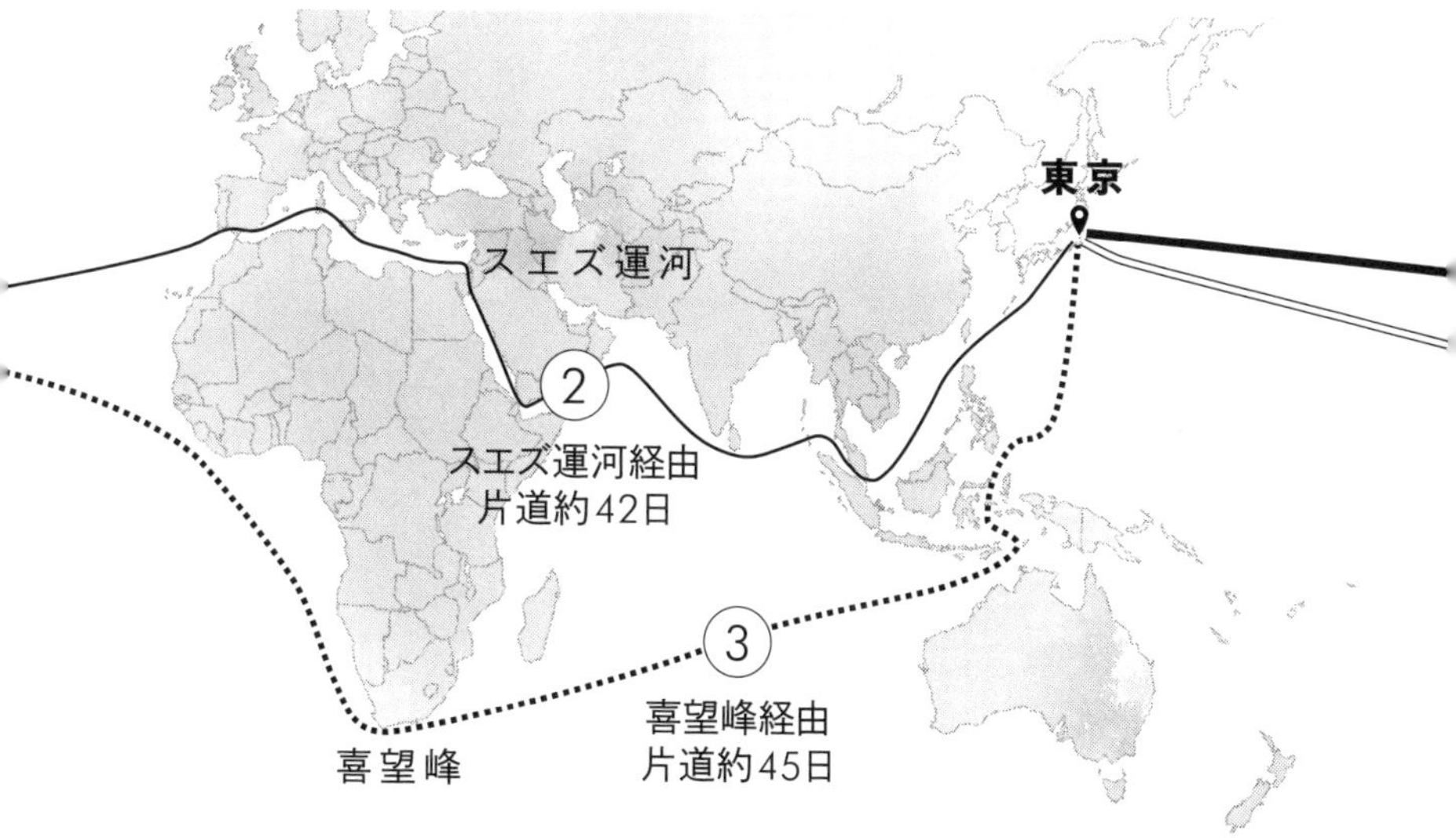

日本人で唯一、パナマ運河の建設に携わった人物の名は青《あお》山士《やまあきら》である。

青山は１８７８年、禅宗の僧侶の三男として静岡県で生まれ、東京帝国大学土木工学科に進学してる。

１９０３年、当時26歳であった青山は、大学卒業時にアメリカがパナマ運河建設のために技術者を募集していることを知る。

青山は恩師の大学教授の協力を得てコロンビア大学のバア教授（パナマ運河委員会の理事を兼任）に紹介状を書いてもらい、１９０３年８月単身渡米。数カ月の滞在を経て翌年６月にパナマに到着。

当初は、測量用のポール持ちという末端測量員としてチャグレス川周辺の測量を行い、その後、大西洋側クリストバル港建設事業に参加し、ガツン閘門の側壁の設計にまで携わっている。

この間、青山の優れた測量技術や勤勉さが認められ、短期間の内に測量技師補、測量技師、設計技師と昇進し、最終的にガツン工区の副技師長にまでなっている。

拡張されたパナマ運河（提供：ロイター／共同）

こうして青山は1904年から1911年までの約7年間、パナマ運河建設に携わったが、日米関係の悪化により、運河完成を待たずに日本に帰国する。

帰国後は、内務省の内務技師として数々の治水工事（荒川放水路開削、鬼怒川改修、信濃川大河津分水改修等）に携わり、パナマ運河建設で学んだ最新の土木技術を用いて当時はまだ日本では珍しかったコンクリート工法を取り入れるなどで活躍し、内務技監まで上り詰めている。

信濃川大河津分水記念碑には、青山の言葉として、「万象に天意を覚える者は幸いなり　人類の為　国の為」と刻まれており、私心の無い人柄がうかがわれる。

こうしたパナマ運河開拓に関わった青山の功績も、今日のアメリカのシェールガスのアジア輸出を成り立たせていると言えるだろう。

パナマ運河を壊そうとした日本

青山士という日本人がパナマ運河を造ることに尽力した一方、第二次世界大戦中に日本はパナマ運河を壊そうともした。

旧日本軍による幻のパナマ運河爆破計画である。

第二次世界大戦末期、同盟国ドイツの敗色が濃厚となったことで、米英蘭連合軍大西洋艦隊が太平洋へ回航してくることが見込まれた。これを少しでも遅らせるべくパナマ運河を爆破し封鎖する計画があったのだ。

この目的を実行するため日本海軍は、艦上攻撃機「晴嵐」3機を搭載できる巨大潜水艦「伊号第400潜水艦（伊400）」からなる潜水艦隊の建造を進めていた。

しかし、2隻が完成したところで沖縄決戦を迎え、終戦までには伊400、伊401、伊402の3隻が完成した。

そのため、パナマまで攻撃に行く計画は変更を余儀なくされ、潜水艦隊の攻撃目標は南洋のウルシー諸島に変更されたが、途中で終戦を迎えている。

伊400は、後に弾道ミサイル搭載原子力潜水艦が登場するまで世界最大の潜水艦であったというから驚きである。

当時、アメリカ軍は伊400のあまりの巨大さと航続距離の長さなどに驚愕したという。

伊400はアメリカ軍に接収され、1945年にハワイ州オアフ島南部のバーバーズ岬沖に沈められている。

アメリカ軍が驚愕するほど、伊400の大きさと性能は脅威であったのだろう。

伊400が沈められたのは、ソ連にその潜水艦技術が渡らぬようにするためとも言われている。

「伊400型」潜水艦3隻（1946年1月）（提供：共同通信、米海軍公式写真）

幻となったパナマ運河爆破計画の物語には、パナマ運河建設に携わった青山も登場する。パナマ運河爆破計画を練るにあたり、旧日本軍は日本人として唯一運河の建設に参加した青山に運河の写真や設計図などの情報の拠出を要求した。

しかし、青山は「私は運河を造る方法は知っていても、壊す方法は知らない」と述べたという。

伊400は、2013年8月、オアフ島南西沖の深さ約700mの海底に眠っているのをハワイ大学の研究所により発見されている。

もし、終戦がもう少し遅く、青山が旧日本軍にパナマ運河の情報を提供していたら。

そして、パナマ運河爆破計画が実行され伊400がパナマ運河に到着していたら。

シェールガスを日本に運んでくるパナマ運河の今日のあり様も、もしかしたら変わっていたかもしれない。

シェールガス大国中国とアメリカ

シェールガス革命はアメリカ産のシェールガスの世界的供給という事態を生み出しているが、それは同時に世界各国のシェールガス開発の促進という事態ももたらしている。

なかでも注目されるのが中国である。

中国は、世界第2位の天然ガス輸入国であると同時に世界最大のシェールガス埋蔵国でもある。そのため中国がどのような動きをするかによって世界の天然ガス市場は大きく影響される。シェールガス開発で先行しているアメリカは、早くから中国のシェールガスの開発に強い関心を示している。

２００９年11月には米中首脳会談においてシェールガス・イニシアチブの合意がなされ、シェールガス資源の評価、探鉱開発技術および関連政策について米中が協力する方向となった。

２０１０年5月の米中戦略・経済対話では、中国国家エネルギー局と米国国務省によって、中国のシェールガス開発にアメリカが協力する内容の「中米シェールガス資源タスクフォース活動計画」への調印がなされている。

そして、２０１１年5月に開催された米中戦略・経済対話にて、先に調印された活動計画について実務的に進めていくことが米中両国の間で確認されている。

中国としては自国に豊富に眠るシェールガスを開発するため、先駆者であるアメリカのノウハウを吸収したいということだろう。

一方、アメリカは先行開発の利を活かし、中国のシェールガス開発へ積極的に協力することで、中国の膨大なシェールガス資源への関与を強めていこうとする思惑が透けて見える。

中国国家能源局（ＮＥＡ）の「シェールガス発展計画（２０１６～２０２０年）」では、シェールガスの生産目標として２０３０年に８００億～１０００億㎥（約５７９７万～７２４６万ｔ）を掲げている。

２０１７年の中国の在来型を含めたガス生産量は１４８６億㎥（約１億７６８万ｔ）であること

から、シェールガスの開発目標がいかに高いものかがわかる。

中国は目標に向けてシェールガス生産の拡大を進め、2013年の生産量2億㎥から2017年には94億㎥へと急速に生産量を伸ばしている。

米中貿易摩擦と中国の天然ガス輸入の行方

こうした中国のシェールガス増産の動きに拍車をかける状況が近年起きている。米中の貿易摩擦である。2018年、アメリカによる中国鉄鋼製品に対する関税の引き上げから端を発した米中貿易摩擦は、様々なものに飛び火した。

2018年9月には、アメリカが中国の家具や家電など5700品目2000億ドル相当に関税10%を課したことに対し、中国はアメリカの液化天然ガス（LNG）など5200品目600億ドル相当に5%もしくは10%の関税を課すという対抗策を講じている。もはや米中貿易摩擦は米中のチキンレースと化している。

中国は天然ガス輸入の2%をアメリカから購入しているが、米中貿易摩擦によりその行方は不透明なものとなった。

それればかりでない。2018年の中国の天然ガス調達先は、1位となる輸入割合28%のトルクメニスタンに続きオーストラリアが2位となっておりその輸入割合は26%になるが、周知の通りオーストラリアはアメリカの同盟国である。

仮に、米中貿易摩擦が拡大し、アメリカによる同盟国への協力要請などがエスカレートすればオーストラリアからの天然ガス輸入にも影響が及びかねないというリスクが生じてきているのだ。

中国としてはリスクがある以上、対処を考える必要がある。

中国国家能源局（NEA）は2019年8月31日に公表した報告書で、シェールガスなどの非在来型天然ガスが豊富な四川省の開発をさらに進め、四川省を国内最大のガス生産拠点にするべきであると指摘し、将来的に四川省は中国の天然ガス生産の約3分の1を占めるようになると予測している。

シェールガスという資源をめぐり、ある時は協力し、またある時は互いに争うという米中の攻防は、その資源の価値が失われない限り今後も続いていくのだ。

シェールオイルで原油生産1位になったアメリカ

アメリカでシェールガスの生産が盛んに行われるようになると、同様の手法で頁岩層（シェール）に存在する原油も採取できることがわかり、シェールガスに続いて頁岩層の原油、すなわちシェールオイルも生産されるようになる。

2017年、アメリカの原油生産量はロシア、サウジアラビアに次ぎ3位であったが、シェールオイルの生産によりアメリカの2018年の原油生産量は2017年比17％増の日量平均

1095万バレルとなった。

これによりアメリカは、ロシアの1075万バレル、サウジアラビアの1042万バレルを抑えて世界1位の原油生産国となったのだ。

アメリカが45年ぶりに世界1位に返り咲いたのである。

そして、2019年9月、米エネルギー情報局(EIA)は、9月の原油の輸出量が輸入量を1日当たり8万9000バレル上回り、アメリカは純輸出国となったことを発表。月間で輸出が輸入を上回るのは、統計をとり始めた1973年以来初めての快挙となった。

EIAは原油生産世界1位となった2018年に、2020年には原油の輸出が輸入を上回る「純輸出国」となると予測を立てていたが、9月月間での純輸出国化は2020年の年間での純輸出国化の見通しに弾みをつけるものとなった。

こうしたアメリカのシェールオイルの台頭は、後に史上初の原油マイナス価格という事態を引き起こす要因になるなど、これまで原油価格の支配権を握っていた石油輸出国機構(OPEC)と主要産油国ロシアにとって脅威となっていくことになる。

COLUMN

日本の非在来型天然ガス“メタンハイドレート”

「日本にもシェールガスのような非在来型天然ガスはないのか？」という素朴な疑問を持たれる方もいるだろうが、残念ながらシェールガスを日本で開発することは難しいという。シェールガスは大陸の古生代の頁岩層といった古い地層に存在しており、日本のように比較的地質年代が新しく大陸でもない地理条件では、商業生産できるほどの量は期待できないという。その他の非在来型天然ガスについても日本の陸上では期待薄なのが現状だ。

しかし、あきらめるにはまだ早い。日本の周りを取り囲む海に目を向けると、日本の非在来型天然ガスの可能性が見えてくるのだ。それは、日本の海底に眠っている“メタンハイドレート”と呼ばれる非在来型天然ガスの存在だ。

メタンハイドレートとは、天然ガスの主成分である「メタン」と水和物という意味の「ハイドレート」から由来する名前で、水の分子に天然ガスのメタン分子が取り込まれて氷状になった物質である。

メタンハイドレートが安定して存在する場所は、低温・高圧の環境で、陸上ではシベリア、カナダ、アラスカ等の永久凍土層の下、海洋では水深500m以深の大水深に存在している。

永久凍土層や大水深等の環境から出て温度が上がったり、圧力が下がったりするとメタンハイドレートは燃えやすいメタンガスと水に分離し、火を近づけると燃えることから“燃える氷”とも呼ばれている。つまり、日本の海のなかには、天然ガスの主成分のメタンが採れるメタンハイドレートという非在来型天然ガス資源があるのだ。

メタンハイドレートの資源量については諸説あるが、メタンハイドレート資源開発研究コンソーシアム（MH21）の報告（2009年）では、メタンハイドレートとして地層内に実在しているメタンの総量（原始資源量）は、愛知県沖の東部南海トラフ海域だけでLNG換算で約8億4000万tとされている。

これは地下に集積が見込まれる資源の単純な総量であり、技術的に採掘可能な可採埋蔵量ではないが、日本のLNG輸入量は約8000万t（2011年）であることを考えると、その資源の可能性がわかるだろう。

現在日本のメタンハイドレートは、経済産業省の「海洋エネルギー・鉱物資源開発計画」のもとで商業化に向けた研究開発が継続されている。今後の動向に期待したい。

燃える氷“メタンハイドレート”
（提供：共同通信社）

〈参考文献〉

経済産業省『令和元年度エネルギーに関する年次報告（エネルギー白書２０２０）』２０２０年

経済産業省『平成26年度エネルギーに関する年次報告（エネルギー白書２０１５）』２０１５年

平沼光『日本は世界一の環境エネルギー大国』講談社＋α新書、２０１２年

野神隆之「シェールガス革命は世界天然ガス市場に何をもたらしたのか、その一考察」『ＪＯＧＭＥＣ石油・天然ガスレビュー』２０１３年９月号Vol.47 No.5

「米エクソン、天然ガス大手ＸＴＯを４１０億ドルで買収へ」ロイター通信、２００９年12月15日

「米国、20年にエネルギー「純輸出国」に　67年ぶり」『日本経済新聞』２０１９年１月25日

「三井物産向け 新造ＬＮＧ船「MARVEL HERON」が竣工――米国・キャメロンプロジェクトからのシェールガス由来ＬＮＧ輸送に従事」商船三井プレスリリース、２０１９年９月27日

国土交通省「我が国のエネルギー調達の取組」エネルギー輸送ルートの多様化への対応に関する検討会 第１回資料５、２０１４年４月25日

在パナマ日本国大使館Ｗｅｂサイト「パナマ運河の歴史」https://www.panama.emb-japan.go.jp/jp/panama-canal/?=history

ナショナルジオグラフィックＷｅｂサイト「伊４００発見：さらに未発見の潜水艦も」２０１３年12月５日　https://natgeo.nikkeibp.co.jp/nng/article/news/14/8611/

経済産業省『平成30年度石油産業体制等調査研究（中国・インドの天然ガス等に係る国内システムやエネルギー政策・方針等が世界の需給バランスと価格にもたらす影響に関する調査）』株式会社エイジアム研究所、２０１９年２月28日

竹原美佳「中国における最近の天然ガスの状況と市場化の動き」ＪＯＧＭＥＣ Ｗｅｂサイト石油・天然ガス資源情報、２０１９年10月３日　https://oilgas-info.jogmec.go.jp/info_reports/1007679/1007887.html

「中国、シェールガス開発を加速　貿易戦争で国内確保めざす」ロイター通信、２０１９年９月２日

「米原油生産、45年ぶり世界首位　シェール増産効果」『日本経済新聞』２０１９年３月27日

「米国、70年ぶり石油純輸出国に　９月統計」『日本経済新聞』２０１９年11月30日

松島潤、川崎達治、窪田健司、鈴木秀顕、高橋豊、冨田新二、早坂房次、林農、松田智『エネルギー資源の世界史』一色出版、2019年
増田昌敬「メタンハイドレート開発研究の展望」メタンハイドレートフォーラム 2013講演資料、2014年1月24日

4 化石燃料資源を持たざる国の対応

再生可能エネルギーという新しいエネルギーに取り組んだ日本

石油、天然ガスといった化石燃料をめぐる目まぐるしい攻防が世界で繰り広げられるなか、化石燃料資源を持たない日本は再生可能エネルギーという新しいエネルギーに取り組むことになる。

日本において再生可能エネルギーの重要性が認識されるようになったのは、1970年代に起きたの二度の石油ショックの影響による。

石油ショックは石油の供給不安定化を引き起こし、それよる石油価格の高騰は物価を大きく上昇させ、家計の消費に影響を及ぼし日本経済は大打撃を被った。

そのため石油を代替するエネルギーとして、海外に依存しない国産の資源である太陽光や風力、地熱などの再生可能エネルギーの重要性が認識されるようになっていったのだ。

1974年に通商産業省工業技術院（現・独立行政法人産業技術総合研究所）において将来的にエネルギー需要の相当部分を賄い得るエネルギーの供給を目標として、太陽、地熱、石炭ガス化・液化、水素エネルギーの四つの石油代替エネルギー技術について重点的に研究開発を進める「サンシャイン計画」が開始されることとなった。

1980年には、過度な石油依存からの脱却を目指して石油代替エネルギーの開発・促進に関して規定した「石油代替エネルギーの開発及び導入の促進に関する法律」（石油代替エネルギー法）が制定されている。

石油代替エネルギーとは、原油・揮発油・重油など省令で定められた石油製品を含む石油の代わりに燃焼に用いられるものや、石油以外のものを熱源として得られた熱・動力・電気などを指し再生可能エネルギーも含まれている。

同年には新エネルギー総合開発機構（現・独立行政法人新エネルギー・産業技術総合開発機構（NEDO））も設立され、太陽光発電をはじめとする技術開発が重点プロジェクトとして推進されるなど、太陽光発電を中心として法制度の整備と技術開発が促進された。

1997年には、「石油代替エネルギー法」で規定されるエネルギーのうち、経済性における制約から普及が十分でないとされる、①太陽光発電、②風力発電、③太陽熱利用、④温度差エネルギー、⑤廃棄物発電、⑥廃棄物熱利用、⑦廃棄物燃料製造、⑧バイオマス発電、⑨バイオマス熱利用、⑩バイオマス燃料製造、⑪雪氷熱利用、⑫クリーンエネルギー自動車、⑬天然ガスコージェネレーション、⑭燃料電池、の普及促進を図るための「新エネルギー利用等の促進に関する特別措置法」（新エネルギー法）が制定されている。

新エネルギー法では、国や地方公共団体、事業者、国民等の各主体の役割を明確化する基本方針の策定や新エネルギーの利用などを行う事業者に対する金融上の支援措置等が定められている。

その後、2003年4月には、電力の小売りを行う事業者（一般電気事業者など）に対し、再生可能エネルギーにより発電された電気を一定量以上利用することを義務付ける「電気事業者による新エネルギー等の利用に関する特別措置法」（RPS法）が施行されている。

このように、1970年代に起こった二度の石油ショックは、再生可能エネルギーの重要性を認識させるとともに、その普及のための日本の法制度の整備と技術開発を促すものとなった。

日本が取り組んだもう一つのエネルギー、原子力

再生可能エネルギーと同様に、石油代替エネルギーとして注目が高まったエネルギーがもう一つある。それは原子力発電である。

原子力発電所の燃料となるウランは一度輸入すれば、使用済み核燃料をリサイクルして有効活用する核燃料リサイクルを実施することで燃料を長く使用できるとされ、国内産のエネルギーに準じる準国産エネルギーとして位置づけられていた。

日本で原子力発電所の運転が開始されたのは1970年からで、福井県の敦賀発電所の沸騰水型軽水炉（BWR）「敦賀発電所1号機」と、同じく福井県の美浜発電所の加圧水型軽水炉（PWR）「美浜発電所1号機」が始まりとなる。

当時の日本は高度経済成長の真っただなかにあり、原子力発電の運転が開始された1970年には大阪で日本万国博覧会も開催されるなど、人々の未来への期待が高まっていた時期であった。

そうしたなか、「原子力　明るい未来のエネルギー」といった標語もつくられたように、新たなエネルギーとして原子力発電を活用する動きが日本の中で広がっていった。

1974年には、原子力発電所立地地域に振興効果をもたらし、原子力発電所の利益が地域に十分還元されるようにする制度として、「電源開発促進税法」「電源開発促進対策特別会計法」「発電用施設周辺地域整備法」の電源三法交付金制度が制定された。

1971年には、使用済みの核燃料をリサイクルして利用する「高速増殖炉」の研究のため、実験炉「常陽」の建設が始まり、1977年に臨界に成功。

常陽で得られたデータをもとに、使用済み燃料を有効活用する核燃料サイクルの実用化に向けた「もんじゅ」の建設が1985年に始まっている。

核燃料サイクル技術については、日本初の再処理工場である東海再処理施設が1977年から試験運転を開始し、その後、六ヶ所ウラン濃縮工場、六ヶ所再処理施設の建設へと続いていく。

原子力発電の利用は各国で進められていたが、利用が進むとともに原子力発電所の事故も発生している。

1979年にはアメリカのスリーマイル島で、事故の深刻さを示す指標である国際原子力事象評価尺度（INES）において、〝広範囲への影響を伴う事故〟とされるレベル5の原発事故が起こり、1986年にはソ連（現・ウクライナ）のチェルノブイリで〝深刻な事故〟とされるレベル7の原発事故が起こっている。

日本国内においても、1995年に研究用として運営されていた福井県の高速増殖炉「もんじゅ」でナトリウム漏洩事故が発生している。

「もんじゅ」は冷却材として空気と反応して燃焼する性質を持つ液体金属ナトリウムを使用しており、このナトリウムが漏洩して空気と触れ、火災事故が発生した。この事故により「もんじゅ」は2010年まで運転を休止することとなり、2016年には廃炉が正式決定されている。

さらに、1999年には、茨城県東海村のジェー・シー・オーのウラン加工工場で臨界事故が発生し、死亡者を含む被ばく者が出るという悲惨な事故が起きている。

2003年に策定されたエネルギー基本計画では、「（原子力発電）事業者は安全という品質の保証体制の確立に努め、国は安全規制を確実に行い、国民の信頼回復に努めることが必要」とされていた。

しかし、その後も原子力発電の安全性は十分に確保できず、２０１１年3月11日に福島第一原子力発電所事故という国家的危機をもたらした事故が発生してしまう。

再生可能エネルギーを主力電源化するスペイン

石油や天然ガスなどの化石燃料の代替として再生可能エネルギーに注目したのは日本だけではない。

２００９年12月31日、スペインの送電管理会社レッド・エレクトリカ（REE：Red Eléctrica de España）は、同日のスペインの電力供給が、瞬間値であるが水力を除いた再生可能エネルギーの発電電力量比率が63％に達したことを公表した。

これに水力を足すと、実に再生可能エネルギーの発電電力量比率は71％にもなったという。

スペインの面積は51万㎢（日本比約１３５％）、人口４６５０万人（日本比約37％）、２０１７年の全発電設備容量は約1億４００万kW（日本比約40％）、全発電電力量は約26万２６４５GW（日本比約25％）である。

日本と比較した場合、そのスケールの違いはあるが、実はスペインは日本と同じく地下資源に恵まれない化石燃料を持たざる国である。石油、天然ガスなどの資源エネルギーを他国に依存していることというエネルギー安全保障上のリスクを抱えているのだ。

これまで、欧州で再生可能エネルギーが導入できるのは、陸続きである欧州では各国間で送電網をつなぎ送電網の国際連系を行うことで、天候が悪く再生可能エネルギーの発電量が減った場合や発電量がオーバーした場合でも、各国間で調整ができるからで、島国の日本では難しいとまことしやかに言われてきた。

しかし、前提として述べておきたいのは、スペインは日本と同じ島国的な地理的条件にあるということだ。

スペインはフランスなどと電力国際連系をしているが、フランスとの国境はピレネー山脈により分断され、連系線を通すのが難しいことから他の欧州各国と比べて連係線の容量は小さく、その役割も買電よりも売電が主となっている。

そのため、自らを「わが国は電力孤島」と称しているスペインの電力関係者も多く、スペインは島国日本と似たような状況にあるのだ。

スペインが再生可能エネルギーに注目し始めたのは、日本と同じく二度の石油ショックの経験を経てのことだ。

石油ショックに直面したスペインは、石油、天然ガスなどの資源を海外からの輸入に依存していることがいかに問題であったかを痛感し、その解消のために1970年代から国産エネルギーである再生可能エネルギーを最大限活用する方向へ舵を切っている。

中国が注目したスペインの再生可能エネルギー導入技術

スペインの再生可能エネルギー活用の取り組みには、大きく二つの特徴がある。一つは、所有権分離方式による発送電分離だ。

送電網を所有する特定の発電会社が送電網を独占的に使用し、再生可能エネルギー発電を排除するということが起こらないよう、発電会社と送電会社を資本関係が残らない所有権分離の方式で分離し、送電会社はREE1社に集約するという政策を選択している。

これにより、送電網の集中管理による効率性の向上と公共財としての送電網の公平な利用環境を確保し、再生可能エネルギー発電が送電網に接続しやすい体制を整えている。

さらに、二つ目の特徴として、天候によって変動が生じる再生可能エネルギーをコントロールするための独自のシステムの開発に取り組み、2006年6月にマドリッド北部近郊に再生可能エネルギーコントロールセンター（CECRE）を設立している。

CECREはスペイン全土の風力、太陽光、水力などの再生可能エネルギーとコージェネレーション発電の監視・制御を行う組織で、2007年6月からは設備容量1万kW以上の風力発電所はCECREとの相互リンクにより管理されなくてはならないとされている。

CECREには、各地の情報収集センターとしてスペイン全土に数十カ所設置されているウィンド・ジェネレーション・コントロールセンター（WGCC）がリンクされており、WGCCがスペイン全土の風力発電所やメガソーラー発電所の発電電力量や運用パラメーター情報を吸い上げ、CECREに伝える仕組みになっている。

CECREはWGCCからの情報を分析し、電力需給を最適化する各発電所への制御指令をWGCCに通信伝達し、WGCCはその指令を各発電所が15分以内に実行するようにコントロールするというシステムになっている。

こうしたCECREでの分析は、気象予測システムを活用して行われている。気象予測データをもとに、風力、太陽光などの再生可能エネルギーがいつの時点でどのくらい発電できるかを計算し、発電量が多ければ火力・原子力など再生可能エネルギー以外の発電を抑え、少なければ火力・原子力発電などの発電量を増やすといったコントロールを行って、気象条件に左右される弱点を克服している。

2006年という早い段階からスペインがこのようなシステムを開発し、再生可能エネルギーの導入を進めていることは、日本ではあまり知られていなかっただろう。

しかし、スペインの優れたシステムに注目し、その技術の導入にいち早く動いた国がある。それが中国だ。

2011年1月、中国の李克強副首相（当時）はスペインのREE社を訪問し、CECREなどを視察。その2カ月後となる2011年3月には、中国全土の送電・変電・配電を手がける世界屈指の電力会社である中国国家電網とREEとの間で再生可能エネルギー普及のための技術協力の合意文書が交わされている。

スペインの優れたシステムに関心を示したのは中国だけではなかった。

中国がスペインと合意文書を交わした同月となる２０１１年3月11日、世界を震撼させた福島第一原子力発電所事故が発生。

事故発生以降、再生可能エネルギーの普及促進を検討する各国がスペインのシステムに注目し、ＲＥＥの通常業務が一時滞るほど様々な国や組織がＲＥＥのエネルギーコントロールシステムの視察に殺到した。

福島第一原子力発電所事故は世界的な再生可能エネルギー普及の潮流を生み出し、各国でスペインのような再生可能エネルギー導入システムの開発、普及が進んでいくことになった。

〈参考文献〉

Hikaru Hiranuma "Japan's Policy on Renewable Energy and Its future Path" "ANNUAL REPORT ON JAPANESE ECONOMY AND SINO-JAPANESE ECONOMIC & TRADE RELATIONS -Japan Energy Situation and Energy Strategy Transition Study Report-" 中国社会科学院、p283-293、２０１５年5月

経済産業省ホームページ「日本における原子力の平和利用のこれまでとこれから」２０１８年2月22日
https://www.enecho.meti.go.jp/about/special/tokushu/nuclear/nihonnonuclear.html

RED ELÉCTRICA DE ESPAÑA "RENEWABLE ENERGYIN THE SPANISHELECTRICITY SYSTEM2017"（２０１８・２・27）

19世紀に取り壊されたウィンブルドンコモレンの風車（提供：Universal History Archive／Universal Images Group via Getty Images）

chapter. 4

第 4 章
気候変動時代の資源エネルギー

1 再生可能エネルギーの黎明期

風力発電の歴史に名前を残した3人

日本やスペインなど化石燃料を持たざる国が化石燃料の代替エネルギーとしてその導入に取り組んだ再生可能エネルギーであるが、太陽光発電や風力発電の開発はいつ頃から始まったのだろうか。

今日、主要な再生可能エネルギーとなっている風力発電の開発の歴史は、19世紀後半にさかのぼる。

1887年の7月にイギリス・グラスゴーのアンダーソン・カレッジの学者であるジェームズ・ブライス教授が、田舎町のマリーカークにある別荘の照明を風車で発電した電気で灯したのが、風力発電開発の最初と言われている。

ブライス教授の風力発電機は今日我々が一般的に目にするような形状ではなく、風速計をかたどった垂直軸の形状をしていた。風車の羽根は布製で、充電用の蓄電池も設置されていたという。

ブライス教授が風力発電を開発していたほぼ同時期、アメリカにおいても風力発電の開発が進められていた。

アメリカにおいて初とされる風力発電を開発したのはオハイオ州の発明家、チャールズ・F・ブラッシュである。

1887年から1888年にかけて、ブラッシュはオハイオ州の自宅の裏庭に直径17m、発電容量12kWの巨大な風車を設置し、自宅と研究室の蓄電池への電力供給と350個の白熱電球への電力供給を、1908年までの約20年間にわたり行ったという。

風力発電開発の歴史で忘れてはならない人物がもう一人いる。デンマークの科学者、ポール・ラクールである。ポール・ラクールは、風車の羽根の枚数、面積と出力の関係などについて研究し、ライト兄弟が最初の飛行に成功する数年前に航空機設計に欠かせない揚力現象についての研究成果を公表している。

また、風車設計のための風圧測定器や不安定な風から安定して出力を得るための機械式回転調速機の開発など、風力発電開発のための様々な技術的貢献を果たした。

さらに、ポール・ラクールは、1897年から風力発電で発電した電力の貯蔵方法として、

ジェームズ・ブライス
（1839～1906）

チャールズ・F・ブラッシュ
（1849～1929）

蓄電池を利用するだけではなく、風力発電の電気で水を電気分解し水素を製造し、電気を水素という燃料にして貯蔵するという研究も行っている。

再生可能エネルギーが急速に普及している現代において、再生可能エネルギーによる電力で水を電気分解し水素燃料を製造するのはPower to Gas（P2G：パワー・ツー・ガス）と呼ばれ、電力の新たな貯蔵法として注目されている。ポール・ラクールの研究は、まさに現代にも通じるP2Gの先駆と言える。

ポール・ラクール自身が風力発電の開発に成功したのはジェームズ・ブライスやチャールズ・F・ブラッシュよりも後とされているが、風力発電開発への数々の貢献から「風力発電の父」と呼ばれている。

ポール・ラクール（1846〜1908）

アメリカの人工衛星に初めて搭載された太陽電池

風力発電の開発から約60年後の1950年代になって、今日では再生可能エネルギーの代表格となっている太陽光発電（太陽電池）が、アメリカのニュージャージー州にあったベル電話研究所によって開発された。

1954年ベル電話研究所が最初に開発した太陽電池は単結晶シリコン太陽電池で、エネルギー変換効率は6％であった。

筆者の家の屋根に設置してある太陽電池の変換効率が18％程度であることを考えるとまだま

だ技術的には未熟であるが、今日の太陽電池の社会普及の礎となる快挙である。

ベル電話研究所が太陽電池を開発した8年後、太陽電池は思わぬ形でその有用性を証明することになる。

アメリカ国防総省と海軍が計画してきたアメリカの通信衛星「ヴァンガード1号」に、太陽光発電が搭載されることになったのだ。

「ヴァンガード1号」は、「エクスプローラ1号」に続いてアメリカが史上2番目に打ち上げた科学衛星である。

当時、国防総省と海軍は、「ヴァンガード1号」に搭載する電池を何にするかで競い合っていた。国防総省が太陽電池を推す一方、海軍は水銀電池の搭載を主張していた。

「ヴァンガード1号」の大きさは直径16・5㎝、重量1・59kg。結局、この小さな衛星に水銀電池と太陽電池の両方を搭載することで決着がつき、1958年3月17日に「ヴァンガード1号」が打ち上げられた。

打ちあげ成功から3カ月後に水銀電池の寿命が尽きる一方、太陽電池は約6年にわたり「ヴァンガード1号」に電気を供給し続

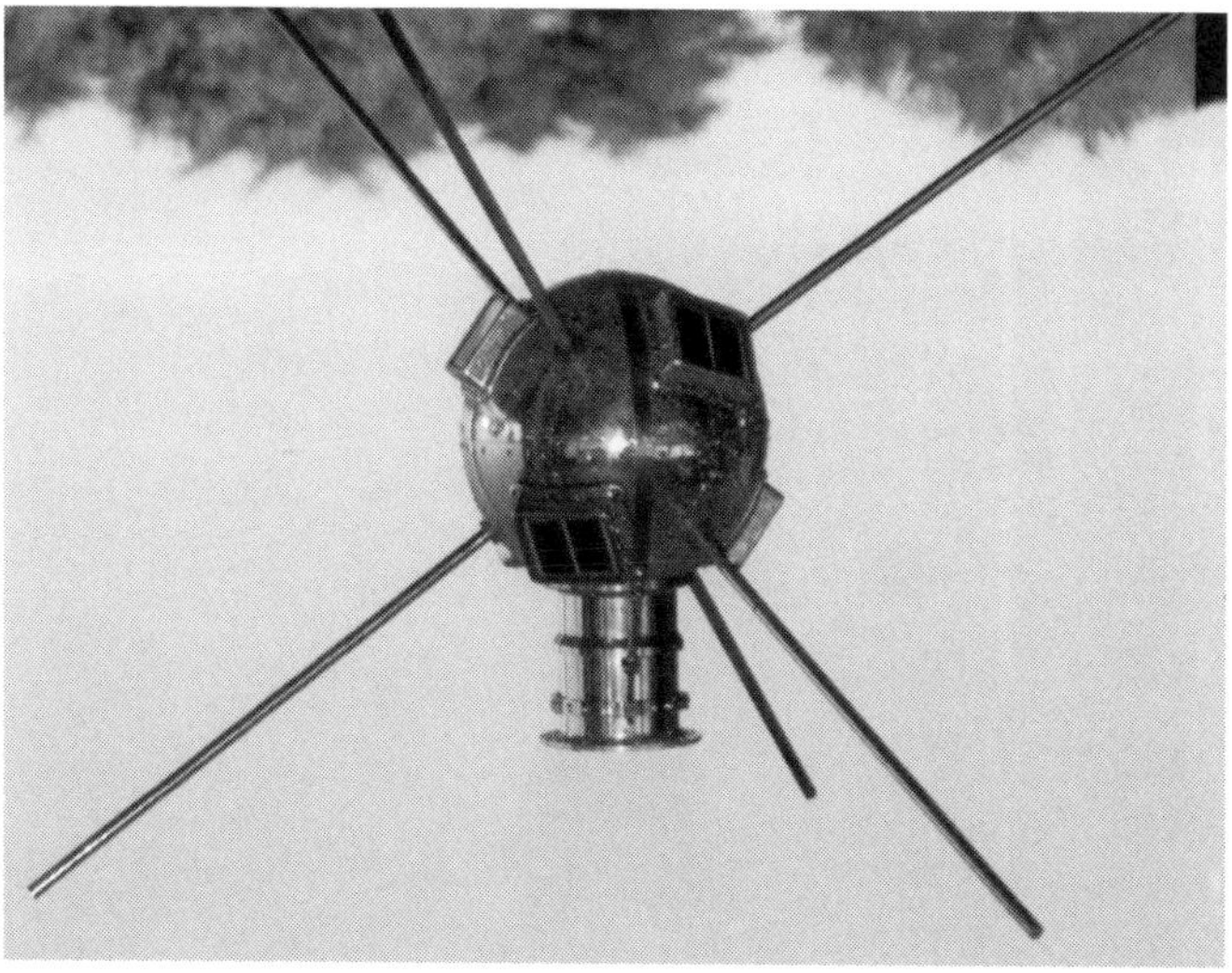

ヴァンガード1号

けた。

これにより、太陽電池が水銀電池と比べ物にならないほど長期間にわたって電力を供給できることが証明されただけでなく、宇宙開発に欠かせないエネルギー源としての歴史を開いたのである。

有用性が確認されたとはいえ、原料となる単結晶シリコンの価格が高く、当時はまだ需要が十分になかったため、まだまだ太陽電池のコストは高かった。

そうした状況を一転させたのが、第3章で紹介した1970年代の二度の石油ショックである。

石油ショックにより発生した石油の供給逼迫は、太陽電池の需要を押し上げた。

さらに、1980年代前半にアメリカのソラレックスという会社が、単結晶シリコンよりも安価な多結晶シリコンを開発した。

これはシリコンを溶かして型に流し込み、固まったシリコンブロックからウエハーを切り出すもので、単結晶シリコンの不要部分を利用することからコストを安価に抑えることができるようになった。

石油ショックと安価な多結晶シリコンの開発により太陽電池の普及は広がり、太陽光発電のコストをさらに下げていった。

太陽光発電の牽引者だった日本

石油ショック以降、世界の注目を集めた太陽光発電であるが、それを牽引したのが日本である。

資源やエネルギーに乏しいとされる日本が、太陽光発電という新しいエネルギーの分野で主役に躍り出たのである。

日本の太陽電池メーカーは世界を席巻し、２００５年の太陽電池セルの生産量世界シェアでは、日本がなんと47％を占め１位となっていた。

日本の後は、２位：欧州27％、３位：中国・台湾12％、４位：アメリカ９％という順位となっており、シェアの半分近くを占める日本のプレゼンスは圧倒的であった。

２００６年までは、発電容量ベースで日本のシャープが世界１位の年間生産量を誇っており、上位５社のうち４社は、京セラ、パナソニック、三菱電機などの日本企業であった。

日本における太陽電池開発の歴史は古く、１９５４年にベル電話研究所が世界初の単結晶シリコン太陽電池を発明した翌年には、早くも太陽電池の試作品を製作している。

同年、シャープが太陽電池の研究開発を開始し、１９６０年代前半には単結晶シリコン太陽電池の量産が始められている。

国の政策としても、１９７４年のサンシャイン計画に続き、２００４年には太陽電池の発電コスト目標を算定する太陽光発電ロードマップ「ＰＶ２０３０」が策定され、２００９年にはその改訂版である「PV2030+」が策定されている。

これらのロードマップの策定により、太陽電池の発電コスト目標として、2010年に23円／kWh程度（家庭用電力料金並み）、2020年に14円／kWh程度（業務用電力料金並み）、そして、2030年には7円／kWh程度（汎用電源並み）とすることが目指されることになった。

こうした、国の政策と企業の取り組みにより、日本は太陽電池における世界トップの地位を獲得したのである。

失速した日本の再生可能エネルギー産業

しかし、日本の優位は長くは続かなかった。

2007年の太陽電池セルの生産量世界シェアでは、1位：中国・台湾32%、2位：欧州28%、3位：日本25%と順位を落としている。

一方、日本を抜き去り1位に躍り出た中国の勢いは止まらず、2012年にはシェア62%を占めるまでに成長している。

セルの出荷量を見ても、日本は2007年までトップの座を占めていたがその後の失速は著しく、2015年は10位以内にも入れないという落ち込みようになっている。

日本企業が世界シェアを落としてしまった理由の一つとして、太陽電池の原材料であるシリコン原料の調達に失敗したことがあげられる。

当時、シリコンを原材料として使う太陽電池と、同じくシリコンを原材料とする半導体の世界的な需要の拡大が重なってしまい、シリコン原料の需給逼迫化と価格上昇が発生したという経緯がある。

需給が逼迫するなか、シリコンの調達を思うように進めることができなかった日本メーカーは生産規模を拡大できず、結果としてシャープの2007年の生産量は前年実績を割り込むことになった。

一方、シリコンの長期購入契約などにより安定調達を図ったメーカーは、生産規模の拡大に成功し、ドイツのQ-cellsなどが世界シェアを伸ばすに至っている。

また、2008年前後からは、当時需要が伸びていた欧州市場を狙って、中国・台湾系太陽電池メーカーが量産のための投資を進め市場獲得に積極的に動いていたが、日系や欧州系太陽電池メーカーは中国・台湾の動きに遅れたため市場のシェアを奪われる形にもなっている。

また、製造コスト面でも差が生じた。

中国企業は単結晶シリコンよりもコストが安い多結晶シリコンによる太陽電池の製造を進め、低廉な人件費による大規模生産という手法で生産コストを引き下げてきた。

一方、日本企業は高エネルギー変換率や低シリコン化といった高付加価値化技術の開発を進めたことで、中国企業と比べてコスト高になっていった。

日本が開発した高付加価値の太陽電池は戸建て家屋の屋根などの小規模な太陽光発電には適しているものの、市場規模が広がりつつあった大規模なメガソーラーなどでは、エネルギー変換効率は多少低くてもコストが安い太陽電池のほうがコスト的なメリットがあることから、日本企業は市場を獲得することができなかったことも指摘されている。

こうした結果、２０１２年の太陽電池生産の世界シェアは62％を中国・台湾企業が占める一方、日本企業のシェアは６％にまで衰退するに至っている。

日本のプレゼンスが低いのは太陽光発電だけではない。風力発電においても日本のプレゼンスは低い。２０１０年当時から風力発電機の世界市場シェアは、欧州、アメリカ、中国の企業が占めており、日本はシェアのトップ10にも入れないという状況であった。

日本の産業としての太陽光発電や風力発電が失速しただけではなく、そもそも日本のエネルギー需給における再生可能エネルギーの活用も進まなかった。

将来的にエネルギー需要の相当部分を賄い得るエネルギーの一つとして、太陽光発電の技術開発に取り組む「サンシャイン計画」は１９７４年に始められている。

「サンシャイン計画」が始まった１９７４年当初、日本の発電電力量構成における太陽光発電、風力発電などの再生可能エネルギー（大規模水力除く）の比率は０％であった。

約30年後、日本の太陽電池セルの世界シェアが１位となった２００５年においても、そのシェアは０・９％と１％にも満たないものであった。

そして、日本の太陽光発電のシェアが激減した２０１２年においてもわずか２・９％と、とてもエネルギー需要の相当部分を賄えるものとはなっていない。

その一方で、大幅に構成比率を伸ばしたのが、原子力と石炭、天然ガスである。

１９７４年の日本の発電電力構成におけるそれぞれの割合は、原子力：５・４％、石炭：４・１％、天然ガス：４・２％であった。それが、福島第一原子力発電所事故が起きる前年となる２０１０年には、原子力：25・１％、石炭：27・８％、天然ガス：29％と大幅に伸びているのだ。一方、石油は１９７４年の構成比率65・３％から２０１０年には８・６％へと大幅に減少している。

すなわち、二度の石油ショックを経て日本が選択したエネルギー政策の実態は、原子力発電の普及を大幅に進めるとともに、海外から調達する石炭、天然ガスに依存する道を選んだことになる。同時に、石油についても備蓄政策を進めるなどの施策は取ったものの、依然として海外に依存するという根本的な部分は変わることがなかった。

〈参考文献〉

リチャード・ローズ『エネルギー400年史』草思社、2019年
牛山泉「風力発電発祥の地：ポール・ラクール博物館を訪ねて」『風力エネルギー』、一般社団法人 日本風力エネルギー学会、2011年35巻3号 p.68-73
『NEDO再生可能エネルギー技術白書』独立行政法人新エネルギー・産業技術総合開発機構、2014年
経済産業省『令和元年度エネルギーに関する年次報告（エネルギー白書2020）』2020年

2 エネルギー転換で表舞台に躍り出た再生可能エネルギー

気候変動問題の深刻化

石油ショックに見舞われた1970年代は、地球温暖化が深刻な問題として注目されるようになった時期でもあり、1979年2月には、スイスのジュネーブで気候変動に関する大規模な国際会議となった第1回世界気候会議（FWCC）が開催されている。

その後、1985年には、オーストリアのフィラハで地球温暖化に関する初めての世界会議（フィラハ会議）が開催され、二酸化炭素（CO_2）排出の影響による地球温暖化の問題が大きくとりあげられることとなっている。

1988年には、国連環境計画（UNEP）と世界気象機関（WMO）によって、地球温暖化に関する科学的評価を行う政府間の検討の場として「気候変動に関する政府間パネル（IPCC：Intergovernmental Panel on Climate Change）」が設立された。

そして、1992年に国連の下、大気中の温室効果ガスの濃度を安定化させることを目的とする「気候変動に関する国際連合枠組条約（United Nations Framework Convention on Climate Change）」（以下「気候変動枠組条約」）が採択され、気候変動問題に世界全体で取り組んでいくことが合意された。

気候変動枠組条約にもとづき、1995年から気候変動枠組条約締約国会議（COP）が毎年開催されるようになる。

そして、1997年に日本がホスト国として京都で開催した気候変動枠組条約第3回締約国会議（COP3）において、歴史上初めて先進国の拘束力のある温室効果ガス削減の数値目標（2008～2012年の5年間で1990年に比べて日本：▲6%、アメリカ：▲7%、EU：▲8%等）を明確に規定した「京都議定書」（Kyoto Protocol）を採択するに至っている。

その後、2001年にアメリカは、再生可能エネルギーの普及などの温暖化対策はアメリカ経済の成長に悪影響を及ぼすこと、途上国の削減目標が決められておらず公平性に欠けていること、などを理由に京都議定書からの離脱を宣言。

アメリカに続きオーストラリアも離脱を宣言するなど紆余曲折を経たが、2005年にロシアが批准したことで発効要件である批准国55カ国に達し、2020年までの温暖化対策の目標を定めた京都議定書は発効した。

実に京都議定書は採択されてから8年越しでようやく発効され、温室効果ガス排出削減への第一歩となったのだ。

チェルノブイリ原発事故から復権する原子力

２００５年の京都議定書の発効により再び注目されるようになったのが、原子力発電である。国際原子力事象評価尺度（ＩＮＥＳ）で最悪となるレベル７の事故となった１９８６年のチェルノブイリ原子力発電所事故以降、世界では原子力発電所の新設が停滞し、脱原発の方向に動いていた。

そうした状況のなか、国際的な気候変動問題への対処という大義を背景にして、原子力をあらためて活用していく〝原子力ルネッサンス〟と言われる原子力復権のトレンドが起きたのである。

チェルノブイリ原子力発電所事故の影響により原子力に対してあまり積極的でなかったと思われる国際エネルギー機関（ＩＥＡ）も、２００６年11月に発行した報告『世界エネルギー展望２００６（World Energy Outlook 2006）』において、世界的な原子力推進を提言するなど、〝原子力ルネッサンス〟の波が世界に広がっていた。

また、２００８年６月６日にＩＥＡから発行された『エネルギー技術展望２００８（Energy Technology Perspectives（ETP）2008）』では、２０５０年までにCO_2の排出量を世界で半減するためには、太陽光、風力、バイオマスなどの再生可能エネルギー、炭素隔離貯蔵（CCS）、電気自動車やプラグイン・ハイブリッド車（PHV）、燃料電池車（FCV）など運輸部門の低炭素化といったあらゆる分野での技術革新を織り込んでも、世界全体で年間32基の原子力発電所を新設し続ける必要があるとの試算も出されていた。

年間32基の原子力発電所の新設とは驚きを禁じ得ないが、気候変動問題への対処においては、原子力発電の役割が大きいと認識されていたことになる。

こうした〝原子力ルネッサンス〟という世界的な原子力復権のトレンドのなか、日本では2010年6月18日に、日本のエネルギー政策の大方針となる「第3次エネルギー基本計画」が閣議決定されている。

日本の政策方針では、電力構成に占める原子力および再生可能エネルギーといったCO_2を排出しないゼロ・エミッション電源を現状の34％から、2020年には約50％、2030年には約70％にまで引き上げるとの目標が掲げられ、原子力発電所については、2020年までに9基、2030年までに少なくとも14基を新設との目標が掲げられており、日本も原子力ルネッサンスの波に乗っていた。

福島原発事故で終焉を迎える原子力ルネッサンス

このように、世界的な原子力ルネッサンスというトレンドが広がるなか、日本も原子力を大きな柱としたエネルギー政策を構築したのだが、それを根底から覆す事態が発生する。

2011年3月11日、東日本大震災の影響により発生した東京電力福島第一原子力発電所の事故（福島原発事故）である。原子炉建屋が爆発して白煙を上げている映像を覚えている読者も多いことだろう。

福島原発事故は国際原子力事象評価尺度（INES）に照らし合わせると、チェルノブイリ原発事故以来の最悪のレベル7となった。

地震が原因で起こった事故は原子力発電史上初めてであり、炉心溶融（メルトダウン）と多量の放射性物質が外に放出されるという極めて深刻な事態を引き起こした。

これまで日本の原子力発電については、「地震対策、津波対策は万全で深刻な事故は起こり得ない」と半ば安全神話のように語られてきたが、この事故は全電源を喪失するという、決して起こってはいけない事が起きるというありさまであった。

〝原子力ルネッサンス〟という世界的な原子力復権のトレンドの最中に発生した福島原発事故は、その波を一気に押し戻す程のインパクトとなって世界に受け止められた。

事故後の3月14日にはオーストラリアのギラード首相が原発不要との考えを示し、3月15日には当時世界最大級の原子炉建設を進めていたフィンランドのハロネン大統領が、原子力は一時的なエネルギー源であり再生可能エネルギーの活用を目標にすべきだとの認識を示している。

ドイツでは福島原発事故を受けて、メルケル首相が将来のエネルギー供給のあり方について検討する「安全なエネルギー供給に関する倫理委員会」を4月4日に発足させる。

国民的な議論を経て、2022年までにドイツの原発を全面的に廃止することで合意した。

さらに、スイス政府も2034年までの原発廃止を決定し、イタリアでは原発再開の是非を問う国民投票が行われ、54・79％という投票率のもと、原発再開への反対票は94・05％に達し、原発にノーという意思を示している。

原発事故を起こしてしまった日本では2011年5月6日、菅総理（当時）は浜岡原子力発電所のすべての号機について運転停止の要請を表明するとともに、中部電力がこれを受け入れている。

そして5月10日、総理記者会見において菅総理が、エネルギー基本計画をいったん白紙に戻すことを表明することとなった。

こうして、チェルノブイリ原発事故からの復権として世界に広がっていた〝原子力ルネッサンス〟は、福島原発事故というレベル7の最悪の事故によって終焉を迎えた。

採択からわずか1年で発効したパリ協定

福島原発事故という世界に衝撃を与えた未曽有の事故を経て、2015年にフランス・パリで開催された気候変動枠組条約第21回締約国会議（COP21）において、気候変動に関する新たな国際枠組みである「パリ協定」（Paris Agreement）が採択された。

京都議定書は2020年までの温暖化対策の目標を定めたもので、パリ協定はそれをバトンタッチする形で2020年以降の目標を定めている。

パリ協定では、世界の平均気温上昇を産業革命以前に比べて2℃より十分低く保ち、1.5℃に抑える努力をすることが世界共通の目標として設定されている。

京都議定書が先進国に対して温室効果ガスの削減義務を課したのに対して、パリ協定では拘束力のある数値目標は課せられることはなかった。

しかし、パリ協定には、先進国、途上国に関わらず、参加国全体により温暖化対策に取り組むことが合意されたという、これまでにない大きな意味がある。

世界全体が、地球温暖化による気候変動は人類の存亡にかかわるリスクであることを認識したのだ。

パリ協定は、採択後わずか1年という異例の速さで2016年11月4日に発効された。

パリ協定発効直後の11月16日に公表されたIEAの『世界エネルギー展望2016（World Energy Outlook 2016）』では、パリ協定の目標を達成するためのシナリオ（450シナリオ）が公表されている。

それによると、パリ協定採択前の2014年の全世界の発電電力量構成が、天然ガス：22%、石油：2%、原子力：11%、石炭：41%、再生可能エネルギー（大規模水力含む）：22%であったのに対し、パリ協定の目標を達成するためには2040年に、天然ガス：16%、石油：1%、原子力：18%、石炭：7%、再生可能エネルギー（大規模水力含む）：58%へとエネルギー構造を大きく転換する必要、すなわち、エネルギー転換が必要であることが報告されている（図11）。

特に大幅な転換が必要なのは再生可能エネルギーと石炭であり、再生可能エネルギーを2014年の22%から2040年には58%へと大幅に増加させるとともに、二酸化炭素排出量が一番多いエネルギー源である石炭を2014年の41%から2040年には7%へと大幅に減少させる必要がある。

電力部門は世界のCO_2排出量割合の約4割を占めていることから、電力部門の低炭素化は温暖化対策の本命であり、世界は再生可能エネルギーの大幅普及と石炭の大幅削減を中心としたエネルギー転換を推進することになったのだ。

こうしたエネルギー転換の必要性は、京都議定書の際にも議論されている。京都議定書で議論された温暖化対策のために取り組まなければならない内容とパリ協定において議論された内容は、本質的な面では大きな違いはない。

図11　450シナリオにおける発電電力量構成推移

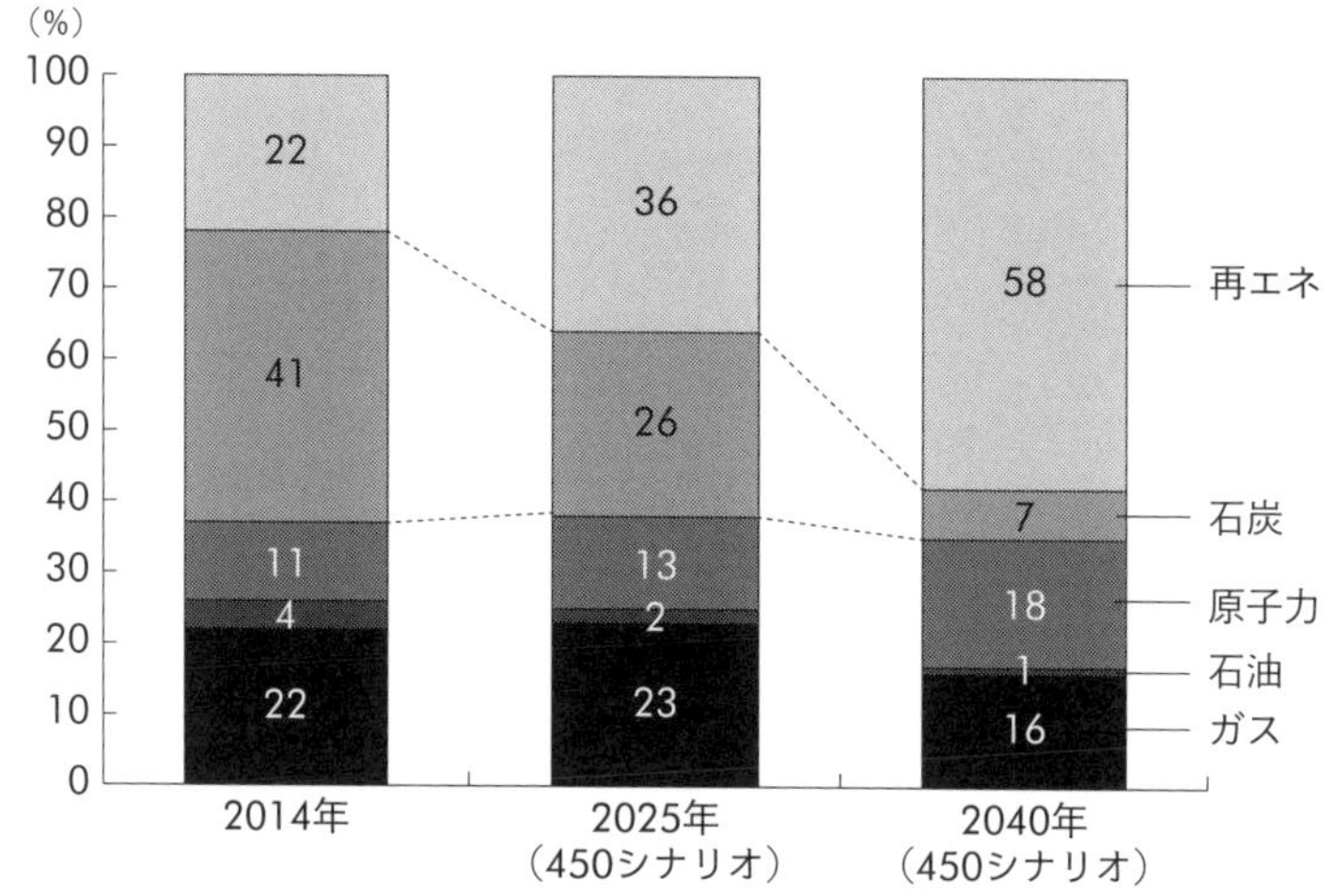

出所：IEA『世界エネルギー展望2016』

しかし、前述の通り京都議定書が採択されてから発効されるまでには、アメリカの離脱などがあり8年もの時間がかかっている。一方、パリ協定が採択されてから発効に至るまではわずか1年しかかかっていない。なぜこうした差が生じたのだろうか。

AI、IoT、ビッグデータによる再生可能エネルギー導入技術の革新

パリ協定が採択からわずか1年で発効された背景には、これまでにないエネルギー技術の革新がある。

前項で述べたように、エネルギー転換の本質は再生可能エネルギーの大幅普及と脱石炭である。

しかし、太陽光や風力といった再生可能エネルギーは、天候など気象条件によって発電が左右される変動電源であり安定しないことなどから、電源として電力システムに組み入れるのは難しく、エネルギー供給において果たす貢献は限られるとされていた。

そうした再生可能エネルギーの変動性という技術的な課題が、第四次産業革命により登場したIoT（インターネットオブシング）、ビッグデータ（Big Data）、そしてAI（人工知能）という三種の神器ならぬ三種の革新技術の登場により克服されることになった。

IoT、ビッグデータ、AIを活用した、再生可能エネルギーの変動性をコントロールする次世代のエネルギーシステムの開発が進んだのだ。

第四次産業革命は、ドイツが２０１１年から打ち出している技術戦略「インダストリー４・０」を日本語化したものである。

ＩｏＴ、ビッグデータ、そしてＡＩを活用した革新的なエネルギーシステムは、インターネット・オブ・エナジー（ＩｏＥ）と呼ばれる。

ＩｏＴは、パソコンや携帯端末だけではなく、家電、自動車など様々なものがインターネットにつながり、情報の双方向交換と末端コントロールを行う情報通信技術（ＩＣＴ）である。しかし、ＩｏＥは聞いたことがないというのが、日本人の大半ではないだろうか。

ＩｏＥはインターネット・エネルギーとも呼ばれ、ＩｏＴのエネルギー版とでも言えばイメージしやすいだろう。機能的にはスマートグリッドの進化版とも言える。

再生可能エネルギーは天候によって発電が左右されるが、気象データと照らし合わせて解析を行うことで刻々と変化する気象状況下で、各再生可能エネルギー発電所でどのように発電が行われるかの把握が可能になる。

また、再生可能エネルギー発電を含めた各発電所の発電データや、ビルや工場、戸建てなどの電力消費データといった電力の需給データを蓄積すればするほど、年間を通しての需給状況も把握できる。

ＩｏＥでは、各発電所や需要者をＩｏＴでつなぎ、発電データと需要データ、さらには気象予測データをＩｏＴで集めてビッグデータ化し、そのデータをＡＩで解析することで、いつ、どこの発電所で、どれだけ発電を行うのが最適であるかを導き出すとともに、それを実行する

インダストリー４・０
２０１１年にドイツで提唱されたインターネットオブシング（ＩｏＴ）などの情報通信技術（ＩＣＴ）を駆使して産業の高効率化を促す革新プロジェクト。蒸気機関の発明による第一次産業革命、電気による第二次産業革命、コンピュータによる第三次産業革命に続き、ＩＣＴの活用による高効率化を第四次産業革命と位置づけ、インダストリー４・０と呼ばれる。

電力需給指令を割り出すことが可能になる。

そして、その指令をIoT経由で電力供給側である各発電所に送るとともに、電力需要側である工場やビル、戸建てなどの各需要者にも送り、電力の供給不足や需要過多といった不安定化が起こらないようにコントロールする。

余剰電力が発生した際には、送電網に接続された定置型蓄電池や充電中の電気自動車（EV）に蓄電することで調整するなど、高度なICTを活用して電力の最適需給コントロールを行うというのが、IoEのコンセプトである。

IEAの『世界エネルギー展望2016（World Energy Outlook 2016）』では、パリ協定の目標を達成するために、2040年には再生可能エネルギーの発電量比率を58％にすることが必要とされるが、IoEが導入されれば、これまで技術的に難しいとされてきた再生可能エネルギーの電力需給コントロールが可能になり、再生可能エネルギーの導入が拡大できる。

パリ協定が採択からわずか1年で発効した背景には、京都議定書当時にはなかったこうした再生可能エネルギーの弱点を克服する革新的なエネルギーシステムの開発があるのだ。

日本ではまだ馴染みのないIoEであるが、エネルギー転換による再生可能エネルギーの導入拡大を視野に入れ、世界では、IoEの技術開発と国際標準化、そして社会実装に向けた取り組みが行われるようになっている。

国を越えたIoEの開発と国際標準化に取り組んだ欧州

IoEの開発にいち早く国を越えて取り組んだのが欧州である。

2011年には、フランス、ベルギー、ドイツ、イタリア、スペイン、スイスなど欧州11カ国から、大手電力会社、ICT関連会社、大学・研究機関など35の企業、団体が参加し、IoEを開発するFINSENY（Future Internet for Smart EnergY）というコンソーシアムが組織されている。

FINSENYはIoEの開発と、その国際標準化を含めた社会実装を目指し、スマートグリッドにおける発電予測制御・最適化のためのICT開発と、その標準化を目的として実証実験を行う組織である。

参加メンバーには、ドイツ大手電力会社のE.ON（エーオン）、フランス大手電力会社のEDF、スイスに本社を置く電力関連大手のABB、世界的な通信機器メーカーであるスウェーデンのエリクソン、情報通信・電力関連のグローバル企業のシーメンスなど、国境を越えたそうそうたるメンバーが参加し、技術開発と欧州委員会（EC）における技術標準化が進められている。

技術開発だけでなく、FINSENYの活動で注目すべきは技術標準化の取り組みだ。

新たなエネルギー技術が生み出され、それが広がりグローバルな市場を形成していくという過程においては、各国がバラバラな技術を採用していては国を越えた普及・流通において障壁となりかねない。

そのため、技術の国際標準化が必要となってくるが、1995年に発効した世界貿易機関（WTO）のTBT協定（貿易の技術的障害に関する協定）では、WTO加盟国は強制／任意規格を必要とする場合において、関連する国際規格が存在する場合はその国際規格を自国の強制／任意規格の基礎として用いらなければならないとしている。原則として国際標準化機構（ISO）や国際電気標準会議（IEC）など国際的な標準化機関が作成する国際規格を自国の国家標準においても基礎とすることが、義務付けられている。

すなわち、ある技術において国際標準の規格が存在する場合、たとえそれが自分の国が知らない技術であっても、国際規格がある以上それを使わざるを得ないということだ。

ビジネスを考えると、せっかく自国でコストと時間をかけて新しい技術を開発しても、別の国の技術が国際標準化されることで自国技術が国際流通できなくなるという事態も起こり得る。

そのため、パリ協定の発効を背景に本格的に国際普及が始まろうとしている再生可能エネルギーをはじめとする様々なクリーンエネルギー技術については、他国に先駆けいち早く自国に有利な形で国際標準化を進め、自国の技術と製品を国際普及させようと各国が動いている。

特に欧州は、企業や研究組織の連携により、欧州委員会（EC）などでまず欧州域内での標準化を構築し、その実績をもってISOやIECなどの国際標準化機関での議論をリードすることで、欧州の技術をグローバルな国際標準化に落とし込むというのが常套手段である。

IoEは、エネルギー転換を推進する核となる技術である。

資源国や石油メジャーが石油や天然ガスといった資源をコントロールすることで世界の主導権を握ったように、エネルギー転換においては、石炭をはじめとする従来型の化石燃料依存から脱却する技術を制する者が主導権を握ることになる。

ＦＩＮＳＥＮＹの技術標準化の取り組みは、まさに欧州の常套手段に即したもので、エネルギー転換におけるエネルギー技術の争奪戦は既に始まっているのだ。

欧州でＩｏＥの開発に取り組んでいるのはＦＩＮＳＥＮＹだけではない。

欧州全土から企業、研究機関などが集まり革新技術を開発するプラットフォームとなっているＡＲＴＥＭＩＳ産業協会では、再生可能エネルギーの余剰電力を蓄電する機能を持つ電気自動車（EV）を電力系統に組み込むためのＩｏＥを開発するプロジェクトを、ＦＩＮＳＥＮＹと同じく２０１１年から２０１４年にかけて実施している。

プロジェクトにはイタリアの電力大手のエネル（Enel）やシーメンスなど欧州10カ国の38の企業がパートナーとなり、欧州委員会の枠組みのなかで技術開発とその標準化の活動が行われている。

ＦＩＮＳＥＮＹもＡＲＴＥＭＩＳのプロジェクトも、パリ協定採択前の２０１１年という早い時期から取り組まれている。他に先駆けてＩｏＥを欧州各国が連携して推し進めることで、気候変動時代におけるエネルギー分野での優位性を勝ち取ろうとする欧州の姿勢がうかがえる。

IoEの開発に積極的だったオバマ政権

再生可能エネルギーの活用を進めるIoEの開発は、アメリカのオバマ政権下でも積極的に取り組まれた。

オバマ政権下では、シェールガスや各種再生可能エネルギー、また燃料電池をはじめアメリカ国内の利用可能なエネルギーをすべて活用し、他国に依存しないエネルギー需給体制を構築するための技術開発と研究を急速に進めるため「包括的エネルギー戦略(all-of-the-above energy strategy)」と呼ばれる政策が、2012年6月に大統領府から公表された。

「包括的エネルギー戦略(all-of-the-above energy strategy)」にもとづき、アメリカでは、化石燃料を主体とする既存の電力系統に、太陽光、風力、水力、地熱、バイオマスなど多様な再生可能エネルギーとともに、燃料電池など新規の技術をスムーズに電力系統に統合(インテグレーション:integration)するアメリカ版IoEとなる「エネルギー・インテグレーション(Energy Integration)」の研究が進められた。

2013年9月には、米エネルギー省(DOE)が、再生可能エネルギーの変動性をコントロールし統合する大規模実験を行うため、コロラド州デンバーにある国立再生可能エネルギー研究所(NREL)のなかにエネルギーシステム統合施設(Energy Systems Integration Facility:ESIF)という大規模な研究施設を開所している。

ESIFは、電力の系統連系を研究するアメリカ初の実証研究施設で、総床面積およそ1万

7000㎡、15以上の研究設備と五つのデータ解析部門を有するNREL最大の研究開発施設となっている。

ESIFの15の研究設備は電力研究所、熱エネルギー研究所、燃料研究所という三つの分野に分かれ、再生可能エネルギーをはじめ様々なクリーンエネルギーを電力系統に統合（エネルギーインテグレーション）した場合、どのようなことが起こるか、その課題に対処する技術を開発している。

ESIFでの実験の最大の特徴は、実際の商用運転規模に近い環境で行うことができるという点にある。

なかなか商用運転ほどの大規模な実証実験は難しいところ、ESIFにはスーパーコンピュータが設置されており、実際の商用運転規模と同様の環境をつくりだすことができる。開発した技術を社会で実用化するためESIFの設備が企業にもオープンにされている点も、大きな特徴となっている。

研究費の負担や研究趣旨をNRELと合意することで、民間企業も国の最新施設であるESIFの設備を利用できるほか、開発した技術の知的財産権も企業側で保持できる。

一般に技術開発の世界では、研究機関等で開発した技術がなかなか商品化に至らず実用化されないことを、技術開発の「死の谷」と呼んでいるが、国の最新設備を民間企業に対してもオープンとすることで実用化への道を広げていると言える。

これほど大規模で、なおかつ民間にも開放されている研究開発施設は、世界でも類がない。

国境を越えたＩｏＥの開発を進める欧州に負けじと、アメリカもＩｏＥ開発におけるプレゼンスを一層高めるかに見えたが、再生可能エネルギーに懐疑的な姿勢をとるトランプ政権の誕生によりオバマ政権で取り組まれてきた「包括的エネルギー戦略（all-of-the-above energy strategy）」は失速することになる。

アメリカ連邦政府としての再生可能エネルギーの普及とＩｏＥの開発の動きは鈍ることとなったが、ＮＲＥＬとパートナーシップを組んでいたアメリカ企業は多い。

トランプ政権の誕生以降、アメリカにおけるＩｏＥの開発の舞台は、こうしたアメリカ企業や企業が立地する州政府が中心となっていくことになる。

ブロックチェーンで再生可能エネルギー100％供給を保証するスペインの電力会社

エネルギー転換における再生可能エネルギーの普及のため、世界で開発が進められてきたＩｏＥであるが、ＩｏＥの技術を活用して顧客に対して１００％再生可能エネルギーによる電力の供給を保証するビジネスを展開する企業も現れた。

スペインの大手電力会社イベルドローラである。

前章にて、スペインでは国の政策としてＩｏＥを先取りしたと言える再生可能エネルギーを導入するＩＣＴを活用した高度なエネルギーシステムが構築されていることを紹介したが、スペインで注目すべきは国単位のシステムだけではない。

スペインの大手発電会社であるイベルドローラも高い技術で自社の再生可能エネルギー発電をコントロールし、電力を安定させて送電網へと供給している。

イベルドローラは、原子力、石炭、天然ガスのほか風力をはじめとする再生可能エネルギー発電まで手がける世界的な大手電力企業である。欧州だけでなく北米、南米にまでビジネスを展開し、特に再生可能エネルギーの導入に注力している。

イベルドローラの再生可能エネルギー設備容量は、２０１８年上期現在で全世界２万９４７９MW、欧州では１万６７８２MWに達し、保有する発電設備では再生可能エネルギーが最大のものとなっている。

２０１６年のグループ全体の発電電力量は14万２４５３GWhであり、そのうち39％が再生可能エネルギーで発電されており、発電量でも再生可能エネルギーが一番となっている。

イベルドローラでは自社の風力発電、小水力発電といった再生可能エネルギー発電の需給安定化を行うべく、再生可能エネルギーオペレーションセンター（ＣＯＲＥ）という集中コントロールセンターを２００３年に設置している。

このＣＯＲＥはスペインの首都マドリッドから南西へ約70㎞の古都トレドにあり、ＩＣＴを活用してスペイン全土に展開されている自社の再生可能エネルギー発電設備とリンクし、そのメンテナンスや運転管理を24時間３６５日、オフィスにいながらにしてリモートコントロール（遠隔操作）で行っている。

COREによると、たとえ遠隔地の発電所でメーカーの異なる複数の風力発電機による発電を行っていたとしても、メンテナンスに必要なオイル残量情報や部品交換情報などを現地に赴かずとも一括して把握することができ、必要な作業指令を出すことができるという。

発電効率を上げるための風力発電機のブレード（風車羽根）の角度調整やロータースピードの調整も、遠隔操作で調整可能だ。

さらに、COREでは、前章で紹介したスペインの国営送電会社、REEが行っているような気象予測を活用した発電予測まで行っている。

こうしたきめの細かい監視・制御により、火力をはじめとする自社の在来型の発電とのバランスを取り、最適な発電を実現しているのだ。

イベルドローラが2003年にはCOREを設置し再生可能エネルギーを自社の発電の主力とする一方、日本では2014年9月に、九州電力などの電力各社が太陽光発電を中心とした再生可能エネルギーの導入について、電力の安定供給が困難になるという理由で、再生可能エネルギーの接続申し込みに対する回答を保留するという対応がとられている。

接続保留という対応を取らざるを得ない日本の電力会社と比べて、同じ電力会社でありながらイベルドローラの技術力がいかに高いかがわかる。

こうした高い技術力を持ったイベルドローラは、2019年1月、最新のIoT技術であるブロックチェーンを活用し、自社の風力、太陽光発電施設で発電した電力が取引先に供給されるまでをリアルタイムで追跡することに成功。それにより、消費者に供給される電力が

100%再生可能エネルギーであることを保証することを可能にしたと公表した。

これまでは、いくら再生可能エネルギー発電を行っても送電網に電気が送られてしまえば、化石燃料で発電した電気と混ざってしまい、末端の需要者に届く電気は何で発電されものかなどはわからないとされていた。

しかし、ブロックチェーンという最新の技術を活用することによって、需要者に届く電力の原産を証明することができるようになったのだ。

京都議定書が議論されていた当時は、これほどまでに再生可能エネルギーを導入する技術が進歩し、実用されるようになるとは想定されていなかっただろう。

巨大クリーンエネルギー市場の獲得を狙うIT企業

パリ協定が採択からわずか1年で発効されたのは、IoEという再生可能エネルギーの導入拡大を可能にするエネルギー技術の革新が背景にあったからだけではない。

パリ協定目標達成のために必要なエネルギー転換が巨大なクリーンエネルギー市場を生み出すという点も、パリ協定が異例のスピードで発効された背景となっている。

パリ協定が採択されたCOP21の期間中となる2015年11月30日、パリで「ミッション・イノベーション（Mission Innovation）」（以下、国際会合）というCOP21のサイドイベントが開催された。

国際会合には、バラク・オバマ米大統領、フランソワ・オランド仏大統領、ナレンドラ・モディ印首相、そして米マイクロソフト共同創業者ビル・ゲイツ氏の登壇のもと、世界的なクリーンエネルギーのイノベーションを政府および民間が加速的に実現する誓約が発表されている。

この誓約には米、仏、印そして中国を含め主要20カ国が参加しており、誓約国はそれぞれの国において今後5年間にわたり再生可能エネルギーをはじめとするクリーンエネルギー技術の研究開発投資を倍増させることが記されている。

クリーンエネルギー技術には明確な定義はないが、米エネルギー省（DOE）がCOP21の開催月と同月の2015年11月に公表した報告書、"Revolution…Now –The Future Arrives for Five Clean Energy Technologies – 2015 Update" では、太陽光発電設備、風力発電設備、蓄電池、LED照明、電気自動車（EV）をクリーンエネルギー技術としており、およそ再生可能エネルギーを中核としたエネルギー高効率技術をクリーンエネルギー技術と捉えることができる。

2013年6月14日に閣議決定された「日本再興戦略――JAPAN is BACK」では、こうしたクリーンエネルギー技術のグローバル市場は、2013年の40兆円から2030年には160兆円の市場に成長するとしている。

160兆円とは、グローバルな自動車産業に迫る市場規模である。

新たに生み出されるこうしたクリーンエネルギーの巨大市場を獲得するには、自国のなかにクリーンエネルギー分野の新しい技術、サービスを生み出すマザーマーケットを創出し、その実績をもって世界の市場に打って出るのが定石となる。国際会合の参加国は、いち早く自国におけるクリーンエネルギー分野への投資を進め、巨大市場のシェア争奪に動いた。

こうした巨大市場の争奪に企業が反応しないわけがない。

国際会合にあわせて「ブレイクスルーエネルギー連合（Breakthrough Energy Coalition）」という国際会合の各国の誓約を着実に実現するための民間の企業連合も発足している。

「ブレイクスルーエネルギー連合」は、マイクロソフトのビル・ゲイツ氏を中心とする世界的な民間投資家の連合であり、国際会合の誓約国におけるクリーンエネルギー技術の研究開発から市場導入までにわたる経済的な支援を行うことで、エネルギー転換とクリーエネルギー経済の急速な発展を実現することが目的とされている。

「ブレイクスルーエネルギー連合」は、総勢28名の世界的に著名な企業人により立ち上げられている。

ビル・ゲイツ氏の他、フェイスブックのマーク・ザッカーバーグCEO、セールスフォースのマーク・ベニオフ会長兼CEO、アマゾンのジェフ・ベゾスCEO、アリババグループのジャック・マー会長、ソフトバンクグループの孫正義会長兼社長、リンクトインの創業者リード・ホフマン氏、ヒューレット・パッカードのメグ・ホイットマンCEOなど、そうそうたるIT企業の経営者が名を連ねている。

石油、天然ガスなど従来の化石燃料の争奪では、石油メジャーや各国政府が主なプレイヤーであり、IT企業などはまったくの畑違いであった。

しかし、パリ協定の目標達成のために進められるエネルギー転換は、再生可能エネルギーの普及拡大のためのIoEの構築という、まさにIT企業が主たるプレイヤーとして活躍する場をつくり、IT企業が資源エネルギーの主役の座を争う形になったのだ。

国際会合「ミッション・イノベーション」とそれを支える「ブレイクスルーエネルギー連合」という極めてビジネス色の濃い組織の立ち上げからわかるように、パリ協定がその採択後およそ1年という異例のスピードで発効されたのは、気候変動問題への対処として進められるエネルギー転換がクリーンエネルギーという新たな巨大市場を生み出すことを各国が察知し、いち早くその市場争奪戦に参入しようと動いたと見るべきだろう。

こうした新たなクリーンエネルギー市場の構築も京都議定書当時にはなかった状況であり、世界がパリ協定を支持し、再生可能エネルギーの普及と脱石炭を中心としたエネルギー転換に向かう背景となっている。

価格競争力を持った再生可能エネルギー

こうして、各国は気候変動問題の対処とクリーンエネルギー市場における国際競争力の獲得を目的に、エネルギー転換に政策的に取り組むようになっていく。

特に、再生可能エネルギー普及は各国で活発に進み、再生可能エネルギー普及のための補助金制度である固定価格買い取り制度（Feed-in Tariff）を導入している国が2002年は23カ国であったのに対し、２０１４年は１０３カ国に増加するなど、その動きを加速していった。

各国の政策を背景に再生可能エネルギーの普及が進み、それとともに再生可能エネルギーの設置費用も下落している。

例えば、太陽光発電施設の総設置費用では、２０１１年の３８９１ドル／kWに対し２０１８年は１２１０ドル／kWと約69％も安くなり、その結果、再生可能エネルギーの発電コストも２０１３年ごろから従来電源に対して競争力を持つようになってきている。

２０１６年1月20日に開催されたダボス会議のセッション“The Transformation of Energy（エネルギー転換）”では、ＩＥＡのファティ・ビロル事務局長が“…… renewables are not anymore a romantic story, it is a mainstream fuel……（意訳：再生可能エネルギーはもはやロマンティックな夢物語ではなくエネルギーの主流）”と発言するなど、世界では高額な補助金がなくとも再生可能エネルギーが化石燃料をはじめ従来型のエネルギーに対する競争力を持ちつつあることが浸透していった。

そして２０１９年には、再生可能エネルギーの発電コスト（新設案件、補助金無し、均等化発電原価（kWh））は、原子力：１５５ドル／MWh、石炭：１０９ドル／MWh、天然ガス：56ドル／MWhを抑えて、太陽光：40ドル／MWh、風力：41ドル／MWhと最も安い電源となるに至っている。

各国の発電電力量構成における再生可能エネルギーの比率も増加し、２０１５年時点で先進各国の中には構成比率30％を超える国も現れるようになった。

さらにドイツ、フランス、スペインなど先進各国は、２０２０年から２０３０年に再生可能エネルギー比率を40～50％とする高い目標を掲げてその普及に取り組んでいる（図12）。

再生可能エネルギーの固定価格買い取り制度

東日本大震災後の２０１２年に始まった、再生可能エネルギーによる電気を、一定期間一定価格で買い取ることを電気事業者に義務づけた制度。ＦＩＴ（Feed-in Tariff）制度とも呼ばれる。

ダボス会議

世界の大手企業などで組織する民間団体、世界経済フォーラム（本部ジュネーブ）が１９７１年より開催している年次総会。スイスのダボスに各国の政治家や主要な企業家、学者、非政府組織ＮＧＯ等を招いて、世界が直面する問題などについて議論を行い、問題解決に向けて取り組むよう促すことが目的とされる。

図12　主要国の再生可能エネルギーの発電比率（2015年）と導入目標

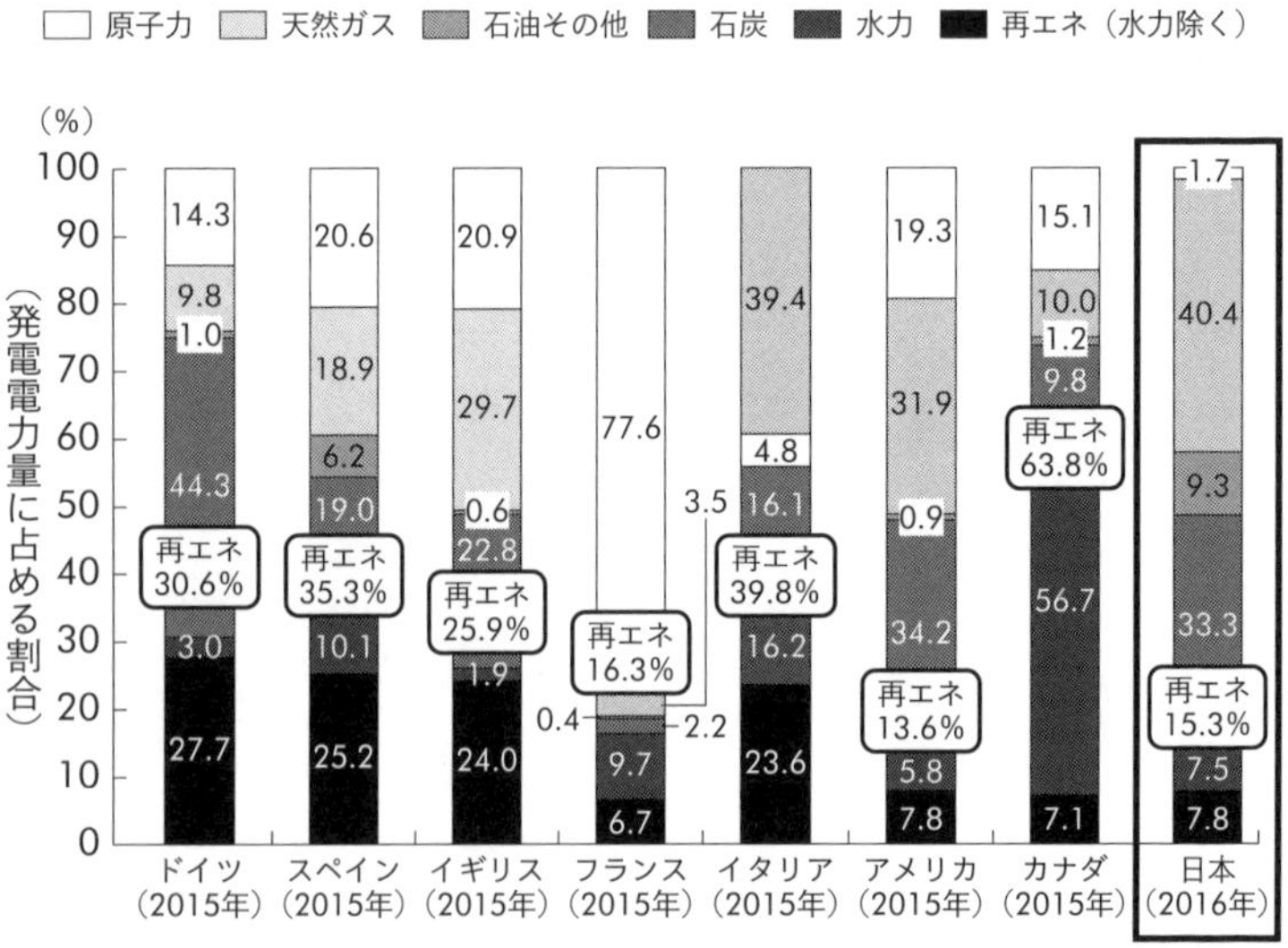

主要再エネ ※水力除く	風力 12.3%	風力 17.7%	風力 12.0%	風力 3.8%	太陽光 8.1%	風力 4.5%	風力 3.9%	太陽光 4.8%※
目標年	2030年	2020年	2020年	2030年	2020年	2035年	— （国家レベルでは定めていない）	2030年
再エネ 導入 目標比率	50%以上 総電力 比率	40% 総電力 比率	31% 総電力 比率	40% 総電力 比率	35～38% 総電力 比率	80% クリーン エネルギー （原発含む） 総電力比率	— （国家レベルでは定めていない）	22～24% 総電力 比率

出所：資源エネルギー庁「再生可能エネルギーの大量導入時代における政策課題と次世代電力ネットワークの在り方」2017年12月18日

〈参考文献〉

ＪＣＣＣＡ 全国地球温暖化防止活動推進センターＷｅｂサイト　https://www.jccca.org/faq/faq01_10.html

環境省Ｗｅｂサイト「気候変動の国際交渉」　http://www.env.go.jp/earth/ondanka/cop.html

国際エネルギー機関（ＩＥＡ）『世界エネルギー展望２００６（World Energy Outlook ２００６）』２００６年

国際エネルギー機関（ＩＥＡ）『エネルギー技術展望２００８（Energy Technology Perspectives（ＥＴＰ）２００８）』２００８年

国際エネルギー機関（ＩＥＡ）『世界エネルギー展望２０１６（World Energy Outlook ２０１６）』２０１６年

IEA “CO_2 emissions from fuel combustion 2016”

『安全・安心社会の電気エネルギーセキュリティ』「安全・安心社会の電気エネルギーセキュリティ特別調査専門委員会編」電気学会

IBERDROLA, S.A “Integrated Report, February 2017”

Renewable Power Generation Cost in 2018. IRENA. May 2019

Levelized Cost of Energy Analysis-Version 13.0. Lazard. November 2019

資源エネルギー庁「再生可能エネルギーの大量導入時代における政策課題と次世代電力ネットワークの在り方」２０１７年12月18日

3

エネルギー転換がもたらすゲームチェンジ

再生可能エネルギーを選択するようになった需要家

パリ協定の発効によるエネルギー転換は、これまでの資源エネルギーのセオリーを覆すゲームチェンジを引き起こしている。

2014年、自社が消費するエネルギーを100%再生可能エネルギーに切り替えることを宣言するRE100（Renewable Energy 100%）と呼ばれる企業グループが発足した。

RE100は、国際環境NGOの The Climate Group（TCG）が開始した企業のイニシアチブで、100%再生可能エネルギーの達成は、本社だけではなく、海外も含め各地の事業所や支店等を含めた企業全体で達成することが要求される本格的なものだ。

ＲＥ１００における再生可能エネルギーとは、水力、太陽光、風力、地熱、バイオマス等を指し、その調達は自社の施設やその他の施設において自ら発電するだけでなく、電力市場で再生可能エネルギー電力を購入して消費する方法でもよいとされている。

２０２０年9月現在、ＲＥ１００には世界２５０社以上が参加し、参加企業の２０１８年の消費電力を合計すると、年間２２８TWhの電力消費となる。

これは国として考えると、南アフリカよりも大きく、世界21位の消費国に相当する。日本の２０１８年の年間電力消費量が世界4位の１０２８TWhであることを考えると、企業単位のイニシアチブとしてはかなりの規模となる。

２０１９年12月に公表されたＲＥ１００の年次報告書では、メンバー企業の3社に1社が現在75％以上の再エネ電力目標に達し、30社以上が１００％再生可能エネルギー化を達成していることが報告されている。

ＲＥ１００には、アップルやフェイスブック、マイクロソフト、グーグル、セールスフォース、ヒューレットパッカードなど「ブレイクスルーエネルギー連合」のＩＴ企業も多く参加しており、既にアップル、マイクロソフト、グーグルは再生可能エネルギー１００％を達成している。

前節で述べた「ブレイクスルーエネルギー連合」に参加するこうしたＩＴ企業は、クリーンエネルギー市場における勢力を拡大するため、自ら再生可能エネルギー１００％を実現し、世界のエネルギー動向を自社のビジネスに有利な方向へ牽引しようという意図がうかがえる。

こうしたIT企業は自社だけではなく下請けの部品メーカーなど取引先となるサプライチェーンに対しても、取引条件として再生可能エネルギー100%を求めていくことも十分に考えられる。エネルギーの主導権を握ろうとする水面下の争いは既に始まっていると捉えるべきだろう。

ESG投資の広がり

RE100の動きを後押ししているのはIT企業の思惑だけではない。気候変動時代の新たな潮流としてESG投資の広がりがある。

ESG投資は、Environment（環境）、Social（社会）、Governance（企業統治・ガバナンス）の頭文字をとった言葉である。

これは、世界が貧富の格差問題や気候変動問題などに直面するなかで、企業への投資は、短期的ではなく長期的な収益向上の観点から、Environment（環境）、Social（社会）、Governance（企業統治・ガバナンス）の視点で持続可能な社会づくりに貢献するものが望ましい、という国連の提唱をもとにしたもので、ESGの視点で投資を行う金融機関が世界中で広がってきている。

そのため、ESGの視点で経営を行っていない企業は投資家から嫌厭され、投資が思うように集められなくなることから、企業はRE100に参加して再生可能エネルギーの活用を進め

RE100参加日本企業（参加順 2021年4月現在 53社）

リコー	積水ハウス	アスクル
大和ハウス工業	ワタミ	イオン
城南信用金庫	丸井グループ	富士通
エンビプロ・ホールディングス	ソニー	芙蓉総合リース
生活協同組合コープさっぽろ	戸田建設	コニカミノルタ
大東建託	野村総合研究所	東急不動産
富士フイルムホールディングス	アセットマネジメント Oen	第一生命保険
パナソニック	旭化成ホームズ	髙島屋
フジクラ	東急	ヒューリック
LIXILグループ	楽天	安藤・間
三菱地所	三井不動産	住友林業
小野薬品工業	日本ユニシス	アドバンテスト
味の素	積水化学工業	アシックス
J. フロント リテイリング	アサヒグループホールディングス	キリンホールディングス
ダイヤモンドエレクトリックホールディングス	セブン&アイ・ホールディングス	ノーリツ
村田製作所	いちご	熊谷組
ニコン	日清食品ホールディングス	島津製作所
東急建設	セイコーエプソン	

EV100参加日本企業（参加順2021年4月現在 5社）

イオンモール	アスクル
日本電信電話	東京電力ホールディングス
髙島屋	

出典：JCLPホームページ　https://japan-clp.jp/climate/reoh をもとに作成

ることで、自社が気候変動問題に対処しているというスタンスを示そうとしている。

京都議定書当時は、再生可能エネルギーの普及をはじめとする気候変動問題への対処は利益にならないと判断される傾向にあった。

しかし、パリ協定の発効を契機として、企業と投資家は再生可能エネルギーを自ら選択するという京都議定書当時と真逆の動きをし出した。まさにエネルギーにおけるゲームのルールが変わったのである。

進む石炭のダイベストメント

エネルギー転換のもう一つのポイントとなる脱石炭の動きも活発化した。

従来型の化石燃料発電における種類別のCO_2排出量（2020年1月時点）を見てみると、LNG火力発電：0・415kg-CO_2／kWh、石油火力：0・721kg-CO_2／kWhに対し、石炭火力は0・867kg-CO_2／kWhであり、化石燃料発電のなかでもっともCO_2を排出する発電となっている。

COLUMN

日本のRE100、EV100

RE100に加盟しているのは海外企業だけではない。日本でも加盟する企業が年々増えてきており、2021年4月現在54社がRE100に加盟している。

また、輸送分門の温室効果ガス排出削減を目的に、2030年までに輸送部門の電動化を標準にすることを目指すEV100という国際イニシアチブも他2017年9月に発足している。EV100の加盟企業は自社で使う車両を電気自動車（EV）化するだけでなく、関連する施設への充電設備の設置などを促進することで、従業員はもとより顧客のEV利用の向上も目指す。EV100の対象となる車種は、バッテリー電気自動車（EV）、EV100の基準にあったプラグインハイブリッド車（PHV）、水素燃料電池車（FCV）となり、2020年12月現在92社が加盟している。EV100には日本からも5社が加盟している。

従来型の石炭火力発電ではなく、石炭をガス化して使う最新鋭の石炭ガス化複合発電（IGCC：Integrated coal Gasification Combined Cycle）でも、その排出量は０・７３３kg－CO_2／kWhであり、依然として化石燃料発電のなかで最多のCO_2排出量となる。

同じ最新鋭機でも、ＬＮＧ火力発電の最新鋭機であるガスタービンに蒸気タービンを併設したガスタービンコンバインドサイクル発電（GTCC：Gas Turbine Combined Cycle）のCO_2排出量は、最新鋭の石炭ガス化複合発電のおよそ半分の０・32～０・36kg－CO_2／kWhであることから、とても石炭火力発電では太刀打ちできない。

当然、各国ではパリ協定の目標達成のためCO_2排出量が多い石炭を手放す動きが活発化し、石炭ゼロ％を達成する目標年を掲げる国も現れている。

既にベルギーは２０１６年に脱石炭を達成しているほか、フランスをはじめ欧米各国では２０３０年頃までに石炭ゼロ％の達成が目指されている（表1）。

石炭によって産業革命を果たしたイギリスも２０２５年に脱石炭を達成する目標を掲げていることは、世界の脱石炭の流れを象徴していると言える。

脱石炭を進めるのは国だけではない。世界銀行グループは、２０１３年に石炭火力建設への金融支援を原則行わない方針を示している。

また、アジアインフラ投資銀行（AIIB）もグリーン投資を進めるという方針のもと、２０１７年12月11日に、熱源を石炭からガスへの転換を促すため、中国・北京でガス導管を敷設するプロジェクトに２億５０００万ドル（約２８０億円）を融資することを発表している。

この他、INGグループ（蘭）、BNPパリバ（仏）、ドイツ銀行（独）、USバンコープ（米）などが、石炭火力施設・採炭への新規直接融資を停止するなど世界の金融が脱石炭へと舵を切っている。

年金基金が石炭への投資を撤退させるという動きも大きなインパクトを与えている。資金規模の大きい年金基金は、世界の主要な機関投資家として大きな影響力を持っているが、エネルギー転換の動きのなかで石炭への投資から撤退するダイベストメントの方針を明確にする年金基金が増加している。

例えば、2017年3月、ノルウェー政府は、資金規模9000億ドルを誇るノルウェー年金基金グローバル（GPFG）の投資先から収入の30％以上を石炭関連の事業から得ている59社を除外することを公表した。

除外のリストには日本の中国電力、北陸電力、四国電力、沖縄電力、Jパワーの5社も含まれており、その影響は大きい。

表1　各国の脱石炭目標

国名	0%達成目標年
ベルギー	2016年（0%達成）
フランス	2021年
スウェーデン	2022年
イギリス	2025年
オーストリア	2025年
イタリア	2025年
フィンランド	2029年
オランダ	2030年
カナダ	2030年
デンマーク	2030年
ポルトガル	2030年
ドイツ	2038年

出所：Climate Analytics資料他から作成

これら日本の電力会社5社は、環境保全の視点から投資に値しないと判断されたのだ。

ダイベストメントの方針は、フランス年金準備基金（FRR）、デンマーク年金基金、全米最大の公的年金基金である米・加州職員退職年金基金（CalPERS）など各国の年金基金が表明しており、世界的な兆候となっている。

こうした国や金融機関、年金基金といった世界のダイベストメントは進み、その総資産額は2015年5月時点で6兆ドル規模にも達した。

かつて石炭は、木炭という資源への依存を解消し、製鉄技術を進歩させ、蒸気機関の燃料となり、近代化の扉を開いた資源として一時代を築くものであった。

しかし、気候変動問題の深刻化はエネルギー転換という新たな潮流を生み出し、各国、各企業がクリーンエネルギー市場の争奪戦に乗り出すなかで、石炭をめぐる環境は厳しいものになっている。

ダイベストメント
特定の国・地域・産業などから投資を引き揚げること。

限界費用ゼロという再生可能エネルギーの強み

再生可能エネルギーの普及が進むと、卸電力市場にも大きな変化が現れるようになった。再生可能エネルギーが従来型の化石燃料、原子力を市場から押し出す事態が起こったのだ。

再生可能エネルギーが他のエネルギー源と比べて大きく違うのは、限界費用がゼロであるという点である。

限界費用とは生産量の増加分1単位あたりの総費用の増加分で、簡単に言うと、ある生産物の生産量を1つ増やした時にかかる費用の増加分のことだ。

発電で考えると、発電量を一単位（1kWh）増加させるのに要する石炭、石油、天然ガスなどの燃料費ということになる。

原子力発電であれば核燃料費ということになるが、再生可能エネルギーの場合、発電に必要な風や太陽光、地熱などはいくら使ってもタダであり、すなわち限界費用はゼロとなる。

発電を行う電力会社にとって、刻々と変化する電力の需要に応じて電力を供給するには、燃料代、すなわち限界費用の安い発電所から順番に運転し、電力を供給することが最も経済的である。

わざわざ燃料代が高い発電所を稼働させていたら儲けが減ってしまうことは、誰でもわかることだろう。

そのため電力会社は、何か特別な理由がない限り限界費用の安い順に発電を行うのが通常である。

こうして、電力会社は限界費用が安い順番で発電を行い、卸電力市場に供給していくことになるが、石炭、石油、天然ガスなどの各種火力発電、原子力発電、そして太陽光、風力など各種再生可能エネルギー発電といった様々な種類の発電所を限界費用の安い順に並べたものを〝メリットオーダー（merit order）〟と呼ぶ。

実際のメリットオーダーの並びを見ると、まったく燃料費を必要としない限界費用ゼロの風力・太陽光・地熱発電などの再生可能エネルギーがおよそ1番目に置かれ、続いて原子力発電→石炭火力→天然ガス→石油火力の順番となる（図13）。

すなわち、まずは太陽光や風力などの限界費用ゼロの再生可能エネルギー発電で可能な限り需要を満たし、それでも足りない場合にそれを満たすために原子力発電→石炭火力発電→天然ガス発電→石油火力発電という限界費用の安い順番で買われて（需要されて）いくということだ。

再生可能エネルギーの普及が進むと、必然的に電力卸売市場にも再生可能エネルギーが多く出回ることになる。

日本では電力卸売市場での取引は電力自由化が進んでいる欧米に比べまだまだ活発ではないが、再生可能エネルギー発電による電力が、原子力、化石燃料発電の電力と市場で価格競争をした場合、メリットオーダーにより限界費用がゼロの再生可能エネルギーは価格競争に勝ち、市場価格は安い再生可能エ

図13　メリットオーダーの並び順

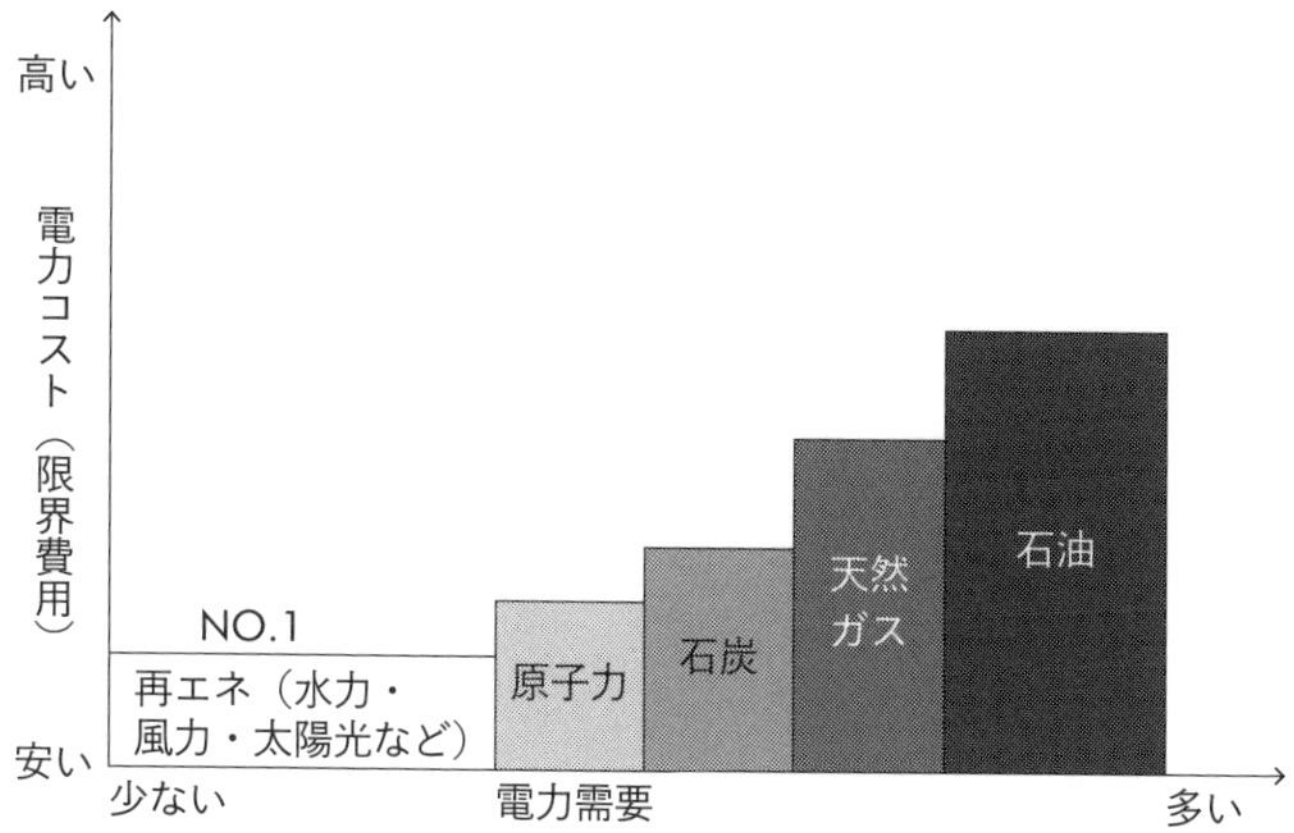

出所：筆者作成

ネルギーを中心に形成されていくことになる。

そのため、再生可能エネルギー設備の設置価格も下がり、再生可能エネルギーが市場に出回れば出回るほど、限界費用が発生する原子力、化石燃料発電は市場から押し出されるという事態が起きるのだ。

再生可能エネルギーは高いものという考えがまだ一般的な日本では想像しがたいことだが、こうした動きが再生可能エネルギーの普及が進んだ欧米で起きているのだ。

例えば、再生可能エネルギーの普及が進んでいるドイツのヨーロッパエネルギー取引所（EEX）における卸電力価格を見てみると、2008年には69・9ユーロ／MWhだった卸電力価格は、再生可能エネルギーの普及に伴い2017年には32・4ユーロ／MWhにまで下落してきている。

もちろん、卸電力価格の低下は石炭価格の低下などその他の燃料動向も影響していると言えるが、それでも再生可能エネルギーの普及が市場価格を低下させている大きな要因であることは変わらない。

こうして、限界費用の安い再生可能エネルギーが市場を席巻することにより、限界費用がかかる従来型の化石燃料発電や原子力発電はあたかも淘汰されるかのように市場から押し出されていくという現象が起きているのだ。

大規模化石燃料、原子力を切り離す大手電力会社

卸電力市場での取引で再生可能エネルギーが競争力を発揮すると、従来型の原子力、化石燃料発電といった大規模集中型の発電を主力としてきた電力会社のビジネスにも大きな影響を及ぼすことになる。

2014年11月30日、ドイツの4大電力会社の一つでありEUでは第4位の発電規模（2013年時点）を誇るE.ON（エーオン）が、これまで本業としてきた大規模集中型の原子力発電と褐炭や石炭などによる火力発電事業など伝統的な発電事業を本社から切り離して分社化することを発表した。

再生可能エネルギー事業と分散型発電の導入に適応するためのスマートグリッド事業、そして顧客のニーズに対応する電力供給サービス事業の三つを本社の基幹事業にするというビジネス戦略の大転換を図ったのだ。

そして分社化にともない、E.ONの従業員6万人中2万人を新たに設立したユニパー（Uniper）という別会社に移し、これまで主力ビジネスとしてきた原子力や褐炭、石炭などによる大規模集中型発電などの伝統的な発電事業を担わせるという体制に移行したのだ。

E.ONのビジネス戦略の大転換は、世界各国に衝撃を与えるニュースとなった。

なぜE.ONのような大電力会社がビジネス戦略を180度転換するのか。

それは前述した通り、限界費用ゼロの再生可能エネルギーの普及が大きな理由と言えるの

だ。

ドイツにおける再生可能エネルギー普及の本格的な取り組みは、2000年の固定価格買い取り制度の開始から始まっている。

2003年には発電電力量構成において再生可能エネルギーが占める比率（水力も含む）は7・5％だったが、普及政策を進めた結果2014年には25・8％に達し、石炭を抜いて電源別発電構成比の第1位を占めるに至っている。

一方、E.ONのドイツ国内の発電電力構成（2013年）は、石炭・褐炭、石油、天然ガスなどの化石燃料が約60％、原子力が約29％と双方合わせて発電構成の約9割を占め、再生可能エネルギーはわずか11％の構成となっていた。

つまり、電力卸市場では限界費用の安い再生可能エネルギーによる電力が取引されているにもかかわらず、E.ONがつくる電力は限界費用が高い原子力、化石燃料によるものがほとんどで、市場競争についていけず商売にならなくなってしまったのだ。

そのため、E.ONは不採算部門化しつつある原子力発電、化石燃料による火力発電といった大規模集中型の発電事業を切り離し、エネルギーのトレンドとなりつつある再生可能エネルギーをはじめとするクリーンエネルギーへと事業の方針をシフトしたのだ。

同じように、ドイツ4大電力会社の一つでEUでは第2位の発電規模（2013年時点）を誇る従業員6万人のRWEも、自社における再生可能エネルギーの発電比率は1％と極端に低かった。

そのため事業環境が厳しくなり、２０１０年４月に67ユーロ台であった株価は、２０１５年４月には24ユーロ台にまで下落してしまった。また、２０１３年には、税引後当期利益が創業以来初の赤字に転落し、２０１３年度の株主配当は半減するという事態に陥っている。

こうした状況から脱却するため２０１６年、ＲＷＥもＥ．ＯＮと同様に分社化を行っている。不採算部門化しつつある原子力発電、化石燃料による大規模集中型の発電事業をＲＷＥ本社に従業員２万人とともに残し、将来性が期待される再生可能エネルギーをはじめとするクリーンエネルギー事業を手掛ける新会社、イノジー（Innogy）を新たに立ち上げ、そこに従業員４万人を移すという大転換を行ったのだ。

さらに、ＲＷＥ、Ｅ．ＯＮは分社化後にも両社によるＭ＆Ａを行うなど、エネルギー大転換のなかで生き残りをかけた企業再編が繰り広げ

図14　ビジネス戦略を再生可能エネルギーにシフトする欧州大手電力会社

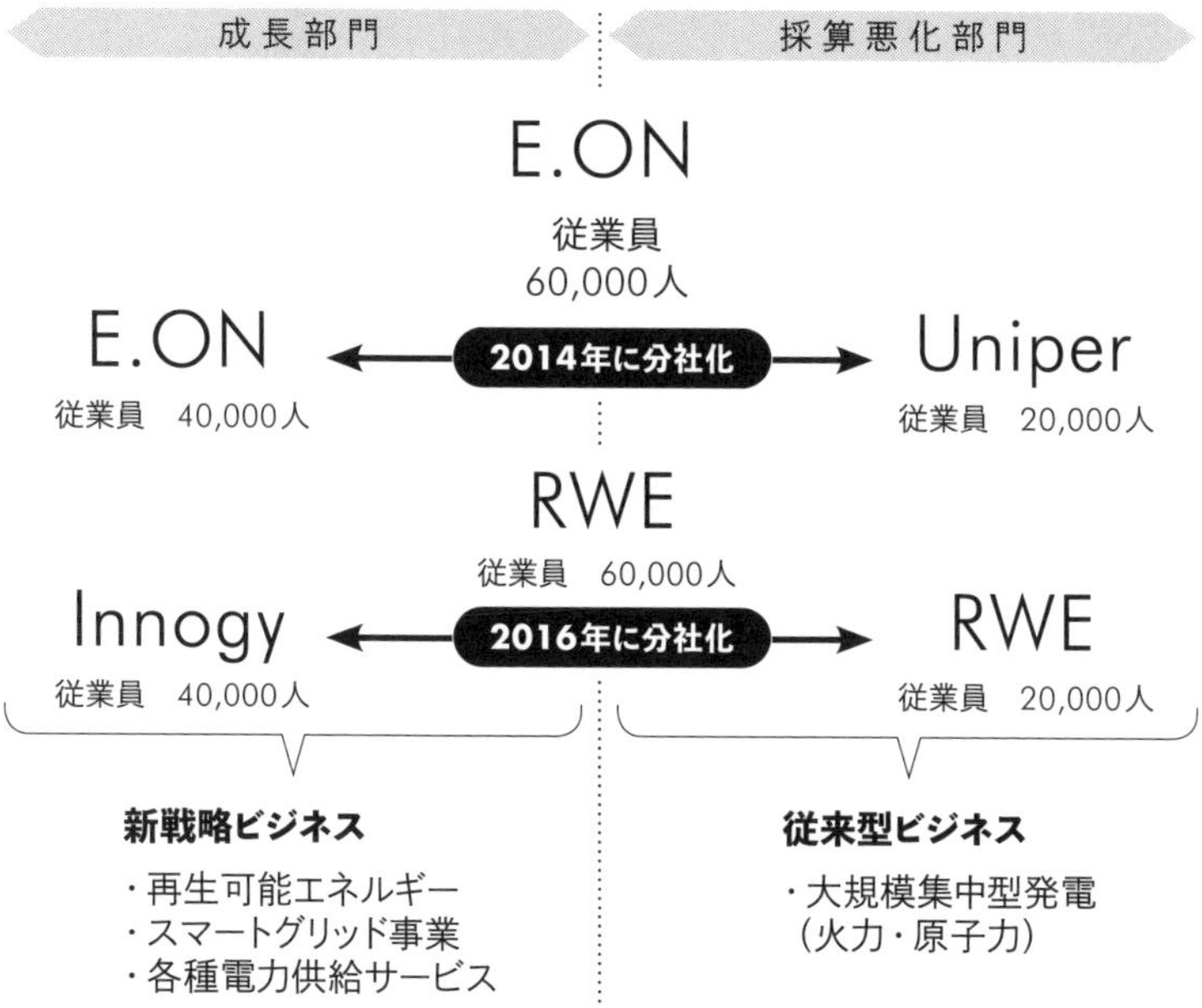

出所：筆者作成

られている。

エネルギー転換によりゲームのルールが変わり、その影響が発電会社の現場にまで及んだということを明確に示した出来事である。

石油を捨てたロックフェラー

石油王と呼ばれたロックフェラー家の資産を運用するロックフェラー・ファミリー・ファンドは、2016年3月23日、石油メジャーのエクソンモービルの株式を売却すると発表した。エクソンモービルといえば、ロックフェラーが石油ビジネスで莫大な富を築いたスタンダードオイルグループの流れを汲み、ロックフェラーの源流ともいえる企業である。

同ファンドのニュースリリースによれば「各国政府が二酸化炭素（CO_2）排出削減を目指すなかで企業が石油を探査する健全な論理的根拠はない」としている。

石油の将来性を見込み、1870年にアメリカのオハイオ州でスタンダードオイルを創立したジョン・D・ロックフェラーは、まさか百数十年後に子孫が石油を捨てる決断をするとは夢にも思わなかったことだろう。

オイルラッシュの時代から石油ビジネスを手掛け、世界有数の巨大財閥にまでなったロックフェラー家の資産運用会社にこうした経営判断をさせるほど、エネルギー・ゲームチェンジはリアルなものであるということだ。

化石燃料から脱却する動きは、ロックフェラーだけではなく石油メジャー各社にも広がっている。

北欧最大手の石油・ガス企業でありノルウェーに本社を置くスタトイル（Statoil）は、2018年3月に社名から石油を表す「oil」を外し、平等、均衡などを意味する英語の「equi」と、ノルウェーを指す「nor」を組み合わせたEquinor（エクイノール）に社名を変更した。

これは、エネルギー・ゲームチェンジの動きを明確に受け止め、たとえ石油・ガスの大手であってもそれに固執することなく、再生可能エネルギーも積極的に手掛けていくというエクイノールのコーポレート・アイデンティティを表したものである。

こうしたコーポレート・アイデンティティのもとエクイノールは、2050年にノルウェーでの事業活動に伴うCO_2排出量を実質ゼロにするという目標を掲げ、2030年までに年間の投資額の2割を再生可能エネルギーに投資する取り組みを進めている。

また、石油メジャーのセブンシスターズの一角として君臨したロイヤル・ダッチ・シェルも、2050年までにCO_2排出量を実質ゼロにすることを目標に、再生可能エネルギーへの投資を進めている。

ロイヤル・ダッチ・シェルは、2019年にメキシコ湾の石油開発プロジェクトへの大規模投資を決めているが、これは先が見えている既存の化石燃料ビジネスで可能な限り利益を上げつつ、再生可能エネルギーをはじめとするクリーンエネルギーへの転換を推し進めるというビジネス転換戦略の一環と考えられる。

石油という化石燃料を中心にゲームの駒を進めていた石油メジャー各社は、エネルギー・ゲームチェンジに対応するため、再生可能エネルギーという新しい駒を手に入れるべく、生き残りをかけた勝負に出ているのだ。

エネルギー転換を加速させる『1・5℃特別報告書』

エネルギー転換とそれによるエネルギー・ゲームチェンジの動きは、さらに加速する見通しにある。

2018年10月に、気候変動に関する政府間パネル（IPCC）から、地球温暖化をパリ協定の目標である2℃未満でなく1・5℃に抑えることが持続可能な世界を確保するために明らかな便益があり、そのために再生可能エネルギーの発電電力量構成比率を2030年には47〜65%とするシナリオを示した報告書『1・5℃特別報告書』が公表されたのだ。

前述したように、パリ協定発効直後の2016年11月16日に公表された国際エネルギー機関（IEA）の『世界エネルギー展望2016（World Energy Outlook 2016）』のシナリオでは、パリ協定の目標を達成するためには2040年に再生可能エネルギー（大規模水力含む）の構成比率を58%へ引き上げる必要性が報告されている。

つまり、IPCCの『1・5℃特別報告書』は、IEAのシナリオからおよそ10年前倒しで再生可能エネルギーの普及目標を達成しなければならないことを示しているのだ。

パリ協定の発効からわずか2年で10年単位の見通しの前倒しとは、急転直下である。

２０１８年12月に開催された国連気候変動枠組条約第24回締約国会議（COP24）においても、『１・５℃特別報告書』は特別イベントやＩＰＣＣサイドイベントなど、様々な場において取り上げられた。

最終的なＣＯＰ24の決定では『１・５℃特別報告書』の内容について言及はされなかったが、『１・５℃特別報告書』を受けて、ＣＯＰ24期間中に、イギリス、フランス、ドイツ、ノルウェー、フィンランド、カタール、ニュージーランド、ベトナム、マーシャル諸島、フィジー、コスタリカ、メキシコ、チリ、アルゼンチン、カナダなど複数の国々が２０１９年あるいは２０２０年までの自国の削減目標を引き上げる意思が示されている。

議論はその後のＣＯＰに引き継がれ、１・５℃という目標に対して、いかにしてエネルギー転換を含めた気候変動対策を進めていくかを論点にして国際交渉が続けられている。

コロナ禍が引き起こした石油のマイナス価格

一方、世界のエネルギー転換の動きを不透明にする事態も起きている。新型コロナウイルス（COVID19）の感染拡大である。

新型コロナウィルス（以下、コロナウィルス）の感染拡大は、日常生活に影響を及ぼし世界の経済を停滞させるという事態をもたらしている。

COP24
ポーランドのカトビツェで２０１８年12月2日から15日（現地時間）まで開催された第24回国連気候変動枠組条約締約国会議（The 24th Conference of the Parties to the Nations Framework Convention on Climate Change）の略称。１９０以上の国と地域が参加し、地球温暖化対策についての国際的な枠組みとなる「パリ協定」の実施に向けたルールが採択された。

2020年4月14日に国際通貨基金（IMF）が公表した世界経済見通しでは、コロナウィルスのパンデミックにより世界経済は1930年代の世界大恐慌以来の最悪の景気後退に陥るとの見解が示された。

既に世界各国でロックダウン（都市封鎖）が行われるなど、人の移動や経済活動が制限される事態となっている。

コロナウイルスと共存する「ニュー・ノーマル（New Normal：新常態）」と呼ばれるライフスタイルを確立しようとする国も徐々に出てきているが、感染拡大は収まらず、いまだ厳しい状況下にある。

そうしたなか、2020年4月20日に、ニューヨーク市場において国際的な原油取引の指標であるWTI（ウエスト・テキサス・インターミディエート）の5月物の先物価格が1バレルあたり前日比約56ドル下落し、マイナス37・63ドルという史上初の〝マイナス価格〟を記録したのだ。

コロナ禍以前の2018年頃から、アメリカのシェールオイルの生産増加などから石油市場は供給過多となっていた。

本来であれば石油輸出国機構（OPEC）とロシアなど非加盟の主要産油国の交渉により減産調整が図られるところであるが、交渉が決裂。その結果、2020年3月にサウジアラビアが石油増産による価格競争に乗り出すなど、石油市場は産油国による市場獲得争いからますます供給過剰に陥り、各地の石油貯蔵基地は満杯の状況となっていた。

そうしたなかで、コロナ禍による経済活動の減速から石油需要が急激に落ち込んだことでさ

ニューノーマル

「新たな常態・常識」という意味。新型コロナウィルス感染症拡大というこれまでとは異なる社会状況下では、その影響は一時的なものではなく、「新しい常態（ニュー・ノーマル）」として対策を講じていくという意味などで使われる。

らに原油がダブつき、原油の生産者やトレーダーが引き取り手が無くなった原油をお金を払ってでも引き取ってもらう状況、すなわち〝マイナス価格〟という異常事態が起きたのだ。

政策的な意図が推進力だった再生可能エネルギー

再生可能エネルギーが普及途上にあるためそのコストはいまだに高いと認識されている日本では、原油のコストがこれほどまでに下がるとコストが高い再生可能エネルギーへの投資は進まなくなると考えがちだ。

しかし、これまでの世界の再生可能エネルギー設備への投資額の推移をみると、原油価格の動向に関わらず投資が進んできていることがわかる（図15）。

特に、２０１４年のバレル当たり原油平均価格93・１１ドルに対し、２０１５年は48・７１ドルと

図15　再生可能エネルギー設備投資額と原油価格の推移

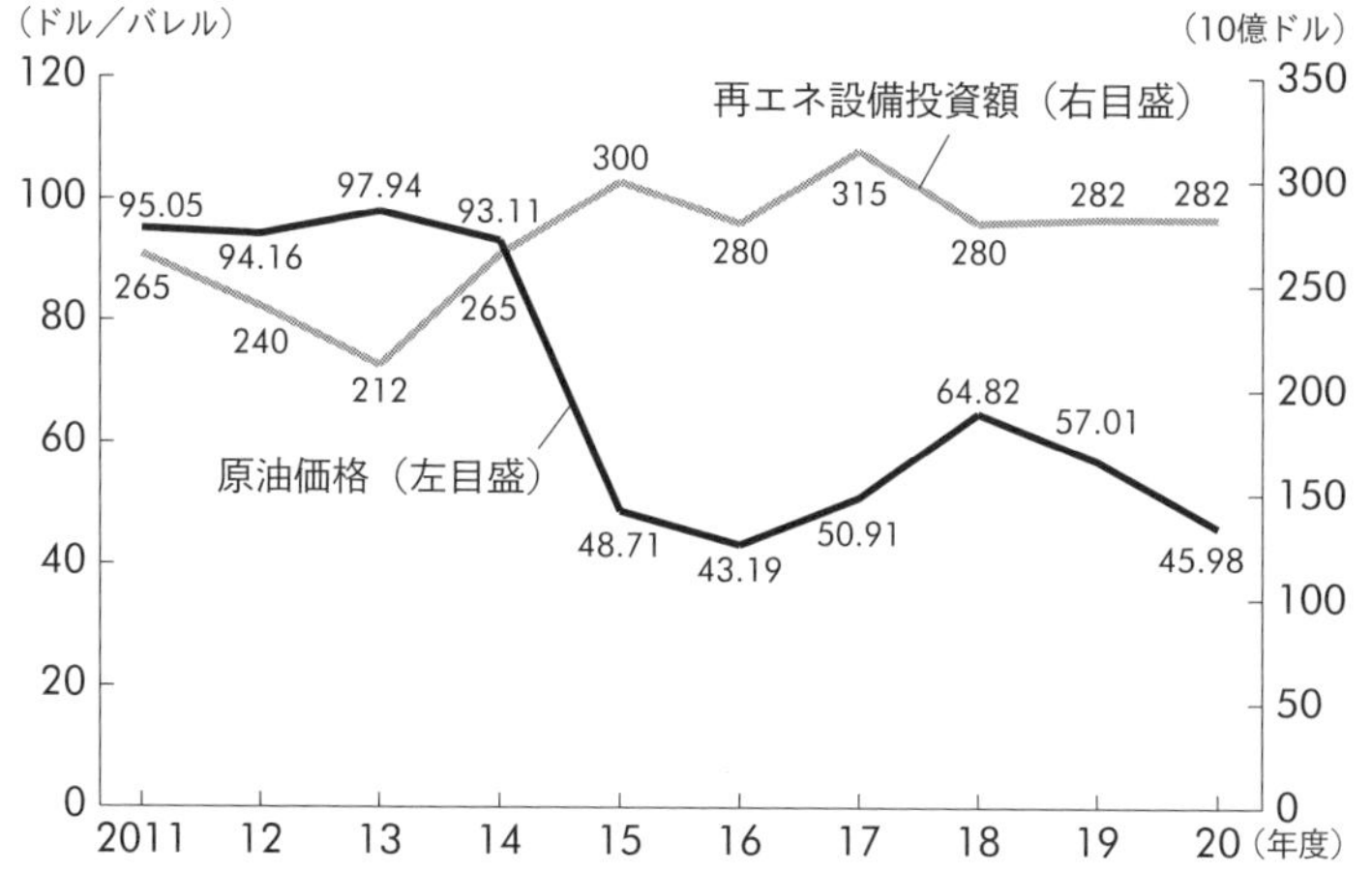

注：2020年の原油価格は1～3月の平均、2020年の再エネ設備投資額は推計
出所：BNEF"Global Renewable capacity investment 2004 to 2019"および"World Bank－Commodity Markets"から作成

大幅に下落しているが、この間においても再生可能エネルギーへの設備投資は増加傾向にある。

これは、再生可能エネルギー普及のための補助金制度である固定価格買い取り制度を導入している国が2002年の23カ国から2014年は103カ国に増えているように、各国が原油価格の動向に関わらず、気候変動問題への対策として政策的に再生可能エネルギー普及を進めてきたことが背景にある。

こうした再生可能エネルギーの普及を進める世界の政策動向は、2008年のリーマンショックに直面しても変わらず、2008年の再生可能エネルギーの固定価格買い取り制度導入国71カ国に対し2009年は81カ国と増加している(図16)。

すなわち、これまでの再生可能エネルギーの普及は、原油価格や経済危機の影響よりも気候変動問題への対策という政策的な意図が推進力となっていると言える。

図16　再生可能エネルギー固定価格買い取り制度(FIT)を制定している国の累積数

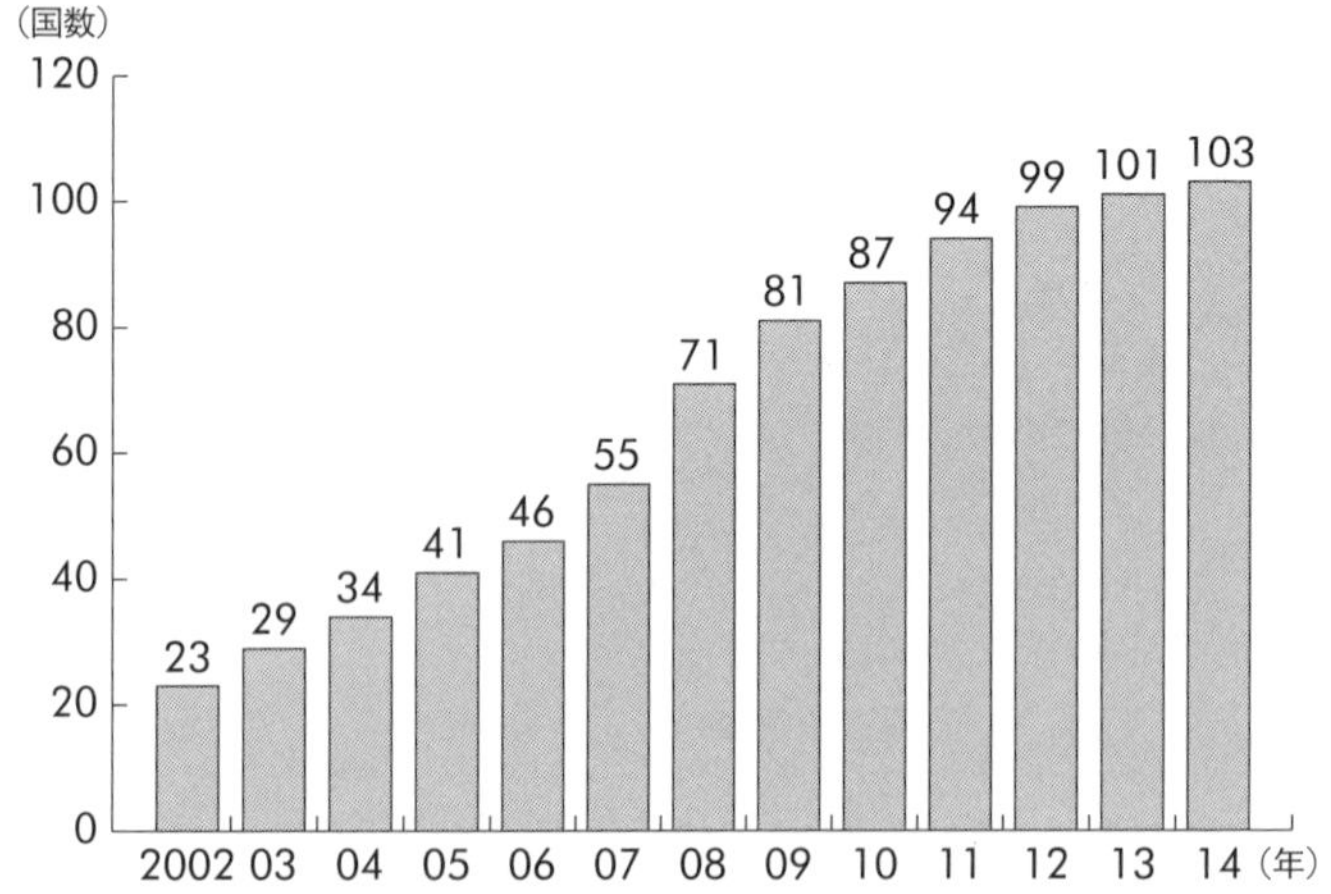

出所："The German Energy Transition in International Perspective"P7, IASS (March 2016) から作成

コロナ禍、原油安でも強い再生可能エネルギー

これまでは原油価格に関わらず再生可能エネルギーの普及は進んできたが、コロナウイルスの感染拡大が猛威を振るっている状況下ではどうだろうか。

国際エネルギー機関（IEA）が2020年4月に公表した報告書『Global Energy Review 2020（2020年のエネルギー展望）The impacts of the Covid-19 crisis on global energy demand and CO_2 emissions（新型コロナウイルス危機がグローバルなエネルギー需要とCO_2排出に及ぼす影響）』（以下、『IEA報告書』）では、コロナ禍の影響を受けた2020年第1四半期の世界のエネルギー需要動向と2020年の年間需要見込みが報告されている。

『IEA報告書』によると、2020年第1四半期の世界の一次エネルギー需要は、コロナ禍の影響により、前年同期比で3・8％減少したことが報告されている。

エネルギー別では、石炭が昨年同期比▲8％、天然ガス：▲3％、石油：▲5％、原子力：▲3％となっており、化石燃料と原子力が軒並み前年同期比マイナスという状況のなか、再生可能エネルギーは1・5％の増加となっている（図17）。

『IEA報告書』では、2020年の年間を通しての世界のエネルギー需要見込みについても報告されている。

それによると、エネルギー需要は2019年と比べて全体で▲6％の需要減が見込まれており、エネルギー別では、石炭が昨年比▲8％、天然ガス：▲5％、石油：▲9％、原子力：▲

リーマンショック
アメリカの大手投資会社・証券会社、リーマン・ブラザーズ（Lehman Brothers）が2008年9月に経営破綻したことで発生した世界の金融・経済危機。

2・5%と通年でも化石燃料と原子力が前年比マイナスとなっている。

一方、再生可能エネルギーは2020年の年間見通しでも1%の需要増加が見込まれ、再生可能エネルギーはコロナ禍において最もレジリエンス（回復力）のあるエネルギーとされている。

『IEA報告書』では、原子力発電や化石燃料発電などの大規模集中型の発電に比べ、再生可能エネルギーは設備の運営に人手がかからず運用コストが低いこと、また、多くの国において気候変動対策のため法令により再生可能エネルギーが優先的に供給（給電）されることから需要減の影響を受けにくいと分析している。

また、炭鉱などの燃料採掘現場でのコロナウィルスの感染拡大など、化石燃料のサプライチェーンがコロナ禍の影響を受けている一方、再生可能エネルギーは燃料を必要としない、燃料のサプライチェーンの影響を受けることがない、などが再生可能エネ

図17　2019年第1四半期と比較した2020年第1四半期のエネルギー需要

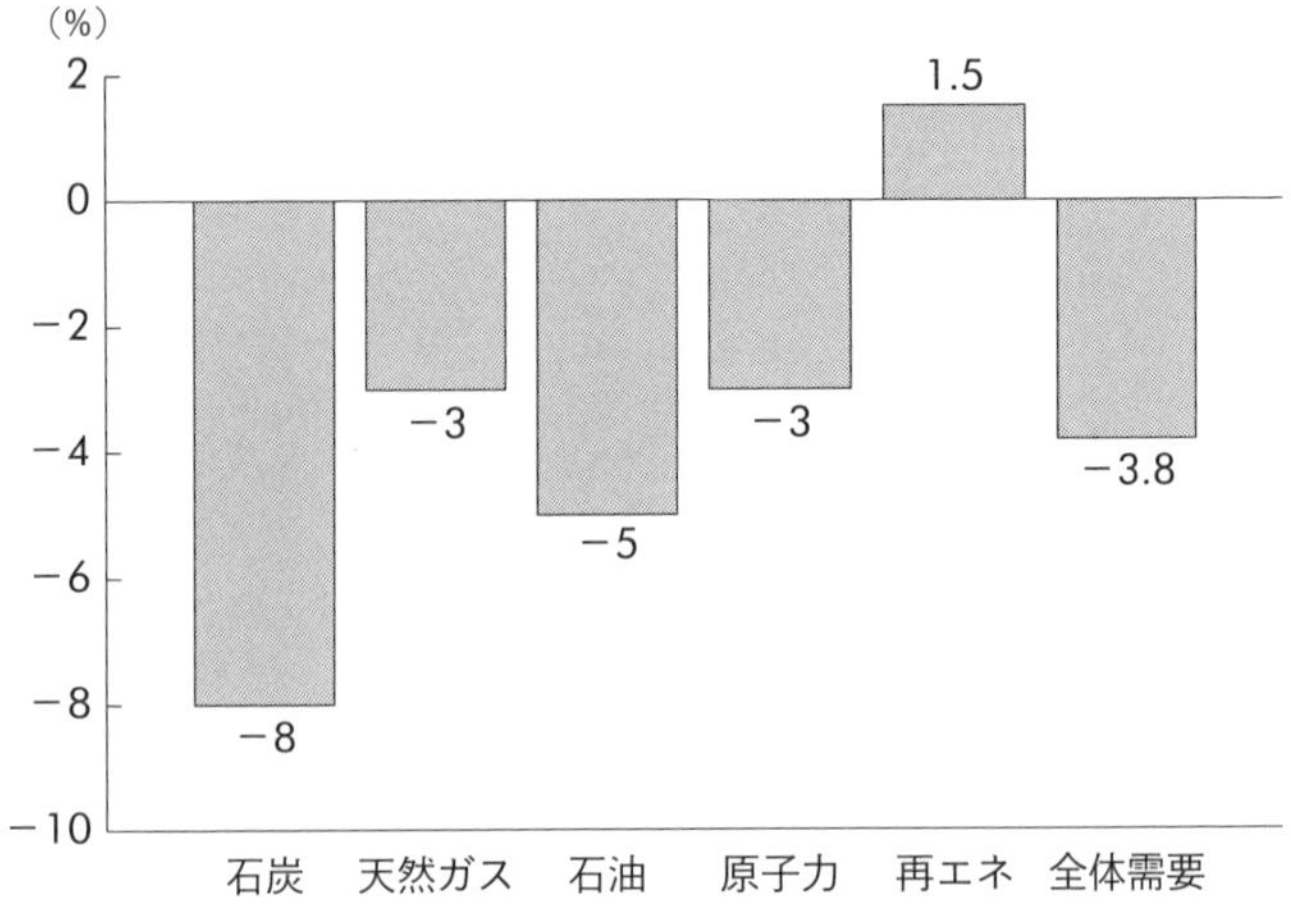

出所：IEA『Global Energy Review 2020（2020年のエネルギー展望）The impacts of the Covid-19 crisis on global energy demand and CO_2 emissions（新型コロナウイルス危機がグローバルなエネルギー需要とCO_2排出に及ぼす影響）』をもとに作成

ルギーのレジリエンスを高めているものと考えられる。

コロナ禍からの経済回復はグリーン・ディールがキーワード

コロナ禍においても再生可能エネルギーが高いレジリエンスを示す一方、コロナウィルスの感染拡大は世界の気候変動対策の動きを停滞させる可能性がある。

コロナウイルス感染拡大による経済的な打撃からの回復を急ぐあまり、気候変動対策を疎かにした安易な経済政策が推進されることが懸念されるのだ。

一部の報道によれば、日本政府はコロナ禍後の経済復興対策として、高速道路無料化を検討していたという。

高速道路を無料化することで観光客などの動きを活発化させ、経済の活性化を促すのが目的と考えられるが、ガソリン車が主流の現状ではCO_2排出量の増加を招くことになる。その結果、気候変動対策が後退し、さらなる環境コストを発生させることにつながるだろう。

こうした安易な経済復興策への懸念に対して、国際再生可能エネルギー機関（IRENA）は、2020年4月に公表した報告書『Global Renewables Outlook（国際再生可能エネルギー見通し）』（以下、『IRENA報告書』）において、コロナ禍後の経済復興と気候変動問題への対処を両立させるには、エネルギー転換を進める「グローバル・グリーン・ニューディール（The global Green New Deal）」を国際協力のもとに推進することが効果があると指摘している。

レジリエンス

レジリエンス（resilience）は「弾力」や「復元力」「回復力」を意味する言葉。

近年では特に、災害などの困難な状況に対して柔軟に適応して回復するという意味でも使われている。

『IRENA報告書』では、2050年までにCO_2排出量を70％削減、温度上昇を2℃より十分下方に抑えるために必要なエネルギー転換にかかるコストは19兆ドルとなるが、それにより得られる利益は50兆から142兆ドルとされている。

さらに、再生可能エネルギー分野への投資の増加はこの世界の雇用を拡大し、2050年までに現状の雇用者数の4倍に相当する4200万人に増加するとしている。

再生可能エネルギーを梃子《てこ》にしてコロナ禍後の経済復興を進めようとする動きは、欧州の政策にも表れている。

2020年4月20日、気候変動対策と環境政策を担当する欧州17カ国の大臣が、「欧州グリーン・ディール」をコロナ禍からの経済復興政策の中心とするべきであるという共同コメントを表明している。

欧州グリーン・ディールとは、2050年に温室効果ガス排出を実質ゼロとなる「気候中立」を達成することを目標にしたEUの環境政策である。

同時に、エネルギー、産業、モビリティ、生物多様性、農業など、広い分野を対象とした欧州の包括的な経済成長戦略でもあり、エネルギーでは再生可能エネルギーを重要分野として投資を進めるべきであるとしている。

このように、各国際機関やEUは、コロナ禍後の経済復興を目指すためには再生可能エネルギー分野への投資を進めるグリーン・ディールが有効であるとしている。

アメリカにおいても、共和党のマット・ゲイツ連邦下院議員が、再生可能エネルギーや電力系統の近代化などへの投資を進めるグリーン・リアル・ディールを発表している。

また、アジアでは、韓国が2020年7月14日に、コロナ禍後の世界経済をリードするための国家発展戦略として、再生可能エネルギーをはじめとするクリーンエネルギー分野を普及させる、総額73兆4000億ウォンの「韓国版グリーンニューディール」構想を発表している。グリーン・ディールがコロナ禍後の経済復興を目指すうえで世界のキーワードとなりつつある。

大統領交代による米国の逆襲

エネルギー転換という世界的なゲームチェンジの動きのなかにあっても、これまでアメリカはトランプ政権の気候変動問題に対する懐疑的な姿勢から、連邦政府としての再生可能エネルギー普及などの動きは大変消極的であった。

筆者が2019年11月に行った米エネルギー省（DOE）関係者へのヒアリングでは、DOE関係者は「気候変動対策を趣旨とした再生可能エネルギー普及プロジェクトなどはなかなか予算がつかず、再生可能エネルギー関係のプロジェクトを行う際には、その趣旨を気候変動対策ではなくエネルギー安全保障のためという内容にしなければならなかった」と話していた。

しかし、ここにきてその流れは大きく変わる様相にある。

2020年のアメリカ大統領選挙において民主党のバイデン候補がトランプ大統領を破り、第46代大統領に就任した。

バイデン大統領と言えば、気候変動対策に注力したオバマ政権下で、前述した「包括的エネルギー戦略（all-of-the-above energy strategy）」を推進してきた人物である。

「包括的エネルギー戦略」は、アメリカ国内のすべてのエネルギーを有効活用することで環境保全とエネルギーの海外依存の解消、そして経済成長を実現するアメリカ版のグリーン・ディール政策と言える政策だ。

当然、その政策のなかでは、再生可能エネルギーはアメリカ国内の有力なエネルギーとしてその普及が強力に後押しされており、前述したＮＲＥＬのＥＳＩＦもこの政策の一環として設立された経緯がある。

バイデン大統領のエネルギー政策は「クリーンエネルギー革命（Clean Energy Revolution）」と呼ばれ、２０５０年までにアメリカの温室効果ガス（ＧＨＧ）排出量をネットベースで実質ゼロにすることを表明するとともに、インフラ・クリーンエネルギー投資については、政権1期目の4年間で2兆ドル（約210兆円）を投資することを公表している。

また、11月4日にアメリカが正式に脱退した、地球温暖化防止のための国際協定であるパリ協定に再加入し、気候変動問題におけるアメリカのリーダーシップを示すことも明らかにしており、トランプ政権と真逆の方向に舵を切り直す動きが始まることになる。

トランプ政権下におけるアメリカのエネルギー転換は州政府や個別の企業により担われてきたが、どうしても国を挙げての規模には劣るものであった。

トランプ政権下では鳴りを潜めていたアメリカのエネルギー転換の動きは、バイデン政権の誕生により、まさに逆襲ともいえる超大国アメリカの本気の競争力を発揮していくことが見込まれる。

それは、エネルギー転換という国際競争にアメリカという強力なライバルが本格参入することを意味し、ますます競争が激化する様相にある。

〈参考文献〉

RE100「年次報告書」2019年12月

The World Bank Group website "World Bank Group Sets Direction for Energy Sector Investments" July 16, 2013

「AIIB、中国向け初融資 石炭のガス転換に280億円」『日本経済新聞』2017年12月11日

「ノルウェー基金、日本企業から引き揚げ」『日本経済新聞』2017年3月3日

自然エネルギー財団「石炭火力発電から撤退する世界の動きと日本」2018年5月

「石油メジャー、迫られる脱炭素、コロナでCO_2減、パリ協定に現実味、原油権益買い増し裏目」『日本経済新聞』2020年6月22日

(公財)地球環境戦略研究機関(IGES)『「IPCC 1・5℃特別報告書」ハンドブック:背景と今後の展望』2018年

「感染終息後に高速道路無料化へ 政府検討、観光業を支援」『産経新聞』2020年3月25日

平沼光「コロナ禍が世界のエネルギー動向に及ぼす影響と日本の対応」『国際金融』一般財団法人外国為替貿易研究会、2020年9月1日

国際再生可能エネルギー機関(IRENA)『Global Renewables Outlook(国際再生可能エネルギー見通し)』2020年4月

電気事業連合会Webサイト「[米国]共和党議員から相次ぎ提案、今度は"Green Real Deal"を発表」2019年5月20日

https://www.fepc.or.jp/library/kaigai/kaigai_topics/1259301_4115.html

JETRO Webサイト「「韓国版ニューディール」構想を公表」2020年7月17日

https://www.jetro.go.jp/biznews/2020/07/13ab4b4a83978545.html

久米島の海洋温度差発電実証実験機（筆者撮影）

chapter. 5

第 5 章

エネルギー転換が生み出すエネルギーの新潮流

1 海洋資源の活用"ブルーエコノミー"

ブルーエコノミーとは

エネルギー転換が加速するなかで、様々な新しい資源エネルギーも登場してきている。その一つとして注目されるのが、ブルーエコノミーである。

ブルーエコノミーとは、海洋保全と海洋資源の利用を両立させることで、社会全体をサスティナブルに発展させる経済活動を意味する。

ブルーエコノミーの趣旨は、国連の「持続可能な開発目標」（SDGs：Sustainable Development Goals）のうち目標14（SDG14）「海洋と海洋資源を持続可能な開発に向けて保全し、持続可能な

SDGs

Sustainable Development Goals（持続可能な開発目標）の略で2015年の国連総会において全会一で採択された2030年までに世界が達成する目標。「誰一人取り残さない」を基本方針に、「エネルギーをみんなに　そしてクリーンに」「つくる責任　つかう責任」「気候変動に具体的な対策を」「海の豊かさを守ろう」など17の目標からなる。

形で利用する」と合致し、2018年11月には、国連環境計画（UNEP）がナイロビでブルーエコノミーに関する初の国際会合を開催し、世界中から4000人超が参加している。

ブルーエコノミーとして取り上げられるのは、水産業や海運業といった伝統的な海洋経済活動だけではない。

海洋再生可能エネルギーや海底鉱物資源も、新たな経済活動の取り組みとして注目されている。

海洋再生可能エネルギーとは、洋上風力発電や潮力発電、そして海洋温度差発電など様々な種類があるが、ナイロビの会合では、海洋再生エネルギーの開発はまだ途上であり、そのポテンシャルは世界のエネルギー需要の最大400%を賄える可能性を秘めていることが報告されている。

世界のエネルギー需要の最大400%を賄えるとは、まさに「母なる海」ということだろう。

図18　SDGs17の目標

出所：外務省ホームページ
https://www.mofa.go.jp/mofaj/gaiko/oda/sdgs/pdf/SDGs_pamphlet.pdf

グリーン・ディールでも注目される洋上風力発電

ブルーエコノミーの取り組みとして注目されている海洋再生可能エネルギーであるが、なかでも期待が高まっているのが洋上風力発電だ。

陸上の風力発電は普及が進み適地も飽和状態になりつつあるが、洋上の風力発電はまだまだ開発途上でポテンシャルも高い。そのため洋上風力発電の導入拡大は、欧州グリーン・ディールの戦略としても重要なエネルギーとして位置づけられている。

洋上は風をさえぎる障害物がなく、風力発電に適した毎秒7m以上という風が安定して吹いている。

そのため、一般的な陸上での風力発電の設備稼働率が発電容量の20〜30%であるのに対して、洋上風力では案件によっては50%超の利用率も見込まれる。

さらに、土地の制約が少ないことから大型の風車を導入しやすく、大規模な事業開発が可能なのだ。

EUでは、気温の上昇を1・5℃未満に抑えるために、2050年までに欧州域内で最大450GWの洋上風力の導入が必要と推定している。

その内訳は、北海：212GW、大西洋（アイルランド海含む）：85GW、バルト海：83GW、地中海とその他の南ヨーロッパ海域：70GWとなる。

2018年の世界の洋上風力導入量が約23GWであることを考えると、450GWはその約20倍という膨大な量となり、欧州の本気度がうかがえる。

また２０５０年には総電力需要の30％を洋上風力発電で賄えるまで普及すると見込んでおり、そのコストも欧州の風力発電業界団体であるウインドヨーロッパでは、２０５０年に50ユーロ／MWh（約６円／kWh）未満になり、他の電源と比べても競争力があるものになると見込んでいる。

こうした洋上風力発電の導入拡大は各国でも進められており、アメリカでは洋上風力発電の導入量は２０２５年に９～14GW、２０３０年には20～30GWへと拡大していくことが推定されている。

このように、洋上風力発電はブルーエコノミーとグリーン・ディールの両面から期待がかけられているのだ。

洋上風力は「着床式」から「浮体式」へ

現在の洋上風力発電は、水深10～30ｍという比較的浅い海の海底に基礎を設置し、その上に風車を立ち上げる「着床式洋上風力発電」と呼ばれるものが主流となっている。

着床式洋上風力発電は、水深の浅い海であれば既存の技術で比較的容易に設置できることから、欧州を中心にその普及が進んできた。

世界風力エネルギー協会（ＧＷＥＣ）による洋上風力発電の累積設備導入量トップ５（２０１７

年）の国は、イギリス6836MW（シェア36％）、ドイツ5355MW（シェア28％）、中国2788MW（シェア15％）、デンマーク1271MW（シェア7％）、オランダ1118MW（シェア6％）となっているが、こうした国々で設置されている洋上風力発電のほとんどが水深の浅い海に設置された着床式洋上風力発電となっている。

設置のしやすさから普及が進んだ着床式洋上風力発電であるが、日本近海など水深50m以上の海になると海底に基礎を築くことが困難で、着床式洋上風力発電の設置は難しいとされている。

一方、世界の洋上風力資源のポテンシャルは、その資源の80％以上が着床式の風車が建てられない水深60m以上の沖合にあるとされており、洋上風力の普及拡大にはどうしても水深の深い海に出なければならないという課題があった。

しかし、そうした課題もあくなき技術革新により克服されようとしている。水深の深い海でも発電を可能にした「浮体式洋上風力発電」が開発され、社会実装が本格化する段階に来たのだ。

浮体式洋上風力発電とは、海底に基礎を築くのではなく風車を洋上に浮かべて発電を行うものである。

巨大な風力発電を洋上に浮かべるのを想像するのはなかなか難しいが、釣りで使うウキや、湖に浮かべてある浮桟橋のようなイメージを想像するとわかりやすい。

風車を浮かべる方式はいくつかあり、風車の浮力をうまく利用してあたかも釣りで使うウキのように風車を海上に立たせる「スパー型」と呼ばれる方式や、風車の下部に浮力のあるタンクを設置し、そのタンクをケーブルを使って海中に引っ張りケーブルを海底に固定することで、浮力と張力のバランスをとって洋上に浮かんだ状態を安定させる「TLP型」と呼ばれる方式もある。さらに、海の上に艀《はしけ》を浮かべ、その上に風車を建てる「艀型」と呼ばれる方式もある（図19）。

浮体式洋上風力発電の主導権は誰の手に

浮体式洋上風力発電の開発と実用でいち早くプレゼンスを発揮したのが、前章で紹介した北欧最大手の石油・ガス企業であるエクイノール（旧スタトイル）である。

同社は２００９年よりノルウェーのカルモイ沖10㎞の海域で「Hywind プロジェクト」と呼ばれる世界初の２・３MW級の浮体式洋上風力発電の実証研究

図19　浮体式洋上風力発電の浮体構造例

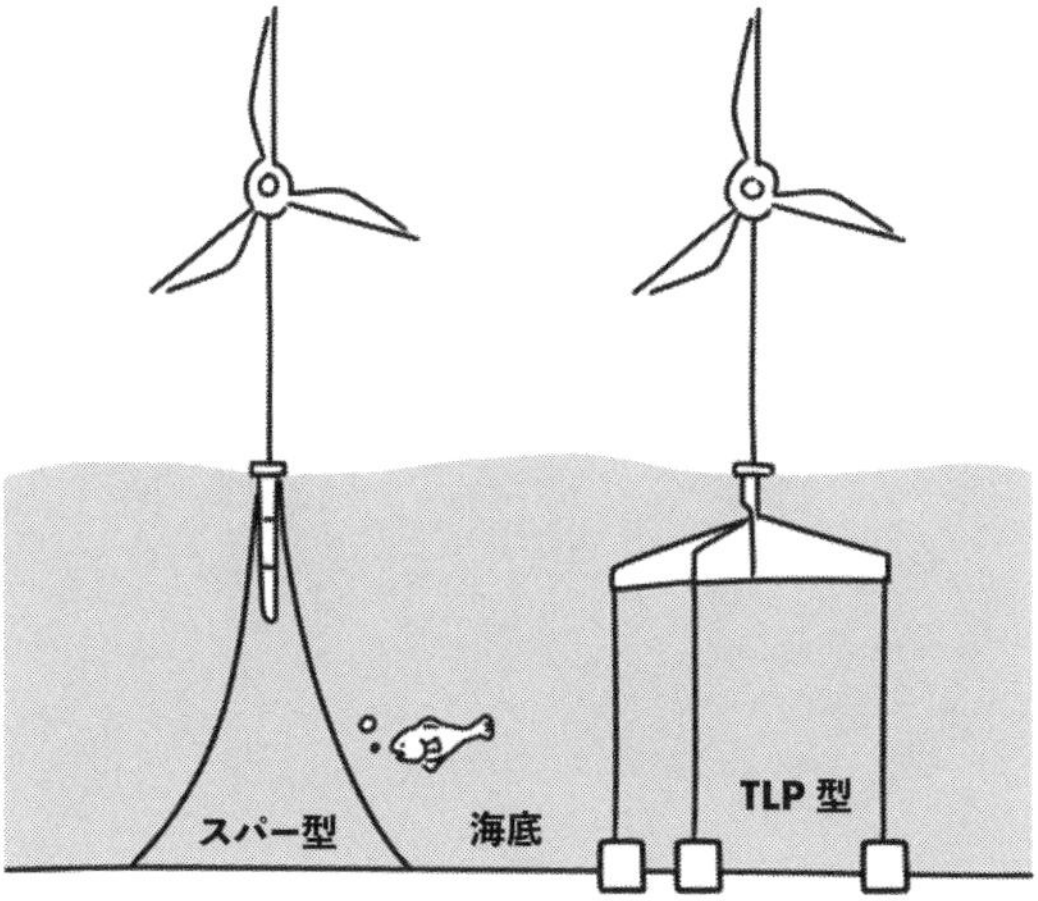

出所：「海上の風車で電力をつくる　浮体式洋上風力発電－あしたのエネルギー（3）」『日本経済新聞電子版』2012年1月6日より作成

をドイツのグローバル企業シーメンスや、フランスに本社を構える世界的な海洋開発ディベロッパーのTechnipなどと共同で実施している。

Hywindプロジェクトで採用された浮体式洋上風力発電の方式はスパー型で、2011年に発電累計10GW、稼働率約50%を達成した。

実証研究の成果をもとに、2017年10月18日、再生可能エネルギー事業やスマートシティ事業を手掛けるアラブ首長国連邦（UAE）・アブダビのMasdar（マスダール）との事業提携により、スコットランド沖合25kmの地点にスパー型の浮体式洋上風力発電5基を設置した「Hywind Scotland」からの電力供給を開始。

これは、大規模な浮体式洋上風力発電の実用化としては世界初となる。

「Hywind Scotland」の1基あたり出力は6MW。5基で最大30MWの出力となりイギリスの約2万世帯への電力供給を可能とした。

2017年11月から2018年1月までの3カ月間における「Hywind Scotland」の設備稼働率は約65%という好成績を記録し、これは発電電力量で考えると3カ月（90日間）でおよそ42GWhの電力を発電した計算となる。

読者のなかには風力発電、なかでも洋上風力発電は台風には弱いと思われる方も多いだろう。

しかし、「Hywind Scotland」は、2017年10月のハリケーン「オフィーリア」（時速125km）、2017年12月のハリケーン「キャロライン」（時速160km）という二つの大型ハリケーンに耐えているのだ。

さらに、エクイノールとMasdarは、浮体式洋上風力発電の電力コストについて2030年までに価格競争力のある0・04〜0・06ユーロ／kWhに引き下げることも目指しており、コスト的にも今後の展開が期待されている。

浮体式洋上風力発電の実用の動きは「Hywind Scotland」だけではない。欧州の大手エネルギー企業EDP、アメリカの洋上風力発電開発会社Principle Powerなどが協力してポルトガル沖で取り組んでいた浮体式洋上風力発電プロジェクト「WindFloat Atlantic」（8・4MW×3基＝25MW）が、2020年7月27日に実用運転を開始しているなど、世界では浮体式洋上風力発電実用の動きが活発化している。

北欧の石油メジャーのエクイノールは、石油ビジネスとは一線を画す浮体式洋上風力発電というフロンティアを切り拓いた。

これはまさに、エクイノールのエネルギー転換における生き残りをかけた戦いと言える。

ブルーエコノミーとして注目され、再生可能エネルギーのなかでも最大級のポテンシャルをもつ浮体式洋上風力発電の主導権を誰が握るのか、その争奪戦は激しさを増していくことだろう。

海水が資源になる海洋温度差発電

ブルーエコノミーでは、太陽光や風力と同じように、広大な海の海水も発電を行う資源として考えられている。

海水を資源とした発電、それは海洋温度差発電（OTEC：Ocean Thermal Energy Conversion）である。ほとんどの人にとって海洋温度差発電は馴染みのないものと思われるが、海水の温度差を利用して発電を行う新しい再生可能エネルギーである。

海面の表層の水は太陽で温められているため水温は暖かく、低緯度地方ではおよそ26〜30℃程度に保たれている。一方、水深600〜1000mに存在する海洋深層水は、およそ1〜2℃と冷たい。

海洋温度差発電は、こうした海面の温かい表層水と深海の冷たい海洋深層水の温度差を利用して発電を行うものである。

海洋温度差発電のシステムは蒸発器、タービン、発電機、凝縮器、ポンプで構成され、各機器はパイプで連結されている。そして媒体として沸点の低いアンモニアなどをパイプ内に循環させるのが、基本構造となる。

媒体となるアンモニアの沸点はマイナス33℃と低いため、蒸発器に入れられると表層水によって温められ蒸気となり、パイプを通って発電タービンを回すことで発電が行われる。

発電後、アンモニアの水蒸気は凝縮器に送られ、そこで深海からポンプで汲み上げた冷たい海洋深層水で冷やされ、液体のアンモニアへと戻される。液体に戻ったアンモニアはまた蒸発器に送られて再び蒸気となって発電タービンを回すというサイクルを繰り返して発電を行うという仕組みだ（図20）。

太陽光発電や風力発電は昼夜の差や天候などによって発電が左右されるが、海洋温度差発電であればそのような変動は生じない。

そして、季節変動が予測可能であり、通年を通して安定して発電が行えるため、従来の化石燃料発電のようなベース電源として使える。

また、化石燃料発電がCO_2排出と燃料の海外依存という問題を抱えているのに対し、海洋温度差発電はCO_2排出がゼロであり利用する海水は無尽蔵でタダという優れた特徴を持つ。

さらに海洋温度差発電は、ブルーエコノミーとして持続可能な社会を構築するという点において、他の再生可能エネルギーにない特徴を持つ。

図20　海洋温度差発電の原理

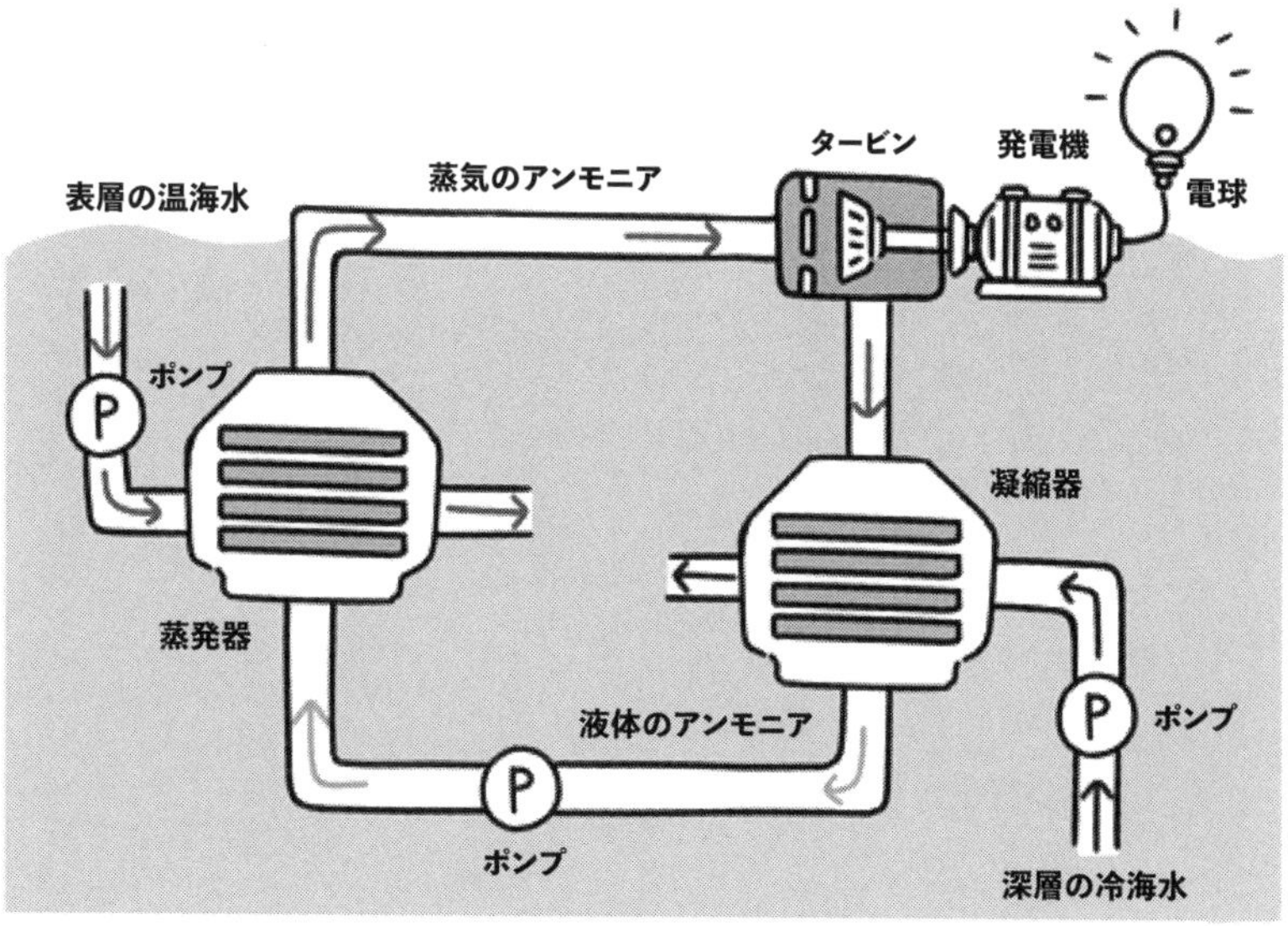

出所：佐賀大学海洋エネルギー研究センター資料より作成

沖縄県久米島では2000年から海洋深層水の利用が行われており、その取水量は日本最大の日量1万3000tとなる。

海洋深層水は四季を通じて冷たい水温が安定しており、病原菌やウイルスも検出されず清浄であるという特徴がある。

そうした海洋深層水の特徴を活かし、久米島では海洋深層水を使った海ブドウの陸上養殖、車エビ種苗養殖、化粧品や飲料水などの生産も行われており、2010年度の久米島における海洋深層水関連の生産額は20億円にもなっている。

海洋深層水の利用が進んでいる久米島では、2013年から世界に先駆けて海洋温度差発電の実証実験も行われている。

久米島の海洋温度差発電の設備容量は100kWであるが、将来的にはこれを10倍の1000kW（1MW）の規模に拡大することを構想している。

海洋温度差発電の規模の拡大は単なる発電量の増加だけではなく、規模拡大により海洋深層水の取水量を増やし、発電後の海洋深層水を二次利用することで、さらに海洋深層水関連の産業を活性化することも計画されている。

もちろん、各種産業に必要な電力は海洋温度差発電から供給するという、複合的な海洋深層水の活用による地域振興のモデルとなる「久米島モデル」の構築に取り組まれているのだ。

久米島では、このモデルの構築により、海洋深層水を利用した発電や海産物の養殖等で、経済効果80億円、就業者数1000人規模の産業への成長を目指している。

電力の供給というだけでなく海洋深層水を二次利用することで地域経済に好循環をもたらし、持続可能な地域社会の構築に貢献する海洋温度差発電は、他の再生可能エネルギーにはないブルーエコノミーとしての特徴を持っていると言える。

海洋温度差発電の開発を進める各国

ＩＥＡの組織であるＯＥＳ（Ocean Energy Systems）によると、世界の海洋温度差エネルギーの年間発電量のポテンシャルは、理論的には1万TWhとされている。

日本の発電量ポテンシャルについては、ＮＥＤＯの「平成22年度成果報告書　海洋エネルギーポテンシャルの把握に係る業務（2011年3月）」で報告がされており、海洋温度差発電設備の設置における地理的条件、また発電装置の発電効率や設備利用率を考慮した日本の海洋温度差発電の年間総発電量は47TWhと見積もっている。

また、２０１０年度にＮＥＤＯが実施した「海洋エネルギーポテンシャルの把握に係る業務」では、日本の排他的経済水域（EEZ）内で浮体式洋上風力発電のように沖合浮体式で海洋温度差発電を設置することを想定し、離岸距離制限をなくした場合、その年間ポテンシャルは１３６８TWhにもなるという報告がなされている。海洋温度差発電は浮体式で行うことも考えられるのだ。

日本の年間総発電量が約１０００TWhであることを考えると、数字の上では海洋温度差発電だけで年間総発電量と同等の発電が行える規模となる。

日本は四方を海に囲まれており、その面積は世界6番目という広さである。日本は陸地面積こそ狭いが、広大な日本の海には海洋エネルギーの大きな可能性があるのだ。

こうした高いポテンシャルを持つ海洋温度差発電を開発、実用しようとしているのは、日本だけではない。

韓国、フランス、オランダ、アメリカ、メキシコ、インド、マレーシアなどでも開発が進められており、2019年9月30日には、韓国船舶・海洋工学研究院（KRISO）が韓国海上での海洋温度差発電実証試験において、世界新記録となる338kWの発電が実証されたことが報告されている。

海洋温度差発電はまだ開発途上のエネルギーであるが、そのポテンシャルの高さと気象条件に左右されないというメリット、そして、地域社会の持続的な発展をも促すエネルギーとして世界各国で普及が進められることが見込まれる。

COLUMN

様々な海洋エネルギー

四方を海に囲まれた日本は洋上風力発電や海洋温度差発電に他にも波力発電、海流発電、潮流発電、潮汐《ちょうせき》発電など様々な海洋エネルギーの実用化の可能性がある。

波力発電は、文字通り寄せては引いていく波の力を利用して発電タービンを回転させて発電を行うものである。海流発電は太陽熱と偏西風などの風によって生じ、地球の自転と地形によってほぼ一定の方向に流れている黒潮などの大洋の大きな潮の流れの力を利用する。潮流発電は、月と太陽の引力の影響で起こる潮の干満による海水の水平方向の流れを利用する発電。潮汐発電は干満の差によって生じる海面の潮位差を利用してタービンを回し発電する方式である。

それぞれの発電装置の発電効率や設備利用率、そして地理的条件を考慮し、発電装置を海上または陸上に敷設した場合に得られる年間を通じた発電ポテンシャル（kWh／年）では、波力発電：19TWh／年、海流発電：10TWh／年、潮流発電：6TWh／年、潮汐発電：0.38TWh／年とされており、日本には海のエネルギーの様々な可能性が秘められている。

図21　潮汐力発電システムの例

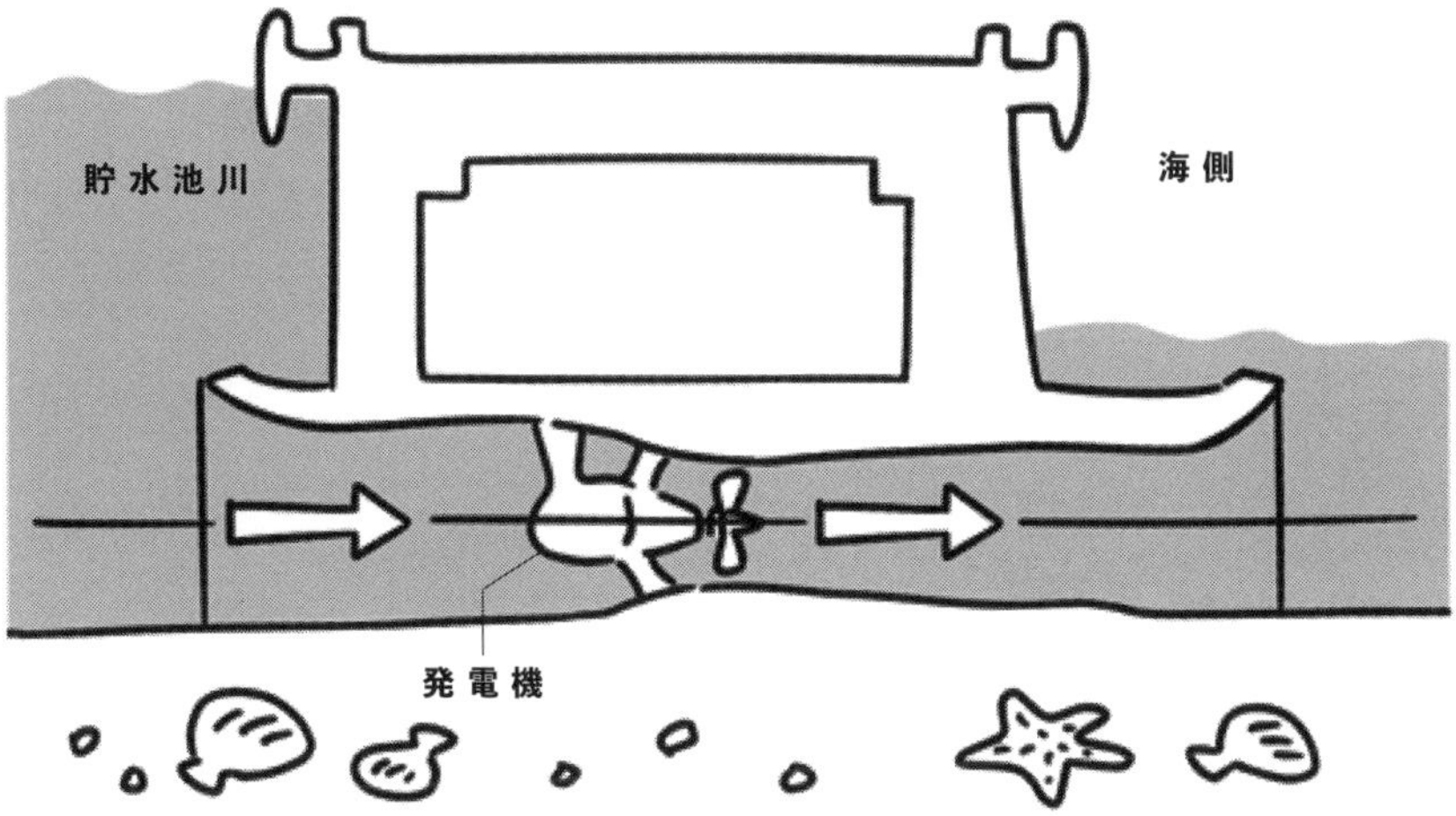

出所：NEDO『NEDO 再生可能エネルギー技術白書（第2版）』https://www.nedo.go.jp/content/100544821.pdf より作成

〈参考文献〉

笹川平和財団Ｗｅｂサイト「ブルーエコノミーで環境・経済・社会のサステナブルな発展を／渡邉敦主任研究員（笹川平和財団海洋政策研究所）インタビュー」２０１９年11月11日　https://www.spf.org/publications/spfnow/0067.html

The Sustainable Blue Economy Conference Website

http://www.blueeconomyconference.go.ke/

EU Website "Onshore and offshore wind"

https://ec.europa.eu/energy/topics/renewable-energy/onshore-and-offshore-wind_en

REN21 "Renewables 2019 Global Status Report" ２０１９年６月

一般社団法人 日本風力発電協会「洋上風力の主力電源化を目指して」経済産業省 洋上風力の産業競争力強化に向けた官民協議会 第１回会合資料、２０２０年７月17日

「U.S. Offshore Wind Power Economic Impact Assessment」by AWEA（March, 2020）

Global Wind Energy Council（GWEC）"Global Wind Report 2017"

Principle power Website "The first floating wind farm in continental Europe is now fully operational" 27 July 2020

https://www.principlepowerinc.com/en/news-press/press-archive/2020/07/27/the-first-floating-wind-farm-in-continental-europe-is-now-fully-operational

池上康之「海洋温度差発電の実証研究に関する国内外の動向―安定的な再生可能エネルギーを求めて」『日本マリンエンジニアリング学会誌』第47巻、第４号、２０１２年

日本学術会議「再生可能エネルギー利用の長期展望」東日本大震災復興支援委員会 エネルギー供給問題検討分科会、２０１７年９月26日

2

エネルギーシステムの一部となる自動車

IoEの構築に欠かせない電気自動車（EV）

エネルギー転換の流れにより世界では再生可能エネルギーの普及が大幅に進む見通しだが、前述した通り再生可能エネルギーは天候によって発電が左右される変動電源である。

そのため、再生可能エネルギーの普及には、第4章で解説したインターネット・オブ・エナジー（IoE）を導入して電力の需給をコントロールする必要がある。IoEを構築する重要なデバイスとなるのが蓄電池である。

日照や風況などの条件が良く、太陽光発電や風力発電が需要を上回る発電を行うと、電力系統へ流れる電力が供給過多となりパンクしてしまう。逆に日照や風況などの条件が悪く、太陽光発電や風力発電の発電が落ち込むと、電力の供給不足という事態が起きてしまう。

こうした事態を防ぐため、電力が余剰となった際に蓄電し、電力が足りなくなった際に放電して電力不足を補う蓄電池が必要になる。

再生可能エネルギー発電の需給コントロールを行うには、定置式の大型蓄電池を電力系統内に設置するという方法も有効だが、わざわざ需給コントロールのためだけに大型蓄電池を導入するのはコストがかかる。

そこで登場するのが、高性能な蓄電池を搭載した電気自動車（EV）である。

EVを電力系統に接続することで再生可能エネルギーの余剰電力をEVの蓄電池に充電し、必要な時はEVから放電して活用するV2G（Vehicle to Grid）の実用が始まっているのだ。

2018年末現在、世界の自動車保有台数は約14億台となっているが、そのすべてが常時走行しているわけではない。1台の車の稼働状況を見ると、一日のうちのおよそ約9割は停車状態にあり、走行状態にあるのはわずかだ。

であれば、市中に停車中のEVの蓄電池を電力系統用にもシェアして活用することは、コスト的にも有効だ。

停車中の電気自動車は、電力系統とつながった充電設備に接続されていることから、充電設備を通して再生可能エネルギーの電力をEVの蓄電池に充電したり、またEVから電力系統に放電したりすることが可能だ。

世界の部門別CO_2排出における運輸部門の排出割合は約20％を占め、電力部門に次いで２番目に大きな排出部門となっている。世界では、運輸部門からのCO_2排出削減のためＥＶやプラグインハイブリッド車（ＰＨＶ）などのゼロエミッション車の普及が進められている。

２０１７年６月には、アメリカ、欧州、中国、インド含む25の主要国・地域の閣僚らが一堂に会して開催されたクリーンエネルギー閣僚会合（ＣＥＭ）において、２０３０年までに、すべての自動車（バス、トラック含む）を対象として、新車販売シェアに占めるＥＶの割合を、参加国全体で30％以上とすることを目指すイニシアティブ「ＥＶ30＠30キャンペーン」が打ち出されている。

また、欧州では２０３０年までに乗用車のCO_2排出量を２０２１年比で37・5％削減する欧州規制が２０１９年３月に決定されている。ＥＶをはじめとするゼロエミッション車の普及は拡大する方向に

図22　PHVとEVの仕組みの違い

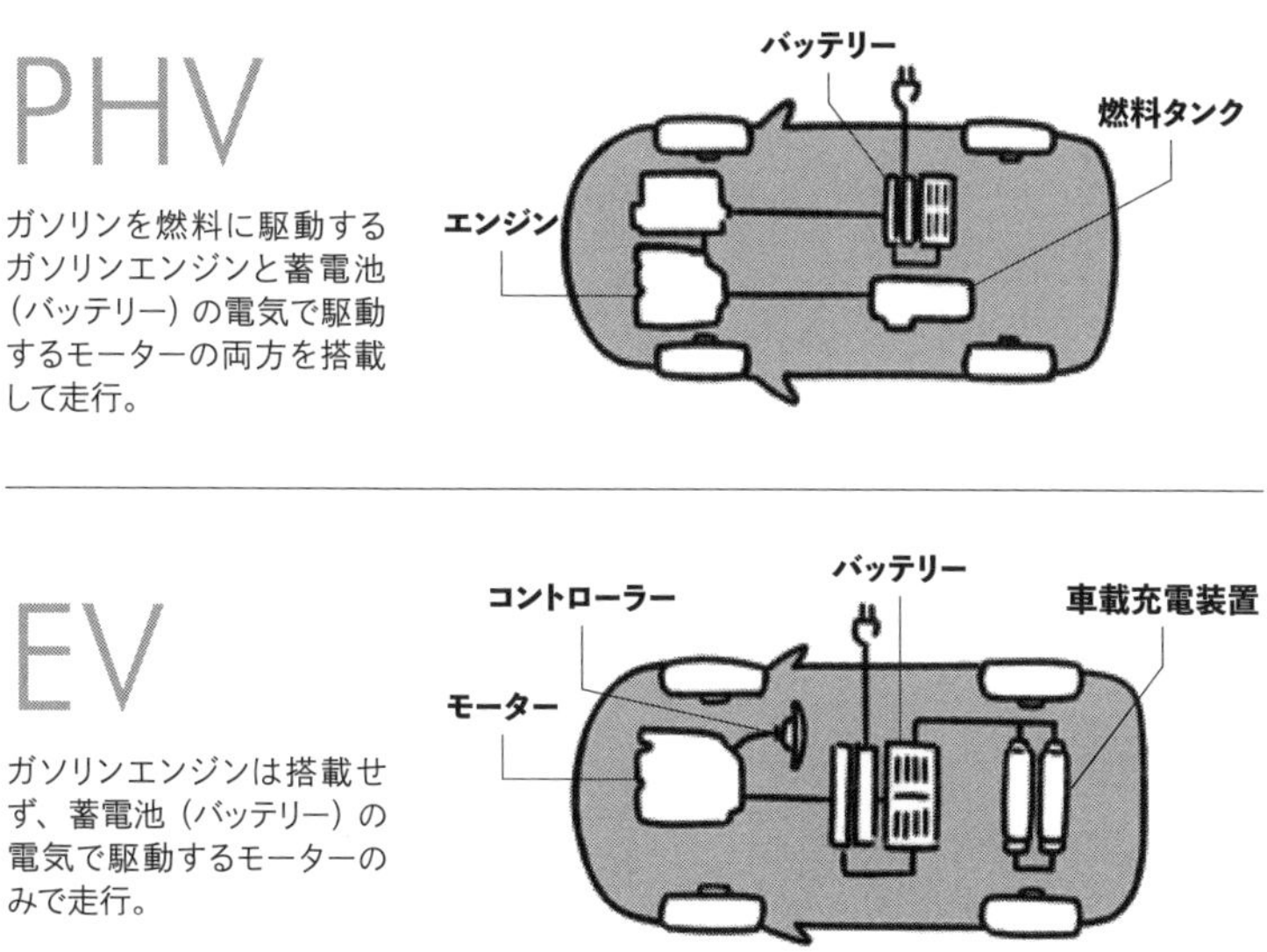
PHV
ガソリンを燃料に駆動するガソリンエンジンと蓄電池（バッテリー）の電気で駆動するモーターの両方を搭載して走行。
バッテリー
燃料タンク
エンジン
EV
ガソリンエンジンは搭載せず、蓄電池（バッテリー）の電気で駆動するモーターのみで走行。
コントローラー
バッテリー
車載充電装置
モーター

出所：経済産業省ホームページ「EV・PHV情報プラットフォーム」（一部加筆）https://www.meti.go.jp/policy/automobile/evphv/what/index.html をもとに作成

ある。

再生可能エネルギーの普及途上にあり、ＥＶの普及が思うように進んでいない日本ではＶ２Ｇはまだ先の話と考えられがちだが、既に２０１６年8月に、日産自動車とイタリアの大手電力会社のエネル（Enel）、そして電力事業を展開するアメリカのベンチャー企業、ヌービーコーポレーション（Nuvve Corporation）の協力により、デンマークで世界初となるＶ２Ｇの商業運転が開始されている。

さらに、２０１８年3月6日には、スイスのジュネーブで開催されたジュネーブモーターショーにおいて日産自動車は、自社の先進技術戦略である「ニッサン インテリジェント モビリティ」の取り組みの一環として、ドイツの大手電力会社E．ONと戦略的パートナーシップを結ぶことを発表している。

第4章で述べたように、ドイツのE．ONと言えば、エネルギー転換によるエネルギー・ゲームチェンジに対応するため古いビジネスモデルから脱却しようと奔走している大手電力会社だ。

今後、両社はクルマと電力インフラとをつなぐＶ２Ｇサービスや再生可能エネルギー、蓄電ソリューションに関わる様々な取り組みを協力して推進していくという。

日産ヨーロッパのポール・ウィルコックス会長は、E．ONとの戦略的パートナーシップ提携にあたり、〝ＥＶ所有の顧客に無料の電気を提供するという究極の目標を掲げて、エネルギーサービスビジネスにおける自動車メーカーとしてのパートナーになることを目指す〟という趣旨のコメントをしている。

Ｖ２Ｇにより電力系統に接続されたＥＶの大きな役割は、再生可能エネルギー発電の余剰電力が発生した際に電力系統がパンクしないようにＥＶの蓄電池に蓄電して需給を安定させることにある。

再生可能エネルギーの余剰電力は余った電気であり、言ってみれば捨てられるもので、その価格は実質タダである。そもそも再生可能エネルギーは限界費用がゼロでもある。

自動車メーカーの狙いは、Ｖ２ＧによりＥＶがエネルギーシステムの一部となることで、実質タダの余剰電力をＥＶのエネルギーとして活用しようとするところにある。

日本で進められるＶ２Ｇ実証実験

再生可能エネルギーの普及途上にあるとはいえ、エネルギー転換の波は日本にも着実に押し寄せている。日本においても対処の必要性を感じている自動車メーカーや電力会社によってＶ２Ｇの実証実験が行われている。

東京電力ホールディングスと日産自動車は、再生可能エネルギーの供給安定化を図るため、電力系統内に生じた余剰電力をＥＶに蓄電する実証実験を２０１７年12月に始めている。

この実証実験は、天気予報をもとにして太陽光などの再生可能エネルギーの発電予測を行い、電力系統に余剰電力が生じる時間帯をスマートフォンでＥＶユーザーに伝達するシステムを東電と日産の協力で構築した。

ＥＶユーザーは、システムによって伝えられた余剰電力が発生する時間帯にＥＶに充電を行うと、インセンティブとしてインターネット通販で使えるポイントがもらえるというもので、ＥＶを持つ日産と東電の社員計45人が参加して実証実験を行う内容になっている。

東京電力ホールディングスと日産自動車はこの実証実験を通じて、蓄電に協力するＥＶユーザーの獲得のために必要な条件や、余剰電力充電の時間帯データなどを収集することになる。

この他にも、三菱自動車と東京電力ホールディングスを中心としたグループや、豊田通商と中部電力の協力によるＶ２Ｇの実証実験が国内で行われている。エネルギー転換がもたらした新しい潮流として、ＥＶへの余剰電力供給システムとビジネスモデルの構築が日々前進している。

ＥＶ急速充電器の国際標準化競争と日中同盟

Ｖ２Ｇは、車を単に移動手段としてだけではなく、エネルギーシステムの一部という新しい役割を与えるものである。

これは、ダイムラーとベンツがガソリン自動車を開発して以来の自動車の大変革と言え、Ｖ２Ｇを制する者は自動車とエネルギーという二つの部門で優位性を獲得することになる。

そのため、各国間の国際競争、特に、ＷＴＯのＴＢＴ協定（貿易の技術的障害に関する協定）の存在などにより自国の技術を国際標準化することは、国際市場を獲得するうえで極めて重要になることから、Ｖ２Ｇの要の技術となるＥＶ急速充電器の国際標準化をめぐって競争が繰り広げられている。

ＥＶ急速充電器の国際標準化でまっさきに名乗りを上げたのが日本である。日本は、量産型のＥＶとしては世界初となる日産自動車のリーフを２０１０年に市場投入するなどＥＶの普及を促進。同年３月には、トヨタ自動車、日産自動車、三菱自動車、富士重工、東京電力の５社が幹事会社となり、Ｖ２Ｇの要の技術となるＥＶの急速充電器の国際標準化を進めるチャデモ（CHAdeMO）協議会を設立し、日本の急速充電方式となるチャデモの国際標準化活動を始めている。

チャデモ急速充電器は世界で唯一の実用技術として欧州を中心に国際的に普及が拡大し、２０１２年１月に累計設置台数１０００台を達成した。

当然、こうした日本の動きを他国が黙って見ているわけがない。

欧米はコンボ（CCS：Combined Charging System）という急速充電器を開発し、欧州では２０１３年、アメリカでは２０１４年に初号機を設置。中国もＧＢ／Ｔという急速充電器を２０１３年に設置し、日本に対抗する動きを見せた。

日本のチャデモはＤＣ急速充電専用コネクタで、車両と充電器の通信方式（プロトコル）はＣＡＮ（Controller Area Network）を使用する。

一方、欧米のコンボは、ＤＣ急速充電とＡＣ普通充電を併用するコネクタで、

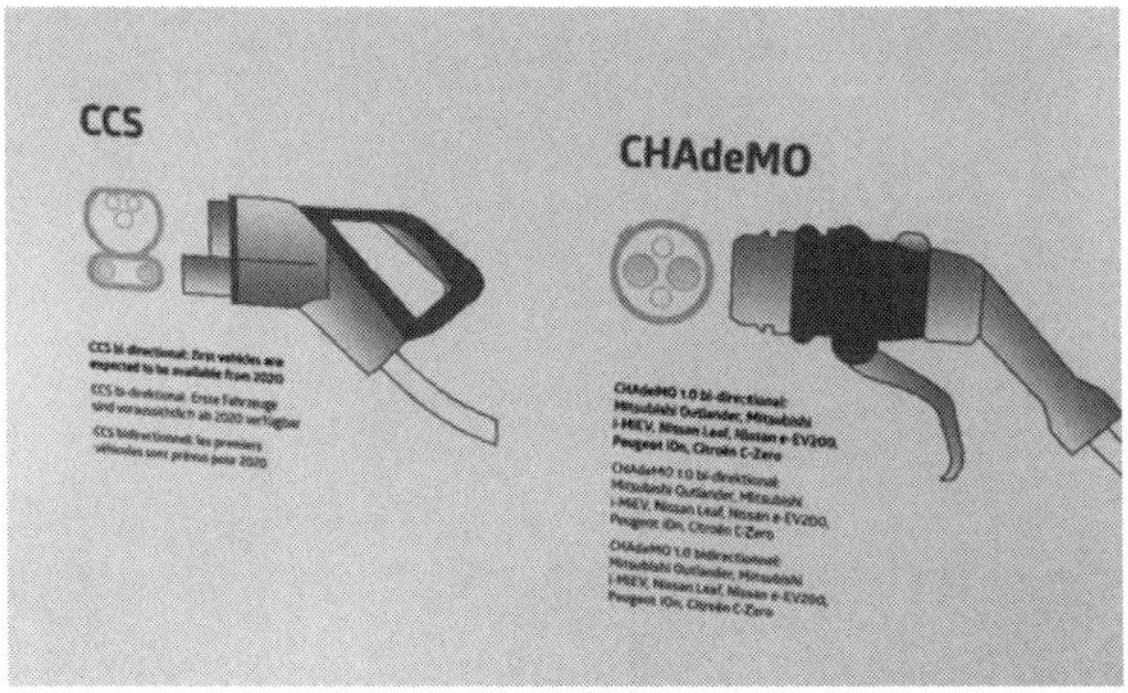

コンボ（CCS）とチャデモ（CHAdeMO）のコネクタの違い（筆者撮影）

通信方式はＰＬＣ（Power Line Communications）を使用することから、コネクタの形状、通信方式ともチャデモとの互換性はない。

中国のＧＢ／ＴはＤＣ急速充電専用コネクタで通信方式にＣＡＮを使用していることから日本のチャデモと近いものであるが、コネクタのピン配置などが異なっており中国独自のものとなっている。

各国は、こうした自国の規格をもって国際電気標準会議（ＩＥＣ）、ＳＡＥ（Society of Automotive Engineers）などの国際標準化の舞台で他の規格を国際標準から追い落とそうと、手練手管の競争を繰り広げた。

ある標準化機関の国際会議では、日本のチャデモがわざと議論のテーマから外されるということもあったという。

元来日本は、こうした国際標準化交渉において後手に回ってしまうところ、欧州チャデモを設立するなどでチャデモへの国際的な理解と利用者を増やし、発言力を高めていった。

また、欧米のコンボがＶ２Ｇへの対応を含め社会実装という点で大きく遅れていたところ、チャデモは確実に普及を進めプレゼンスを発揮していった。

その結果、他国に追い落とされることなく、２０１４年３月にチャデモは他国の規格と同様にＩＥＣにおける国際標準化を勝ち取るに至っている。

こうして、国際標準化を勝ち取ったチャデモは、実績をさらに積み上げ、充電ポイントは３万２３００カ所（2020年9月時点）に達し、世界でもっとも充電拠点の多い急速充電規格に成長

Ｖ２Ｇの社会実装で先行するチャデモの急速充電器（筆者撮影）

している。

チャデモの国際的な広がりはさらなる展開を見せている。

2018年8月、チャデモ協議会は電動車両の超急速充電規格について、中国の中国電力企業聯合会と共同で開発していくことを公表。

現行のチャデモ規格は最大出力400kWであるが、大型車や産業用途といった市場ニーズに応えるためさらなる高出力化が必要になってきている。

中国も将来的な高出力化を目指しており、超高出力充電規格の開発に取り組むため日本と共同で研究・開発にあたることで合意した。

チャデモの高い実績とチャデモが中国GB／Tと同じプロトコルを使用している点などが、日中の合意に功を奏したのだ。

日中で共同開発する次世代超高出力充電規格は、中国語で「超級」を意味するチャオジ（ChaoJi）と呼ばれ、共同開発を公表した2年後の2020年4月には日本名チャデモ3・0として最大出力500kW超級の超高出力対応の規格が発行されている。

チャデモ協議会によれば、中国側での規格発行も2021年内に完了する予定で、新規格にもとづいたEVの市場投入は大型車両を皮切りに、早ければ2021年にも可能となる見通しとしている。

日中の協力による超高出力充電規格の構築は、EV導入世界1位の中国がV2Gの要となるEV急速充電において日本と同盟を組んだことになり、このインパクトは大きい。

V2GはEVと電力系統を結ぶものであるが、同じようにEVと戸建て、交通システムなど様々なインフラやシステムがEVと連結し、新たなサービスを提供することが見込まれている。

これはV2X（Vehicle to X）と呼ばれ、EVをエネルギーと情報のコアデバイスとして活用する動きは今後ますます活発化することから、各国間の競争は目が離せなくなっている。

競争が激化する蓄電池

EV急速充電規格では協力する日中であるが、EVに搭載されるリチウムイオン電池では競い合うライバル関係にある。

リチウムイオン電池はIoEやEV、そしてスマートハウスやスマートビルディングなど、再生可能エネルギーの活用や省エネ・高効率化に欠かせないものとなっているが、これを開発したのは2019年にノーベル化学賞を受賞した日本人の吉野彰博士である。日本がリチウムイオン電池を開発しなければ、エネルギー転換のために欠かせない高度なエネルギー需給システムの構築は難しかったであろう。

リチウムイオン電池は日本のお家芸と言え、2008年時点で日本が世界シェア約44%を占めていたほどの得意分野であった。

しかし、EV向けのリチウムイオン電池において日本の地位を脅かす事態が起きている。

2017年の車載用リチウムイオン電池の出荷量において、中国の電池メーカー、寧徳時代新能源科技股（CATL：Contemporary Amperex Technology）が容量に換算して12GWhを出荷し、これまで首位であった日本メーカーのパナソニックを抜いてしまったのだ。

パナソニックの2017年の出荷量は10GWh。CATLに2GWhの差をつけられての首位陥落となる。

これまで述べてきたように、EVは自動車としての役割だけでなくIoEのなかで、V2Gにより電力系統の一部として再生可能エネルギーの蓄電・放電を行い、需給バランシングを行うという重要な役割を担うことになる。

そのため、EVに搭載されている蓄電池は電力系統の重要な構成要素でもあり、車載用蓄電池の市場を支配するということは、EV急速充電器の規格と同様にIoEの重要な部分を掌握することにつながるのだ。

CATLは日本のTDKが買収した香港の電池メーカー、アンプレックステクノロジー（ATL）から車載電池部門が独立して2011年に創業された会社だ。創業からわずか数年で世界トップに立つとは、言うまでもなく中国政府の強力なバックアップがあると考えられる。

蓄電池の分野で覇権を握ろうとしているのは中国だけではない。

車載用蓄電池の分野で韓国LG化学（LG Chem）の台頭が著しく、2020年

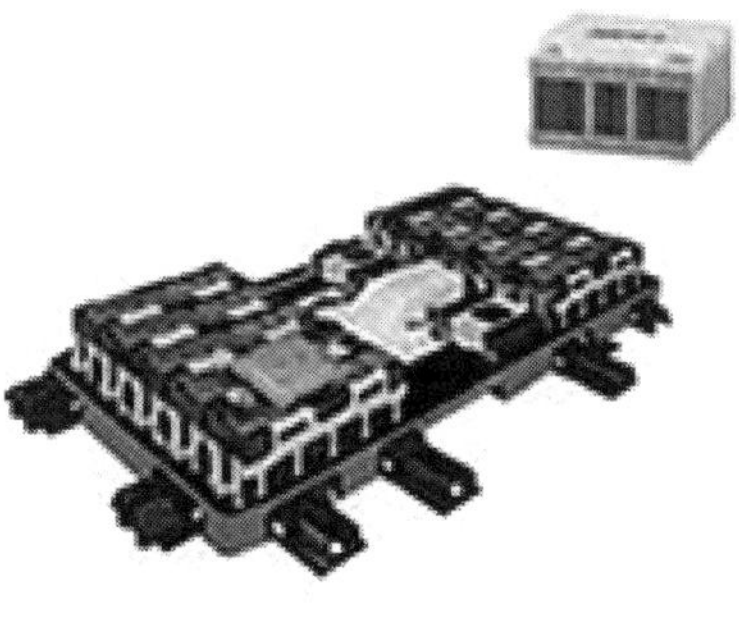

EVの車載用リチウムイオン電池
出所：経済産業省ホームページ「EV・PHV情報プラットフォーム」
https://www.meti.go.jp/policy/automobile/evphv/what/ev.html#ev04

の第1四半期の世界シェアでは、CATL、パナソニックを抑えて首位を獲得するなど、リチウムイオン電池の市場争奪は激戦となっている。

さらに、次世代の蓄電池として注目されている全固体リチウム電池の開発も始まっている。

現行の電解液を使用するリチウムイオン電池のエネルギー密度はおよそ200Wh／kg弱である。

一方、全固体リチウムイオン電池は電解液ではなく化学的安定性と難燃性の高い無機の固体電解質を使用することから、エネルギー密度を高めても安全性・耐久性を確保できるという特徴を持っていることから高エネルギー密度化が可能なのだ。

今の日本の全固体リチウムイオン電池の開発ペースで行くと、2030年には電解液を使用するリチウムイオン電池の倍となる400Wh／kg以上のエネルギー密度を達成すると想定されている。

さらに、現行のリチウムイオン電池搭載のEVへの充電は、ゼロから80%程度の充電までには急速充電器を使っておよそ40分程度かかるのに対し、全固体リチウムイオン電池搭載車では10分以下となる超急速充電の実現可能性があるとしている。

高い性能の全固体リチウムイオン電池が開発されると、現行の電解液を使用するリチウムイオン電池が旧式技術となるだけでなく、IoEなどのエネルギーシステムそのものにも大きな影響を及ぼすことから、全固体リチウムイオン電池の開発競争は激化する方向にある。

現状、全固体リチウムイオン電池の開発では多くの特許を持っている日本が健闘しているが、中国、韓国の追い上げも予想されることから、蓄電池市場の争奪戦はまだまだ続くのである。

再生可能エネルギーでつくる新たな資源、グリーン水素

再生可能エネルギーの導入が広がれば広がるほど、その余剰電力を蓄電・放電するためのV2Gの役割が重要になってくるが、余剰電力をためて使うもう一つの方法として電力を水素に転換するという方法がある。

それがパワー・トゥ・ガス（P2G：Power to Gas）だ。

P2Gとは、中学の理科や化学の授業で行う水を電気分解して水素（H_2）を生成させる実験と同じ原理で、再生可能エネルギーの余剰電力を使って水を電気分解し、水素を生成するものである。

この技術は、第4章で紹介したように、19世紀にポール・ラクールが風力発電の電気で水を電気分解し、水素を製造して貯蔵する実験が行われた頃から研究されている。

蓄電池に溜めた電気は時間とともに消耗していくが、水素に転換しておけば目減りすることがなく、水素ガスや液体水素といった形で運ぶことも可能だ。さらに、水素は天然ガスと同様な資源として活用することができる。

2015年8月、エネルギー転換への対処を進めるドイツの電力会社RWEは、再生可能エネルギー発電の需給コントロールを目的に、再生可能エネルギーの余剰電力により生成した水

素ガスを天然ガスパイプラインに混入して利用するP2Gのプラントをドイツのノルトライン＝ヴェストファーレン州イッベンビューレンに設立し、商業化に向けた本格的な開発を始めることを公表している。

天然ガスの主成分は炭素原子に水素原子が結合したメタン（CH_4）であり、水素は天然ガスの成分であるため混入割合を調整すれば天然ガスパイプラインに混入することが可能なのだ。

RWEと同じくエネルギー転換への対応を急ぐドイツの電力会社E.ONも、ドイツ東部のファルケンハーゲン（Falkenhagen）に風力発電の電力を水素に転換し天然ガスパイプラインに注入するパイロットプラント"WindGas Falkenhagen"を建設し、2013年8月より運転を始めている。このパイロットプラントの発電設備容量は2MWで、360㎥／hの水素の生産とガスパイプラインへの注入が実際に行われている。

P2Gの開発はアメリカでも進んでいる。2015年4月14日、米エネルギー省直属の再生可能エネルギーとエネルギー効率に関する研究開発を行っている国立再生可能エネルギー研究所（NREL）は、南カリフォルニアガス（SoCalGas）、国立燃料電池研究センター（NFCRC）と協力してアメリカ初となる再生可能エネルギーを活用したP2Gの実証実験プロジェクトをカリフォルニア州で始めることを公表した。

欧州同様に米カリフォルニア州は2030年の電源構成比における再生可能エネルギー比率を50％にするという高い目標を掲げており、再生可能エネルギー発電の余剰電力の貯蔵は重要なポイントになっている。

ＮＲＥＬはこのプロジェクトについて、「再生可能エネルギーの利用範囲を広げるとともに再生可能エネルギー発電の電力貯蔵のコストを下げるユニークなものになる」と評価している。

現在世界で利用されている水素の大半は天然ガスを原料に生成され、その製造過程ではCO_2を排出する。いわば「グレー水素」とでも呼べる代物である。

一方、再生可能エネルギーによりつくりだされる水素はCO_2を排出しない「グリーン水素」と呼ばれている。また、グレー水素を製造する過程で排出されるCO_2を回収し、貯留（CCS）・利用（CCU）することで温室効果ガスをゼロにしたものはブルー水素と呼ばれ、グリーン水素やブルー水素は、エネルギー転換時代の新たな資源として注目されている。

「グリーン水素」「ブルー水素」など様々な呼び名で呼ばれているＣＯ₂フリーの水素であるが、現在のところその種類や製造法などの明確な定義はまだない。

そうしたなか、欧州委員会（EC）は、２０２０年7月8日に再生可能エネルギー由来の水素の活用を推進する戦略「欧州の気候中立に向けた水素戦略（A hydrogen strategy for a climate-neutral Europe）」を発表した。同戦略では、再生可能エネルギー由来の水素を「クリーン水素」と呼び、その国際標準化についても取り組むことが示されている。

Ｖ２Ｇのケースと同様に、自国の基準を国際標準とすることは国際競争の舞台で有利に立つことができる。まずＥＵという枠組みを使い欧州域内での域内標準を構築し、それをＥＵ参加国という数の力を背景に国際交渉の場で国際標準に格上げするというのが、欧州の常套手段だ。

欧州委員会の「欧州の気候中立に向けた水素戦略」の公表は、クリーン水素における欧州の優位性を勝ち取るため、欧州が本格的に国際標準化競争に乗り出したということになる。

クリーン水素で走る車

クリーン水素は、天然ガスパイプラインへの混入だけではなく、車の燃料として使うことも主な用途として考えられている。

日本では水素を燃料として燃料電池で空気と化学反応させ発電を行い、その電気でモーターを駆動させて走る燃料電池車（FCV）が注目されているが、世界ではFCV以外の車でも水素が活用されているのだ。

日本が世界に誇る世界初の量産型FCV、トヨタの〝ミライ〟が発売されたのは2014年12月15日のことであるが、同年、ドイツでは高級車メーカーのアウディから、再生可能エネルギー由来のクリーン水素と二酸化炭素を科学反応させてつくった天然ガスを燃焼させて走る天然ガス車〝A3スポーツバック g-トロン〟が発売されている。

アウディでは、2013年からドイツのザクセン州南部のヴェルルテにある自社のP2Gプラントで、風力発電の余剰電力で水を電気分解して水素（H_2）を生成し、さらにその水素を二酸化炭素（CO_2）と化学反応させ天然ガスの主成分であるメタンガス（CH_4）の製造を行っている。

つまり、天然ガス資源を持たない国でも、再生可能エネルギーの電力とやっかいものであるCO_2を利用することで、天然ガスを製造することができるということだ。

こうした水素と二酸化炭素によるメタンガスの製造はメタネーションと呼ばれており、アウディでは自社のP2Gプラントでつくったこの人工メタンガスを、アウディ・イー・ガス（Audi e-gas、以下イー・ガス）と呼んでいる。

前述した通り、メタンガスは天然ガスの主成分のため天然ガスパイプラインに注入することが可能だ。

イー・ガスは天然ガスパイプラインに注入され家庭で消費されるほか、〝A3スポーツバック g-トロン〟のユーザーは、ドイツ国内に広がっている圧縮天然ガス（CNG）スタンドでアウディ・イー・ガスカードを使ってイー・ガスの購入ができる。

アウディ・イー・ガスカードを使ってイー・ガスを購入する際、アウディはカードの購入情報をもとに同量のイー・ガスをドイツ国内の既存の天然ガス供給ネットワークに供給する仕組みになっている。

〝A3スポーツバック g-トロン〟はイー・ガスを燃焼させて走る天然ガス車だから、当然走行時にはCO_2を排出するが、イー・ガスの製造時には走行時に排出されるCO_2とほぼ同量のCO_2が消費されるため実質的にCO_2の排出量はゼロのカーボンニュートラルなガスとなる。

さらに、アウディのP2Gプラントは、電力需給状況に応じて5分以内に6MWの電力を電力系統に供給するというテストに合格し、電力需給バランス市場への参入が許されている。

これによりアウディのP2Gプラントは、再生可能エネルギーの余剰電力制御にも貢献ができるのだ。すなわち、アウディ〝A3スポーツバック g-トロン〟が走ることにより、カーボンニュートラルな天然ガスの供給と再生可能エネルギー発電の需給バランス制御という二つの効果を生み出している。

これまで車は、エネルギーを消費するものでエネルギーシステムからは独立した存在であった。しかし、エネルギー転換は、V2GやP2Gといった形で車をエネルギーシステムの一部とするエネルギーの新潮流を生み出していると言える。


レンジエクステンダーと呼ばれる発電用の小型燃料電池を搭載したハイブリッドシステムになる。

基本的にEVとして走行するが、蓄電池の蓄電残量が少なくなると搭載してある発電用小型燃料電池が発電し、蓄電池に充電することでわざわざ充電スタンドに立ち寄って充電を行わなくとも走行距離を伸ばすことを可能にする。通常の燃料電池車に搭載される燃料電池よりも小型なので、消費する水素と製造に必要なレアメタル資源の節約も可能だ。

したがってこのシステムを搭載する車の燃料は電気と水素になり、車には充電コネクタ口と水素注入口の両方が取り付けられることになる。

既に欧州では、フランスのシンビオ（Symbio）が開発したEV搭載用の小型燃料電池を搭載したルノーのカングーZ.E.-H2が、商用車として実用化されている。シンビオは日産自動車のEV商用車であるe-NV200をベースに小型燃料電池を搭載した車も公表しており、今後、EVとFCVの良いとこ取りをしたハイブリッドが普及していくことも考えられる。

周知のとおり、本格的な乗用車となるFCVはトヨタのミライが世界を先行している。また、EVでは日本のチャデモと日産のリーフがV2G技術で世界を牽引している。

これら日本が得意とする技術を合わせた新たなハイブリッド車で、再び日本が世界を魅了することは十分に可能であろう。

COLUMN

日本のハイブリッド技術は廃れてしまうのか
――温室効果ガスの排出がゼロのハイブリッド車とは?

環境性能の高い次世代自動自動車には、電気自動車（EV)、燃料電池車（FCV)、プラグインインハイブリッド車（PHV)、ハイブリッド車（HV）などがあるが、ガソリンエンジンを搭載するPHV、HVは今後温室効果カスの排出規制が世界的に強まるなかでは淘汰されてしまう可能性がある。

ハイブリッド技術はトヨタ自動車が開発し、プリウスという画期的なハイブリッド車を世に送り出した日本が誇る技術である。しかし、パリ協定の目標達成を考えると、もはやガソリンエンジンの活躍の場はかなり厳しく、ガソリンエンジン＋蓄電池＋モーターを組み合わせたハイブリッド技術は黄昏時を迎えているという見方もある。

水素注入口　**充電口（コネクタ）**

EVとFCVのハイブリッド、
Symbio FCell Nissan e-NV200（筆者撮影）

しかし、発想を転換することでハイブリッド技術は今後も欠かせない技術となる。それは、燃料電池＋蓄電池＋モーターを組み合わせたハイブリッド、すなわち、EVに燃料電池を搭載するという考えだ。

EVは走行距離が蓄電残量に左右されるため充電スタンドの拡充が不可欠だ。FCVは水素を燃料にして燃料電池で発電し、その電力でモーターを駆動させて走行するもので、その走行距離はガソリン車と同等とされるが、燃料として大量の水素を必要とし、こちらも水素ステーションというインフラの拡充が必要だ。

また、現在使用されている水素の多くが天然ガスから製造されており、その製造過程では二酸化炭素を排出してしまうことから、再生可能エネルギーによる水の電気分解により、水素を大量に製造する体制の構築は急務だ。さらに、FCVは燃料電池の触媒に高価なレアメタルである白金族などを使うためコストという課題もある。

EV、FCVとも一長一短があるが、二つの良いとこ取りをしたのが、燃料電池＋蓄電池＋モーターを組み合わせたハイブリッドシステムだ。このシステムはEVをベースにして、

〈参考文献〉

一般社団法人日本自動車工業会Ｗｅｂサイト「世界各国の四輪車保有台数（２０１８年末現在）」
http://www.jama.or.jp/world/world/world_2t1.html
IEA “CO_2 emissions from fuel combustion 2016”
欧州日産 Website “The acceleration of electrification: Nissan powers ahead with innovative electric ecosystem in Europe” 2018/03/06
https://europe.nissannews.com/en-GB/search?query=V2G&selectedTabId=releases
東京電力ホールディングス株式会社、日産自動車株式会社ジョイントプレスリリース、２０１７年12月13日
チャデモ協議会Ｗｅｂサイト　https://www.chademo.com/ja/
チャデモ協議会プレスリリース「超高出力充電を中国電力企業聯合会と共同で開発」２０１８年８月22日
チャデモ協議会プレスリリース「日中次世代超高出力充電規格、チャデモ３・０として発行完了」２０２０年４月24日
IEA “Global EV Outlook 2020” June 2020
Nikkei Asia “In Depth: CATL loses EV battery crown as foreign players muscle in” July 12, 2020
https://asia.nikkei.com/Spotlight/Caixin/In-Depth-CATL-loses-EV-battery-crown-as-foreign-players-muscle-in
国立研究開発法人新エネルギー・産業技術総合開発機構（ＮＥＤＯ）プレスリリース「全固体リチウムイオン電池の研究開発プロジェクトの第２期が始動」２０１８年６月15日

3

エネルギー転換に欠かせないデータという資源

データは「21世紀の石油」

これまでに述べてきたように、再生可能エネルギーはエネルギー転換における主要なエネルギー源となっている。

しかし、再生可能エネルギーはその資源ポテンシャルがあるというだけでは普及することは難しい。再生可能エネルギーを普及させるためにはどうしても必要となるもう一つの資源があるのだ。それは、データである。

およそ化石燃料を資源エネルギーの主体としてきた20世紀には、データが資源であるということなどはなかなか想像できなかったことであろう。

前述したとおり、再生可能エネルギーは変動するエネルギーであることから需給を一致させるコントロールが必要となる。そのためにAI、IoT、ビッグデータという高度なICT技術を駆使したIoEの導入が欠かせないのだが、IoEは気象予測データにもとづく発電予測データと需要データをAIで解析し、最適な需給指令を導き出すものだ。

即ち、データがなければIoEは機能しない。

高度なICT技術が進んだ現代では、ほぼすべての産業やサービスにデータは欠かせないものになっている。

例えば、自動運転、自動ブレーキ、V2Gへのコネクテッドなどの機能を搭載した最新鋭のEVの製造には、自動運転のための地図データ、自動ブレーキのための走行データ、そしてV2Gのための電力消費データなどの膨大なデータが必要になる。

データが集まれば集まるほど、それをICTで解析することでさらに完成度の高いEVを製造することができ、逆にデータを手に入れられなければ停滞してしまう。

日本では、メーカーによってはEVに必要な各種データを収集するため、EV販売時にユーザーに対してEVに搭載されている情報通信システムを通じて走行データ、電量消費データなどの提供を依頼しており、約60%のユーザーが情報提供に同意しているとされている。

一方、中国の場合は、そうしたEVの各種データはユーザーが好むと好まざるにかかわらず100%提供されることになっている。

60%のデータしか集められない日本と、100%データを集められる中国とでは、そのうちEV製造における格差がついてしまうことが懸念される。

かつての世界大戦で石油を持つ国と持たざる国との間には勝敗を分ける歴然とした差があったように、現代ではデータが「21世紀の石油」として形容され、データという資源を持つ者と、持たない者とでは大きな力の差が生じるのだ。

セブンシスターズ化するプラットフォーマー

エネルギー転換では、データが再生可能エネルギーと並ぶ資源となる。

そのことはパリ協定の採択時には、GAFAをはじめとするICTビジネスを展開するプラットフォーマーたちは理解していた。

だからこそ、「ブレイクスルーエネルギー連合」にフェイスブックやアマゾン、そしてアリババといった顔ぶれが参加し、また、RE100においてアップル、マイクロソフト、グーグルが再生可能エネルギーの調達100%を自ら達成しているのだ。

データとそれを操るICTを持つことが、21世紀の資源エネルギー争奪において強力な武器となる。それは企業の時価総額の推移を見ても明らかだ。

2007年と2017年における企業の時価総額の上位を比較すると、2007年は1位エクソンモービル、5位ペトロチャイナ、7位ロイヤルダッチシェルと石油企業がトップを含め

GAFA
グーグル(Google)、アップル(Apple)、フェイスブック(Facebook)、アマゾン(Amazon)の4社の頭文字を取ってGAFAと称される。

た上位に君臨していた。

しかし、2017年には、1位アップル、2位グーグル、3位マイクロソフト、4位アマゾン、5位フェイスブック、9位テンセント、10位アリババとプラットフォーマーたちが上位を牛耳っている。

もちろん、企業の時価総額であるからエネルギー関連ビジネスだけではなく企業総合としての評価だが、2017年に10位以内に残った石油企業はエクソンモービルだけとなっており、プラットフォーマーがかつて石油を支配したセブンシスターズのように資源エネルギーの分野で台頭してきていると言える。

カギとなるプラットフォーマーによる街づくり

データとICTでエネルギービジネスに進出するプラットフォーマーであるが、今後はどのような形で影響力を強めていくのであろうか。

そのカギとなるのが、プラットフォーマーによる街づくりである。

街づくりと言ってもゼネコンが行うビル建設といったような土木建築事業ではない。プラットフォーマーが手掛けるのはスマートシティの構築である。

現在、世界のCO_2排出量の約70%を都市が占めていることから、都市のゼロエミッション化は急務となっている。

そのため、再生可能エネルギーの活用、スマートメーターによる省エネ高効率化、EV普及と自動運転、ライドシェアリング等によるCO_2削減を都市単位で実現するスマートシティの構築が求められている。

スマートシティはICTを活用し、再生可能エネルギー発電所、住居、オフィスビル、交通インフラなど都市を構成するあらゆる要素をIoTでつなぎ、人の移動やエネルギー需要動向、交通状態などの都市データを集め、それを解析することでゼロエミッションを実現する最適なエネルギー環境を構築するものである。

もちろん、都市のあらゆる要素がつながることから、エネルギーだけではなく行政サービスや医療サービス、そして娯楽などにおいても混雑の解消や手続きの簡易化などが図られ最適な住環境が提供されるもので、スマートシティの構築はまさにデータとICTを駆使するプラットフォーマーの土俵なのである。

こうしたスマートシティづくりをどこかの都市で成功させれば、その都市で得られたデータフォーマットは他の都市でも応用ができる。

スマートシティづくりに成功したプラットフォーマーは、そのデータフォーマットを応用して、あたかもオセロゲームの石を黒から白にひっくり返すように次々と他の都市をスマートシティ化することが理論的に可能となる。

そうなると、世界の資源エネルギーのトレンドはスマートシティを中心に形成されることになり、データとICTというスマートシティを構築する力を持ったプラットフォーマーが、かって石油を牛耳ったセブンシスターズのように世界の資源エネルギー動向を左右する大きな影響力を持つようになるのだ。

グーグル、トヨタ、スマートシティ覇権の行方

スマートシティを構築するプラットフォーマーの活動は既に始まっている。

2017年10月17日、グーグルの兄弟会社であるサイドウォークは、カナダのトロント市東部のウオーターフロント地域にICTを駆使したスマートシティをつくるプロジェクト「サイドウォーク・トロント（Sidewalk Toronto）」の実施を公表。

プロジェクトは、オンタリオ湖沿いの約4万8500㎡の土地にサイドウォークの主導で未来型の街づくりを進めるもので、同社は開発初期段階の資金として5000万ドル（約56億円）を拠出するとともに、グーグルも当該地域にカナダ本社を設ける計画であった。

サイドウォーク・トロントでは、温室効果ガスの89％削減を目標に、太陽光発電を活用するIoE、パッシブハウスと呼ばれる気密性の高いエネルギー高効率建物、ビルや下水からの排熱や地熱を利用した熱供給システム、リサイクル率を高める廃棄物チェーンなどの導入を計画していた。

カナダのトルドー首相はプロジェクトの記者会見で、「今回の開発は世界の都市にとってモデル事例になる」と述べるなど、このプロジェクトの成功はグーグルにとってスマートシティ

の構築、ひいては資源エネルギービジネスにおけるプレゼンスを発揮するまたとない機会であった。

しかし、計画後から、企業によるデータの収集は個人情報の保護に課題があるとして市民の反対運動が起きる。

市民からは、サイドウォーク・トロントは企業によるディストピア（暗黒郷）の創造であるといった厳しい声も上がり、２０１９年には開発規模の縮小などの修正が行われる事態となった。

さらにプロジェクトにとって困難な事態が起きた。

コロナ禍により経済がかつてないほど不安定化し、不動産市場が悪化してしまったのだ。

その結果、２０２０年5月7日、サイドウォークはサイドウォーク・トロントの撤退を表明。グーグルによる世界に先駆けたスマートシティ構築の野望は不発に終わった。

サイドウォーク・トロントという一つのプロジェクトは終わったが、スマートシティ構築という大きな流れは基本的に変わりはない。

日本では、２０２０年1月6日にトヨタ自動車が２０２０年末に閉鎖したトヨタ自動車東日本の東富士工場の跡地（静岡県裾野市）を利用して、「Woven City（ウーブン・シティ）」と名付けたスマートシティを構築することを公表している。

これは、トヨタと日本のプラットフォーマーと言えるＮＴＴとのスマートシティビジネスの事業化に向けた業務資本提携により実施されるものだ。

ディストピア
反理想郷（反ユートピア）、暗黒世界などの世界を意味する。

敷地面積は約71万㎡で着工は2021年2月、初期はトヨタの従業員や関係者ら約2000人の居住を見込んでいる。

トヨタの得意とする次世代型のモビリティの導入はもちろんのこと、都市に必要なエネルギーは、水素を利用した燃料電池で発電するほか、住宅や商業施設には、太陽光発電を設置するなど、環境に配慮した省エネ高効率の街づくりを進めることが計画されている。

トヨタのこの計画は、サイドウォーク・トロントと違い、トヨタの工場跡地を利用して一から街づくりを行うという点で、当該計画地には既存の住民は存在しないことから、反対運動は起きにくい環境にあると言える。

一方で、コロナ禍の影響で人の移動や暮らしなどが制限され、リモートワークが当たり前になりつつある状況のなか、ニューノーマルと呼ばれるこれまでとはまったく異なるライフスタイルの構築も始まっていることから、従来型の人が集まり移動する街というコンセプトでは対応しきれなくなることが予測できる。

トヨタのウーブン・シティがそうしたコロナ禍の影響にどこまでキャッチアップできるかが、成功のカギとなるだろう。

スマートシティの構築はその他にも、中国のプラットフォーマーであるアリババが本社を置く杭州市で実用化に向けた取り組みを進めているなど、引き続き各地で取り組まれていくが、その多くはコロナ禍前に計画されたものだ。

スマートシティを制する者は資源エネルギー分野で大きなアドバンテージを手にすることに

なるが、スマートシティの覇権を握るためにはコロナ禍の影響をどのように街づくりに反映するかにかかっていると言えるだろう。

〈参考文献〉

「世界の株、時価総額最高　IT勢にマネー流入」『日本経済新聞』2017年6月2日
「特集　終焉　GAFAの時代　企業と国家の未来　PART1－覇権の終わりの始まり　帝国になったGAFA　世界で民衆蜂起」『日本経済新聞』2020年1月6日

レアアースを含んだ鉱石（提供：ロイター＝共同通信社）

chapter. 6

第 6 章

廃棄物が資源の主役となる未来

1 エネルギー転換による鉱物資源リスク

エネルギー転換が引き起こす鉱物資源の需給逼迫化

エネルギー転換により再生可能エネルギーの普及が大幅に進むということは、再生可能エネルギーの発電設備が大幅に導入されることを意味する。

2015年の大規模水力を含めた世界の再生可能エネルギーの設備導入量は、世界の全発電設備容量の約31%となる約1973GWの導入量となっているが、パリ協定発効当時に国際エネルギー機関(IEA)から公表された報告書"World Energy Outlook 2016"では、パリ協定の目標を達成するためのシナリオ(450シナリオ)において、2040年には全設備容量の約59%にあたる約6955GWの導入が必要としている。

例えば、2015年の風力発電設備導入量383・58GWに対し、2040年にはその設備容量は約6倍の2312GWに拡大する見通しとなっている。2015年から2040年における年間の増加量を単純計算すると、およそ80GW／年となる。

風力発電タービンの製造には、レアアース元素の一つであるジスプロシウム(Dy)が必要になる。その使用量を1MWあたり最大で25kg／MWとすると、年間約2000tのジスプロシウムが必要になる。2017年のジスプロシウムの世界生産量が約1500tであったことを考えると、風力発電設備の需要だけでジスプロシウムの年間生産量を上回ることになり、供給の不安定化が発生することが考えられる。

省エネ・高効率機器の急激な普及拡大も、鉱物資源リスクを招く可能性がある。

導入が進められている電気自動車(EV)の2017年の世界保有台数は約300万台となっている。大幅な普及拡大が見通されるEVにとって、車載用蓄電池の電極材としてコバルト(Co)は欠かせない鉱物となっている。例えば、テスラ社のモデルSでは1台当たり、コバルト9・9kgが使われるとされている。

IEAの450シナリオでは、2040年までにEV累積台数は7億1500万台に達するとされている。

2017年から2040年における年間の増加台数を単純計算するとおよそ3000万台／年となり、EVの車載用蓄電池に必要なコバルトは年間約29万7000tになるが、2015

年のコバルトの世界生産量が約12万ｔであったことを考えると、ＥＶの普及拡大は近い将来にコバルトの需給不安定化を引き起こす可能性がある。

ジスプロシウムとコバルトの事例はあくまで単純計算による推計であるが、エネルギー転換は様々な鉱物種において需給の不安定化という鉱物資源リスクを引き起こす可能性がある。

外交カードにされたレアアース

再生可能エネルギーの普及拡大により懸念される鉱物資源リスクだが、近年、世界はレアアースショックという鉱物資源リスクを経験している。

２０１０年９月、沖縄県尖閣諸島沖で起きた海上保安庁の巡視船と違法操業の中国漁船の衝突事件（尖閣諸島中国漁船衝突事件）を機に中国は、実質的なレアアースの輸出禁止を実施した。世界のレアアース供給のおよそ９割を中国に依存していたため、世界的なレアアースの需給不安定化というレアアースショックが発生した。

主要な供給源であった中国からの輸出が途絶えたため、レアアースの価格は大高騰し、パニックとも言える状況に陥った。

自動車をはじめ多くの産業で欠かせない鉱物資源であるため、各国はレアアース確保に奔走する事態となった。

そもそも中国はレアアースを国家の戦略物資として捉えている傾向があり、１９９２年には当時大きな影響力を持っていた鄧小平氏が中国の南部地域を視察して回った際に行った中国のさらなる改革・開放を唱えた「南巡講話」で、「中東有石油　中国有稀土　一定把我国稀土的優勢発揮出来」（中東に石油があるように中国には希土（レアアース）が有る……）と語っている。中東や石油メジャーが石油を戦略的にコントロールし世界に影響を与えたように、中国はレアアースを戦略的に扱い世界に影響を与えることができるという鄧小平氏の自信をうかがえる発言だ。

中国が行ったレアアースの輸出禁止は、自国の鉱物資源を本来の資源としての利用目的ではない外交カードとして使ったと言える。

中国が外交カードとして使ったレアアースであるが、そもそもレアアースに資源としての価値をもたらしたのは日本である。

レアアースの代表的な用途として、ネオジム磁石というハイブリッド車や電気自動車、そして風力発電などのモーターに必要不可欠な高性能磁石がある。

ネオジム磁石には、レアアースのネオジムとジスプロシウムが使われており、これらのレアアースを使うことで通常のフェライト磁石の約10倍の磁力と高温下でも磁力が落ちないという高い性能を発揮する。

今日ネオジム磁石はあまたの物に使われており、世界に大きな恩恵をもたらしているが、ネオジム磁石は１９８３年に日本の佐川眞人博士の手によって発明されたものである。佐川博士の発明がなければ、中国のレアアースは戦略物資としての価値を持つことはなかっただろう。

中国の輸出禁止に対し、アメリカは自国のレアアース開発企業であるモリコープが経営する

鄧小平
（１９０４～１９９７）
中国の政治家。フランス留学中に中国共産党に入党。帰国後、長征・抗日戦に参加。党総書記・政治局常務委員などを歴任。文化大革命と１９７６年の第一次天安門事件で二度失脚したが、その後復活し、１９８３年に国家中央軍事委員会主席に就任して最高実力者となった。

カリフォルニア州のレアアース鉱山、マウンテンパス鉱山への政策的支援を実施。

日本も対策として、2010年10月に経済産業省が総額1000億円の補正予算による「レアアース総合対策」を取りまとめ、①オーストラリアとレアアースの共同開発事業の実施など中国以外の供給源の多元化、②レアアース削減、代替技術の開発、③リサイクルの促進などに取り組んでいる。

また、日本は、アメリカおよびEUとともに、2012年3月、中国によるレアアースの輸出数量制限、輸出税の賦課等の輸出規制はWTO協定に違反するとして、協議のためのパネルの設置をWTOに要請した。

要請にもとづき設置されたWTOパネルは、2014年3月に、中国の輸出規制について、GATT（関税および貿易に関する一般協定）第11条1項（輸出数量制限の禁止）および中国のWTO加盟議定書第11条3項（輸出税の禁止）等に違反するとの日本の主張を全面的に認める判断を示し、同年8月にはWTO上級委員会においても同様の判断がされている。

その結果、中国はWTOの判断に従い、輸出数量制限および輸出税の撤廃を行い、レアアース危機は徐々に解消されていった。

終わらないレアアースの中国支配

レアアースショックは、中国による輸出規制がWTOの協定違反とした判断が下されたこと

COLUMN

尖閣諸島と海底資源

2010年9月7日、沖縄県尖閣諸島沖で違法操業をしていた中国漁船を海上保安庁が取り締まっていたところ中国漁船が巡視船に衝突してくるという事件が発生した。

尖閣諸島は紛れもない日本の領土であり、日本が違法操業者を取り締まるのは当然のことであるが、中国側は尖閣諸島は中国の領土であると主張し、日本の対応に反発するという態度に出てきた。

そもそも中国が尖閣諸島の領有権を主張し出したのは、1969年に国連アジア極東経済委員会（ECAFE）が同海域の学術調査を行った結果、尖閣諸島の近海に埋蔵量豊富な油田がある可能性が高いと発表されてからである。ECAFEの報告書では、台湾と日本との間にある大陸棚は世界で最も豊富な油田の一つとなる可能性があるが、同地域では十分な地質学的調査が行われておらず抗井掘削にとっての未踏地となっていることが指摘されている。

この報告がなされた後の1971年に初めて、中国は「領有権」を主張してきていることから、中国の主張は海底に眠る石油の利権目当てであることが考えられる。尖閣諸島は、領土と資源への関心が表裏一体となっている典型的な事例と言える。

図23 尖閣諸島

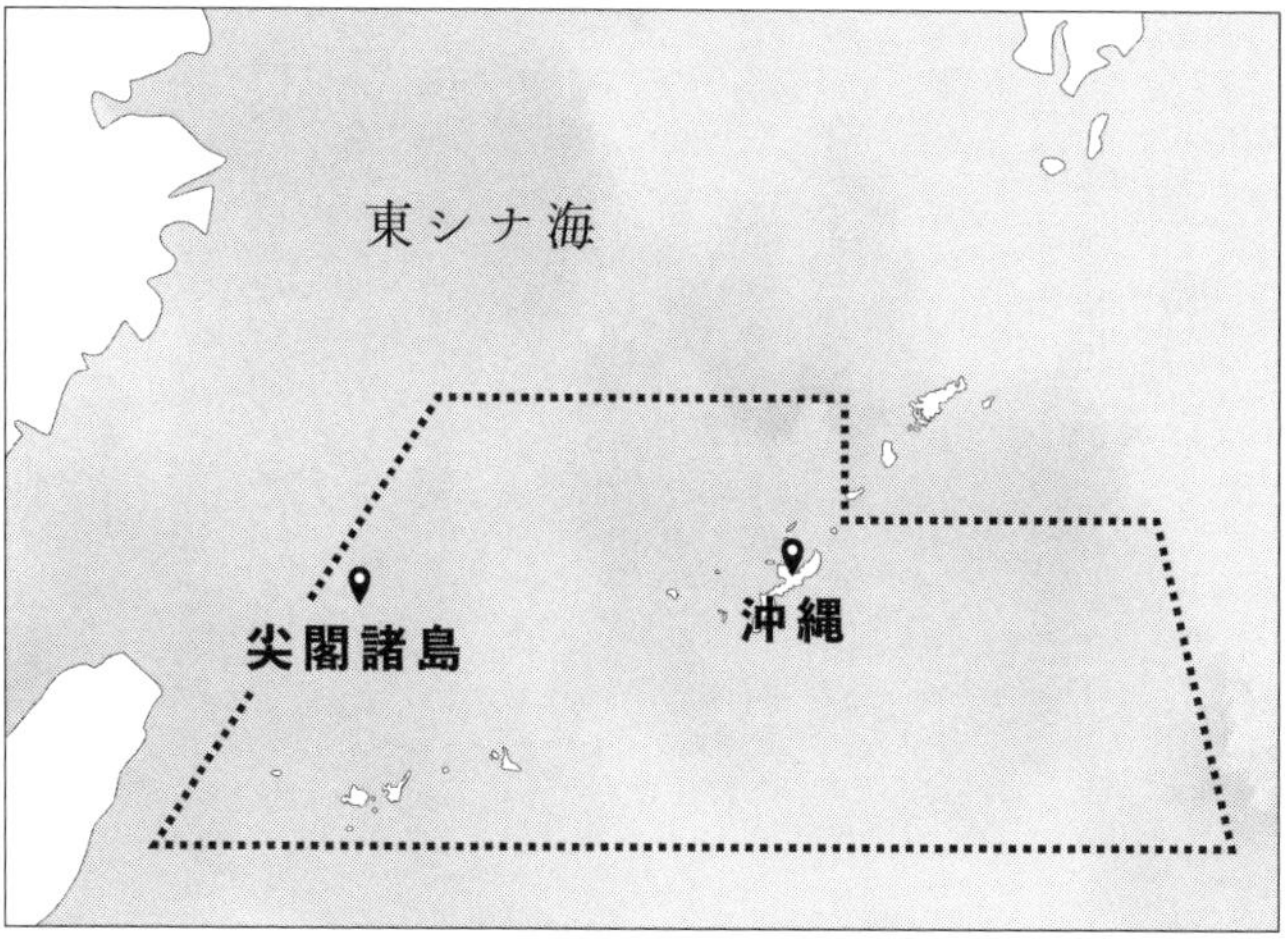

出所：外務省ホームページ「尖閣諸島情勢の概要」
https://www.mofa.go.jp/mofaj/a_o/c_m1/senkaku/page1w_000016.html

により終息を迎えているが、問題が解決されたわけではない。

世界的にレアアース供給源の多元化は実現されておらず、レアアース削減・代替技術などのレアアースレス技術の開発は、一部は成功したが依然としてコスト的な課題がある。

せっかく開発したレアアースレス技術も、WTOの判断が出た後、レアアースが市場に再び出回るようになり、コストのかかるレアアースレス技術を使う必要がなくなってきている。

また、ホンダ技研工業はレアアースの一種であるジスプロシウムを一切使わないネオジム磁石をいち早く開発し、ハイブリッド車用駆動モーター向けとして実用しているが、それはWTOによる判断が出た後の2016年になってからのことであり、レアアースショックのピーク時に効果を上げるものではなかった。

レアアースショック当時に、実態としてレアアースショックへの対処策となったのは、そもそもレアアースを材料に使う必要がなかった製品における需要削減や、通常であれば使用されることのないネオジム磁石の製造工程内の研磨くずなどの再使用が対処策となったことが指摘されている。企業が持っていた在庫のレアアースや工程くずなどの企業内備蓄が、効果を発揮したものと考えられる。

すなわち、レアアースショックに対する根本的な解決が成されないまま再び市場にレアアースが供給されるようになったことから、中国への過度な依存という問題が置き去りにされたまま現在に至っているのだ。

そうしたなか、中国はさらなるレアアース支配を強めている。

2015年6月、アメリカがレアアース確保のための対中戦略として支援していたモリコープが倒産するという事態が発生した。

WTOの判決による中国のレアアース輸出規制の緩和で、それまで高値で取引されていたレアアースの価格が急落し市況が悪化したことから経営に行き詰まり、資金繰りに行きづまったのだ。

この事態を中国は見逃さなかった。2017年6月、中国の資源会社である盛和資源がモリコープが持っていたアメリカのレアアース鉱山であるマウンテンパス鉱山を買収したのだ。

中国はWTOの判決後もレアアース支配の手を緩めず、ついにはアメリカのレアアース鉱山にまで触手を伸ばしてきたことになる。

盛和資源は、日本企業からもレアアースに関わるビジネスを取得している。盛和資源傘下のシンガポール企業が2016年7月、合金鉄の生産などを手掛ける新日本電工の傘下で、希土類(レアアース)磁石のリサイクル事業を運営するベトナムレアアースを買収しているのだ。

その他、中国は自国の環境規制の厳格化によりコスト高となってきた国内でのレアアース採掘を整理統合するとともに、中国と比べ環境コストの比較優位性があり、中国のコントロールが効きやすいミャンマーの鉱床での採掘へとシフトするなど、WTOの判決後も淡々とレアアース支配を進めており、レアア

中国企業に買収されたアメリカのマウンテンパス鉱山
(提供:共同通信社)

ースショックを経ても基本的に中国が支配している状況に変わりはない。

レアアースの中国支配が以前と変わらず続いている現状においては、いつまた第二のレアアースショックが起きてもおかしくない。

もし次のレアアースショックが発生した場合、備蓄という対策だけでは対処できない可能性がある。

レアアースと呼ばれる鉱物の需給不安定化がレアアースショックとまで呼ばれる影響を及ぼすことを考えると、再生可能エネルギー設備や省エネ高効率機器の導入が進むことで多種多様な鉱物種で需給の不安定化が起こることは、世界に計り知れない影響を及ぼすことになるだろう。

欧米がリスクと考える鉱物

こうした鉱物資源リスクに対し、アメリカではトランプ大統領（当時）が2017年12月20日に、重要鉱物（Critical Minerals）の安全で信頼できる供給を確保するための連邦戦略として大統領命令13817を発行している。

大統領命令は、重要な鉱物のリサイクルや代替技術の開発、民間部門の鉱物探査のサポート、重要鉱物の開発における同盟国やパートナーとの協力等を推進するもので、2018年2月16日には、重要鉱物として中国への依存度が極めて高いレアアースやコバルトを含めた35鉱種のリストが公表されている。

大統領命令13817は、マウンテンパス鉱山が中国の盛和資源に買収された後に発行されており、いささか後手後手な対応が垣間見られるが、中国の動きに危機感を持ったと捉えるべきだろう。

欧州でもアメリカと同様に重要な鉱物として27種類の鉱物がクリティカルローマテリアル（CRMs：Critical Raw Materials）として欧州委員会により指定されている。

CRMsとは、ハイテク製品にとって特に重要な物質で、例えば、スマートフォンの軽量化、小型化に欠かせない様々な鉱物などがそれにあたる。

CRMsには、気候変動問題への対処のため普及が必要な、ソーラーパネル、風力タービン、電気自動車、エネルギー効率の高い高効率照明などの製造に欠かせない鉱物も含まれており、その需要は2030年までに20倍に増えるとしている。

EUでは2011年から3年ごとにCRMsのリスト化を行っており、2011年に作成された最初のリストでは14鉱種のCRMsが特定され、2014年には20鉱種、そして2017年にはレアアース、コバルト、インジウム、タンタルなどを含めた27鉱種の鉱物がCRMsと特定されている（表2）。

EUでは、廃棄物に含まれるCRMs回収の優良事例をまとめた報告書を作成するほか、廃棄物からCRMsを回収して利用する取り組みをEU加盟国に奨励している。

具体的には、廃棄自動車に含まれる価値の高い様々な鉱物の漏えいを防ぐため、廃棄物出荷

表2 Critical Raw Materials（CRMs）に指定された27種類の鉱物

Antimony（アンチモン）	Fluorspar（蛍石）	LREEs（軽希土類）	Phosphorus（リン）
Baryte（バライト）	Gallium（ガリウム）	Magnesium（マグネシウム）	Scandium（スカンジウム）
Beryllium（ベリリウム）	Germanium（ゲルマニウム）	Natural graphite（天然黒鉛）	Silicon metal（シリコンメタル）
Bismuth（ビスマス）	Hafnium（ハフニウム）	Natural rubber（天然ゴム）	Tantalum（タンタル）
Borate（ホウ酸塩）	Helium（ヘリウム）	Niobium（ニオブ）	Tungsten（タングステン）
Cobalt（コバルト）	HREEs（重希土類）	PGMs（白金族）	Vanadium（バナジウム）
Coking coal（粘結炭）	Indium（インジウム）	Phosphate rock（リン鉱石）	

HREEs＝レアアースの重希土類、LREE s ＝レアアースの軽希土類

出所：EU “European Commission, Report on Critical Raw Materials in the Circular Economy 2018”から作成

図24 世界の主要レアアース鉱石生産国（国名、国別生産量（レアアース酸化物千t、2018年間値））

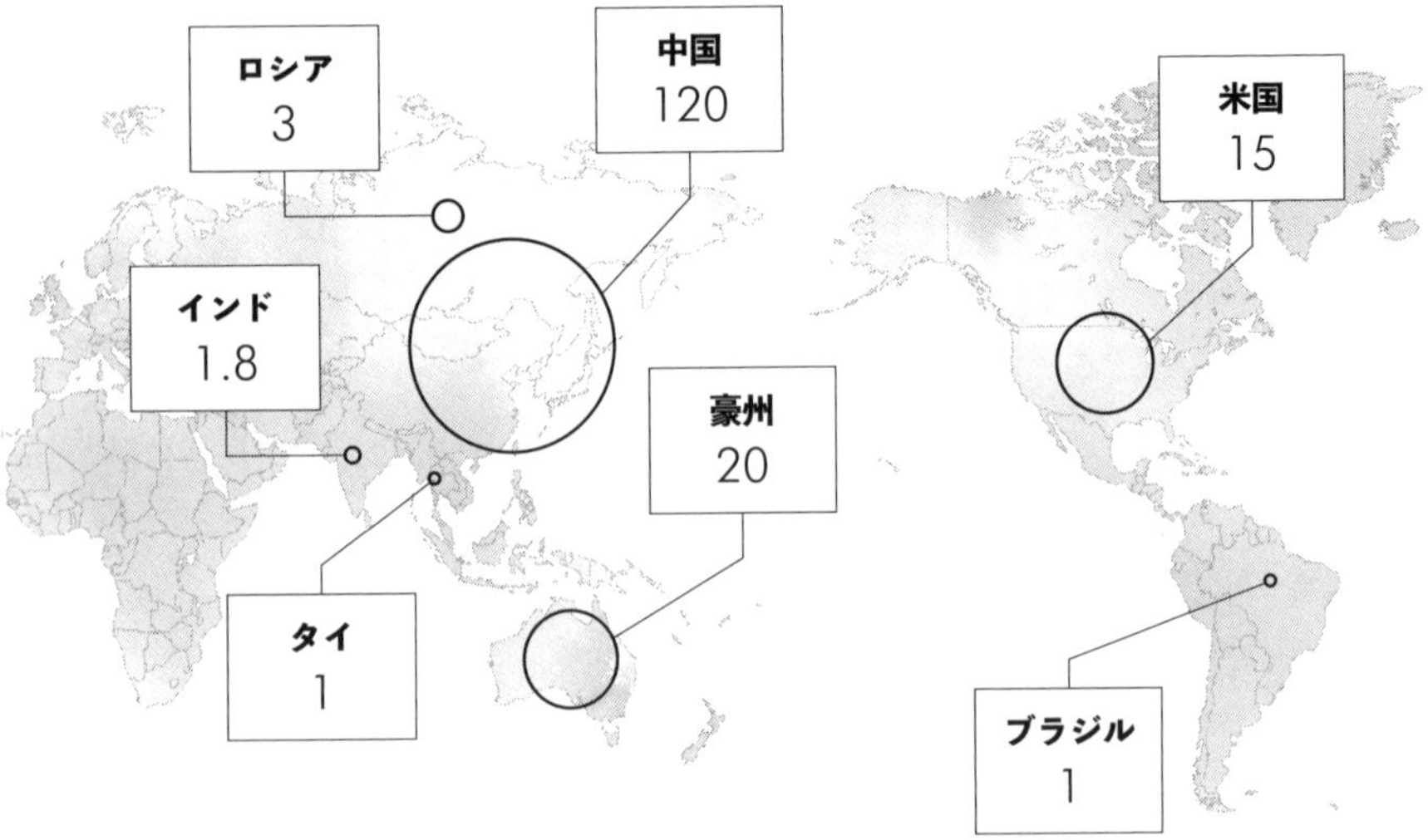

出所：JOGMEC『鉱物資源マテリアルフロー 2019 6.レアアース（REE）』令和2年3月

COLUMN

レアアースとは何なのか

レアアースという言葉が一般的に使われるようになってきたが、実はレアアースとは17元素の総称であり、一言でレアアースと言ってもその種類には17種類もあることはあまり知られていない。さらに17種類のレアアースは大きく軽希土類（LREEs）、中・重希土類（HREEs）という2種類に大別されるという少々ややこしいものなのだ。

例えば、軽希土類には、セリウム（Ce）、ネオジム（Nd）、サマリウム（Sm）といった元素があり、中・重希土類には、ガドリニウム（Gd）、ジスプロシウム（Dy）などがある。

軽希土類に関しては、世界に広く分布しており今後開発が進めば新たな鉱床も発見される可能性が高く、供給源の多元化を図りやすいと考えられている。

一方、中・重希土類は、主にイオン吸着鉱、アルカリ岩型鉱床といった鉱床から産出されるが、アルカリ岩型鉱床からの中・重希土類の抽出はイオン吸着鉱からの抽出に比べコストが高く、また抽出技術も確立されていないことから、現状、中・重希土類の供給源はイオン吸着鉱からの産出に偏っている。

そして、そのイオン吸着鉱は主として中国の南部など限られた鉱床に偏在しているため、中・重希土類に関しては中国からの供給に頼らざるを得ないという状況にある。

ジスプロシウムなどの中・重希土類はEV、PHVなど次世代自動車のモーターや原子炉の中性子遮蔽材等として使われる不可欠な鉱物であり、引き続きその需給動向には注視が必要となっている。

表3　レアアースの17元素

Sc	スカンジウム	Y	イットリウム	La	ランタン	Ce	セリウム
Pr	プラセオジム	Nd	ネオジム	Pm	プロメチウム	Sm	サマリウム
Eu	ユウロピウム	Gd	ガドリニウム	Tb	テルビウム	Dy	ジスプロシウム
Ho	ホルミウム	Er	エルビウム	Tm	ツリウム	Yb	イッテルビウム
Lu	ルテチウム						

出所：経済産業省ホームページ「レアアース希土類」
https://www.meti.go.jp/policy/nonferrous_metal/rareearth/rareearth.html

に関するＥＵ規則のなかで、所在不明の廃棄自動車も含め、廃車から処理施設に運び込まれるまでの追跡・管理のためのさらなる措置を講じることなどが示されており、こうした対応はサーキュラーエコノミー（ＣＥ：Circular Economy）というＥＵの資源循環政策のもとで推進されている。

〈参考文献〉

World Bank Group "The Growing Role of Minerals and Metals for a Low Carbon Future" 2017
http://phoventus.com/wp-content/uploads/2018/03/The-Growing-Role-of-Minerals-and-Metals-for-a-Low-Carbon-Future.pdf#
Adamas Intelligence "Spotlight on Dysprosium 2018" 2018 http://1b9dn310cnw45swh730g66pi-wpengine.netdna-ssl.com/wp-content/uploads/2018/04/Adamas-Intelligence-Spotlight-on-Dysprosium-April_2018.pdf
IEA "Global EV Outlook 2018" 2018
SNE Research Website "Global Lithium Ion Battery Raw Materials Market Trend and Forecast（~2025）" 2017-09-07
http://sneresearch.com/_new/eng/sub/sub1/sub1_01_view.php?mode=show&id=959&sub_cat=2>
ＪＯＧＭＥＣ Ｗｅｂサイト「鉱物資源マテリアルフロー２０１６ ９・コバルト（Co）」http://mric.jogmec.go.jp/wp-content/uploads/2017/06/09_201701_Co.pdf
田中彰、黄孝春、康上賢淑「レアアースショックと総合商社」『産業学会研究年報 第31号』２０１６年
EU "European Commission, Report on Critical Raw Materials in the Circular Economy 2018"
https://publications.europa.eu/en/publication-detail/-/publication/d1be1b43-e18f-11e8-b690-01aa75ed71a1/language-en/format-PDF

2 サーキュラーエコノミーという"資源大転換"

経済モデルを転換する欧州のサーキュラーエコノミー

鉱物資源リスクが懸念されるなか、欧州は鉱物資源リスクへの対処も含めた資源循環政策としてサーキュラーエコノミーの構築に取り組んでいる。サーキュラーエコノミーとは何なのであろうか。

現在の経済モデルは、地中に埋まっている天然資源を掘り出し、それをもとに製品を生産し、その製品を消費し、いらなくなったら捨てる、採鉱→生産→消費→廃棄という資源を直線的に消費し続けることで経済を成り立たせている線型経済（linear economy）とされている。

一方、欧州連合（EU）が取り組んでいるサーキュラーエコノミーは、廃棄物を捨てるのではなく、廃棄物をきちんと管理し、それを再生して再び資源として利用する、採鉱→生産→消費→廃棄物管理→廃棄物からの資源再生→再生資源による生産という循環サークルを形成し、省資源化と資源の価値を循環サークルのなかで可能な限り持続させるという資源循環型の経済である。

EUでは、現状の線型経済モデルの継続は天然資源の需要量を増大させ、このままのペースで資源を消費し続けると惑星2個分以上の天然資源が必要になるという危機感からサーキュラーエコノミーの構築が推進されている。

サーキュラーエコノミーの構築により、廃棄物の発生と資源の使用は最小限に抑えられ、製品がその寿命を迎えても、メーカーが不具合や故障箇所を修理して再生するリファービッシュメント（refurbishment）などにより新たな価値を付与され、サーキュラーエコノミーのなかで再び使用されるという資源循環が行われるのだ。

サーキュラーエコノミーは持続可能な社会構築のための単なる環境政策のように見える。しかしEUでは、サーキュラーエコノミーによる資源循環は、EUの技術革新と雇用創出に大きな利益をもたらし、サーキュラーエコノミーの構築により2030年までに18万人以上の直接雇用を創出し、EUのGDPを7％増加させ国際競争力を向上させることが見込まれている。

つまり、EUにとってサーキュラーエコノミーとは、単なる環境政策という位置づけだけではなく、EUが率先して廃棄物を資源として再生する技術革新を進め、再生した資源によりつくられた製品を流通させるシステムを構築することで、世界の経済モデルを線型経済からサーキュラーエコノミーに転換させ、欧州から世界中へクリーンな製品やサービスを輸出することを狙った経済戦略なのである。

サーキュラーエコノミーでは、環境に負荷をかけて採掘される天然資源よりも廃棄物から再生した資源のほうが優先されることになる。それは、これまでの資源の常識を覆し、廃棄物が天然資源よりも価値を持つという資源の大転換を意味する。

例えば、サーキュラーエコノミーの文脈でレアアースを考えてみよう。

サーキュラーエコノミーでは、中国が掘り出す天然資源のレアアースよりも、どこかの国で廃棄物から資源再生されるレアアースのほうが価値を持つことになる。

環境に負荷をかけて掘り出される天然資源のレアアースは、あたかもCO_2を排出する石炭のようにダイベストメント化する可能性もある。

すなわち、廃棄物から資源を再生し利用できる国が資源国になるという、資源国の地勢図を大きく塗り替えることになるのだ。

持続可能な社会を構築するために廃棄物の発生防止と再利用を促進することは、SDGsの目標12「つくる責任つかう責任」に明記されている。

EUはSDGsの目標達成という大義も背景にしてサーキュラーエコノミーの構築を進める方針にあるが、具体的には何をするのだろうか。

サーキュラーエコノミーの具体像

ＥＵにおけるサーキュラーエコノミー構築の取り組みは、２０１０年３月に公表された欧州成長戦略（Europe 2020）のなかに記載された、資源の有効な活用と効率性をあげる政策、「資源効率性」（ＲＥ：Resource Efficiency）から始まっている。

２０１１年９月には「資源効率性（ＲＥ）」政策を達成するための工程を記した「資源効率的な欧州に向けたロードマップ（Roadmap to a resource-efficient Europe）」（以下、ロードマップ）が公表された。

そして、２０１５年12月にはロードマップを達成するための具体的な行動計画となる政策文書、「サーキュラーエコノミー・パッケージ（Closing the loop-An EU action plan for the Circular Economy）」（以下、ＣＥＰ）が発表されている。

ＣＥＰは、ＥＵの将来像や進むべき方向を示した「コミュニケーション」という政策文書にあたるもので拘束力のあるものではないが、製品の、①生産、②消費、③廃棄物管理、④廃棄物から資源へ（再資源化）、というライフサイクル全般におけるサーキュラーエコノミー構築の具体的な行動計画が示されている。

①生産における行動計画

生産における行動計画では、製品デザインと生産プロセスの二つの視点から計画が示されている。製品デザインでは、より耐久性があり、修理やアップグレード、または再製造が容易なものを良い製品デザインと位置づけている。そして、リサイクル率を高めるため、あらかじめリサイクルがしやすい設計としておくことが重要としている。

例えば、テレビのフラットスクリーンには金、銀、パラジウムなどの経済的価値の高い貴金属が含まれている。これらを効率よく回収するためには手解体が最も効率的で、90％の回収率を達成できることがEUでは見込まれている。

一方、手解体が難しく経済的に見合わない製品デザインとなっている場合、粉砕によるリサイクルを行うことになるが、これはリサイクル率を著しく落とすことから、製品デザインの段階から手解体しやすいものとしておくことが必要としている。

こうした観点をEUのエコデザイン指令に反映させ、その第一歩としてコンピュータのディスプレイやテレビのフラットスクリーンから取り組みを開始するとしている。

EUはまた、廃棄物法制の改正指令案によって、より簡単にリサイクルできる製品を設計するための経済的インセンティブを与えるため、拡大生産者責任制度のもとで生産者が支払わなければならない廃棄コストを、その製品が寿命をまっとうした後に必要となる、分別、収集、選別などリサイクルやリユースに必要な廃止費用（end of life cost）にもとづいて差別化することによって、より良い製品設計を奨励することを提案している。

生産プロセスについては、生産に投入される資源を効率的に使い、資源効率性を上げることで、生産プロセスにおけるコスト低減を図っていくことが重要とされている。さらに、廃棄物や副産物を活用する革新的な生産プロセスを促進することが重要であるとして、ある産業で発生した廃棄物や副産物が別の産業の資源となる「産業共生」を促進するとしている。

エコデザイン
製品の生産・使用・リサイクル・最終廃棄など、製品のライフサイクルの各段階において環境保全に配慮したデザイン。また、その生産技術のこと。

②消費における行動計画

消費おける行動計画では、消費者が何を選択するかという選択行動がサーキュラーエコノミーの形成に大きな影響を及ぼすという視点から計画が示されている。

消費者の選択行動は、製品情報へのアクセス、価格、規制の枠組みなどによって左右され、特に価格が消費者の意思決定に大きな影響を与える要因の一つであることから、価格に製品の環境コストを反映することがサーキュラーエコノミー構築の手段になることを示唆している。

また、もう一つの重要な手段として公共部門のグリーン調達があげられている。EUの政府調達はGDPの20%にも及ぶことから、政府調達におけるグリーン調達化という消費行動を示すことでEU全体の消費行動を変えていくことが示されている。

こうした視点のもと、以下の行動計画が示されている。

- エコデザインの取り組みにおいて、耐久性と修理・スペアパーツの入手可能性情報や耐久性情報を具体的に検討する
- 「環境に配慮した製品である」と宣言（表示）されたものでも、その根拠が十分でないものなど「偽のグリーン宣言」への対処に取り組む
- 消費者の買い替えを促すため、使用期限を限定した商品を販売するなどの「計画的陳腐化」の問題へ対処し、不必要な製品の買い替えを抑制する
- 欧州委員会（EC）が政府調達におけるグリーン調達の実例を示し、グリーン公共調達

グリーン調達
国や自治体、企業などが、資材や部品などの各種製品やサービスを調達する際に、環境に配慮した物品、サービスを優先的に選択すること。

（GPP）の実施を拡大する

その他、製品のカーボンフットプリントやエコラベルによる情報提供、課税などによる製品価格への環境コストの反映、製品やインフラの共同使用（シェアリング）の実施なども示されている。

③廃棄物管理における行動計画

CEPでは、廃棄物管理はサーキュラーエコノミーにおいて中心的な役割を果たすとして、資源の価値が循環サイクルのなかで可能な限り残るように、EUの廃棄物階層（waste hierarchy）に沿った廃棄物の管理を実施することが重要とされている。

廃棄物階層とは、ECの「廃棄物に関する指令2008／98／EC（廃棄物枠組指令）」により、廃棄物の管理および処理に関する優先順位を定めたものである。

それによると、①廃棄物の発生抑制（prevention）→②再利用のための準備（preparing for re-use）→③リサイクル（recycling）→④エネルギー回収などの他の回復（other recovery, e.g. energy recovery）→⑤廃棄（disposal）という流れが廃棄物階層の優先順位とされている。

この順位中、②再使用のための準備とは、廃棄物となった製品や部品を他の前処置なしで再使用できるよう、回収時の確認、洗浄、修理することを意味する。

また、③リサイクルは、廃棄物となった製品が持つ元の利用目的であろうと他の利用目的であろうと、廃棄物が製品、材料または物質に再処理されるあらゆる回収作業を意味する。

カーボンフットプリント
原材料の調達から製造、輸送、消費後の廃棄に至るまでの製品のライスサイクルの各過程で、その商品が出す温室効果ガスの量を積み上げ、二酸化炭素（CO_2）に換算して表示するもの。

エコラベル
ドイツが発祥とされる地球環境の保全に役立つと認定された商品につけられるマーク。日本ではエコマークとも呼ばれる。

ただし、それには焼却による燃料・エネルギーとしての回収、埋め立てのための材料への再処理は含まれない。燃料・エネルギーとしての回収などは、④エネルギー回収などの他の回復、での対処とされている。

こうした廃棄物階層を念頭にして、廃棄物管理の目的を達成するため、

・2030年までに市町村の廃棄物の65%をリサイクルする
・2030年までに包装廃棄物の75%をリサイクルする
・2030年までに市町村の廃棄物の埋め立て率を10%まで減らす

などの具体的な数値目標も示されている。

④再資源化における行動計画

本来、再生された資源は、鉱山など

図25　欧州サーキュラーエコノミーの資源循環体系の概観

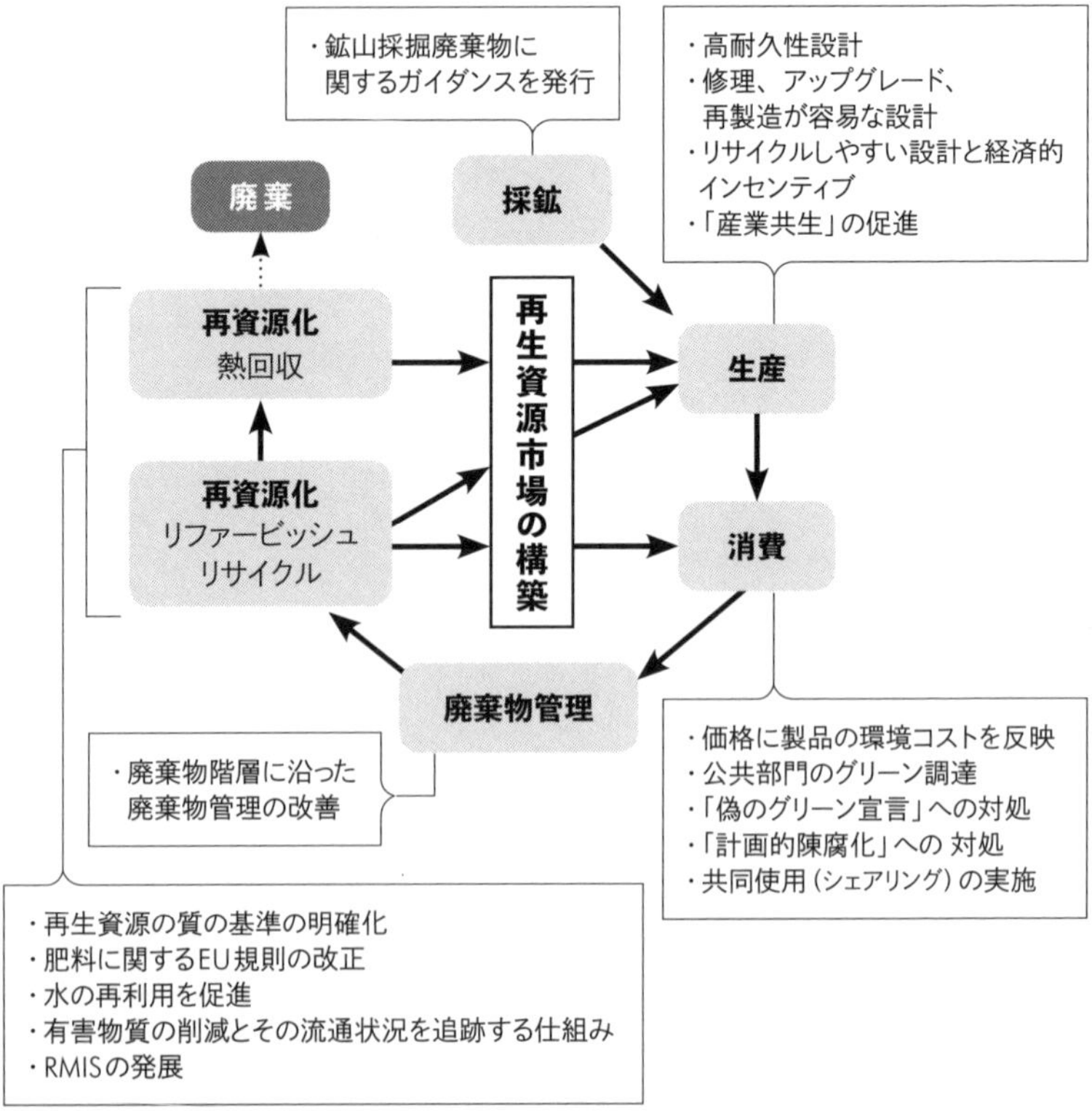

出所：CEPから筆者作成

から採取されたばかりの天然資源と同様に経済活動に投入されるべきものであるが、現状、ＥＵにおける再生資源の活用率は低い。

そのためＣＥＰにおける再資源化の行動計画では、再生資源市場を構築・拡大するため、主に次の五つの方針が示されている。

- 再生資源の質についての基準（特にプラスチックの質の基準）の開発に取り組むとともに、再生資源が有効に市場に循環するよう、廃棄物ではないとする基準を明確にし、ＥＵ内での「廃棄物の終了（end of waste）」基準のばらつきを減少させる
- リン鉱石など鉱石由来の肥料への依存を解消するため、有機肥料および廃棄物ベースの肥料の承認を促進する
- ＥＵ内の水不足に対処するため、再利用される水の最低限の要件を示し、水の再利用を促進する
- 再生資源のＥＵ内における国境を越えた活用を促進するため、製品に含まれる有害性が懸念される化学物質の削減とその流通状況を追跡する仕組みの改善を行う
- ＥＵにおける原材料の政策や生産状況、開発動向などの情報を閲覧できる情報データベースシステム（ＲＭＩＳ：Raw Materials Information System）をさらに発展させ、原材料の流れに関するＥＵ全体の研究を支援する

こうしたサーキュラーエコノミーの資源循環の流れと各プロセス、そして各プロセスに課せられる条件を図25にまとめた。

欧州の狙いは再生資源市場の創出

前述の通り、CEPでは欧州がサーキュラーエコノミーを構築するうえで取り組む内容が具体的に記されているが、それらが目指すところは再生資源市場の構築である。

サーキュラーエコノミーを機能させるためには、再生資源が流通しなければならない。そのために、欧州における再生資源の基準をつくり、生産と消費において再生資源が優先される環境を構築し、資源として再生される廃棄物が散在しないように管理することで再生資源が流通する仕組み、すなわち再生資源市場を構築するというのがCEPの趣旨と言える。

そして、採鉱↓生産↓消費↓廃棄物管理↓廃棄物からの資源再生↓再生資源を使った生産という循環サークルの各々のプロセスに欧州としての規制を設定することで、欧州で経済活動を行う者にはもれなくそれに従ってもらうということになる。

例えば、欧州基準の手解体ができない製品は欧州では販売が厳しくなったり、欧州の基準をクリアした再生資源を使うことが必要になるなどが考えられるだろう。

サーキュラーエコノミーの構築は国際競争力を向上させるとEUが見込んでいるのは、世界に先駆けて欧州基準の再生資源市場を創出し、それを世界に広げることで先行優位性を獲得しようとする意図がうかがえる。

こうしたＥＵのサーキュラーエコノミー構築の動きは、エネルギー転換と類似点がある。気候変動問題への対処という大義のもと、化石燃料から再生可能エネルギーへの転換が進められ、それとともにクリーンエネルギー市場が構築されたわけだが、欧州のサーキュラーエコノミーもＳＤＧｓの目標12「つくる責任つかう責任」の達成という大義のもと、天然資源から再生資源へと転換を進めるため、再生資源市場を構築しようとしている。

再生可能エネルギーの普及は困難とされていたが、結局、エネルギー転換は急速に進み、１６０兆円以上とされるクリーンエネルギー市場が生まれ、世界はその市場獲得競争を繰り広げている。

同じように、サーキュラーエコノミーが構築されれば、クリーンエネルギー市場のような巨大な再生資源市場が生まれ、それを先導したＥＵは大きな利益を得るだろう。

それだけではない。石油、天然ガス、鉱物などの天然資源を輸入に依存する欧州は、サーキュラーエコノミーの構築により再生資源が主役となることで、天然資源の海外調達という資源制約を大きく軽減することができるのだ。

もちろん、サーキュラーエコノミーの各プロセスで使われる主たるエネルギー源は再生可能エネルギーとなることは言うまでもなく、廃棄物を再生し資源として市場に投入するには、廃棄物の収集、再生資源生産、流通にわたるデータも必要不可欠な資源となるであろう。

２０２０年２月にはサーキュラーエコノミー・パッケージにもとづく取り組みをさらに強化

するため、ＥＵはニュー・サーキュラーエコノミー・アクションプラン（New Circular Economy Action Plan）という行動計画を欧州グリーン・ディールの一環として公表し、その戦略性をますます高めている。

〈参考文献〉

Didier Bourguignon "Closing the loop New circular economy package" European Parliamentary Research Service, January 2016

3 始まっているサーキュラーエコノミーの主導権争奪

サーキュラーエコノミーの国際標準化を進める欧州

ＥＵが取り組んでいるサーキュラーエコノミーについて紹介してきたが、サーキュラーエコノミーは遠い欧州の話で日本とはあまり関係ないと思われるかもしれない。しかし、それほど状況は甘くない。既に欧州ではサーキュラーエコノミーの構築とともにサーキュラーエコノミーの国際標準化の動きも始まっているのだ。

２０１８年６月、フランスの標準化機関であるアフノール（ＡＦＮＯＲ：French Standardization Association）より、国際標準化機構（ＩＳＯ）にサーキュラーエコノミーに関する国際標準規格策定

アフノール
フランス規格協会（１９２６年設立）の略称。フランスを代表する国内標準化機関、兼国際標準化機関で規格の開発、販売、普及を行う。

のための技術委員会（TC：Technical Committee）の設置提案が出された。

これは、サーキュラーエコノミーに関するプロジェクトのフレームワークやガイダンス、そして支援ツールなどの標準化を図ることを目的としたもので、提案内容は、サーキュラーエコノミー関連プロジェクトの実施を希望するあらゆる組織に適用されることが目指されている。また、サーキュラーエコノミーの技術委員会の設置提案は、国連のＳＤＧｓの目標達成に貢献するものともされている。

こうしたアフノールからの技術委員会設置の提案は認可され、ＩＳＯのなかにサーキュラーエコノミーの国際標準化を進める技術委員会３２３（TC３２３）が設置されるに至り、２０２０年10月現在、70カ国の参加国と11カ国のオブザーバー国から構成されている。

そして、技術委員会設置の提案者であるフランスは、当然ながら標準化の議論をリードするポジションとなる技術委員会３２３の議長の座についており、サーキュラーエコノミーの主導権をいち早く握ろうとする動きに出ている。

ＥＵのＣＥＰは「コミュニケーション」という拘束力はない政策文書にあたるものだが、既にＥＵは２０１８年1月に公表された政策文書、“A EUROPEAN STRATEGY FOR PLASTICS IN A CIRCULAR ECONOMY”において、まずはプラスチック分野でサーキュラーエコノミーの国際標準化を構築する方針であることを示している。

前述の通り、ＷＴＯのＴＢＴ協定（貿易の技術的障害に関する協定）では、ＷＴＯ加盟国は原則としてＩＳＯやＩＥＣなどの国際的な標準化機関が作成する国際規格を自国の国家標準においても基礎とすることが義務付けられている。すなわち、ＩＳＯで議論されている様々なサーキュラー・エコノミー構築のための標準化内容は、欧州のみならず日本も含めた世界的な国際標準として従わなければならない拘束力を持ったものとなる可能性がある。

ＥＶの急速充電設備で日米欧中が標準化争いを繰り広げているように、サーキュラーエコノミーにおいてもその主導権を握ろうと国際標準化という舞台での争いが始まっているのだ。

技術委員会３２３の議長の座についたフランスが一歩リードしている形だが、必ずしもフランスとＥＵ各国の思惑が１００％一致しているものでもない。

しかし、これまでの様々な国際標準化の舞台における欧州の動向では、当初まとまりのなかった欧州各国も議論を重ねるうちにＥＵというまとまりとなっていくケースが多い。

そして、標準化の可否を決定する投票においてＥＵ加盟国という組織票となってプレゼンスを発揮することから油断はできないのだ。

日本と欧州の資源循環政策の違い

欧州はサーキュラーエコノミーの構築とその国際標準化を戦略的に進めているが、日本の資源循環の取り組みはどのようになっているだろうか。

日本における循環型社会の構築は、環境基本法のもとで２０００年に制定された「循環型社会形成推進基本法」（以下、循環基本法）とその実行法によって推進されている。

循環基本法では、循環型社会の構築について、取り組むべき施策の優先順位と、誰がその責任を負うかという二つの基本的な考え方が示されている。

施策の優先順位は、まずもっとも優先されるべき施策として、①廃棄物の発生抑制があげられている。そして、②再利用（リユース：廃棄物を循環資源としてそのまま繰り返し使うこと）、③再生利用（マテリアルリサイクル：廃棄物を循環資源として原材料にして利用すること）、④熱回収（サーマルリサイクル：廃棄物を燃やして熱として回収すること）、⑤適正処分（廃棄）が優先順として行われるべきとしている。

責任の負担については、これまで市町村が負ってきた廃棄物の処理に関わる責任の全部、または一部を製品の生産者が負う拡大生産者責任とされている。

こうした循環基本法の趣旨にもとづき、資源循環を具体化するための実施法として、自動車リサイクル法、建築資材リサイクル法、食品リサイクル法、小型家電リサイクル法、家電リサイクル法、容器包装リサイクル法という個別のリサイクル法が施行されている。

また、国・地方公共団体や独立行政法人等が物品や役務の調達にあたり循環資源の再利用・再生利用によりつくられた製品や原材料を率先して選択することを目的としたグリーン購入法も施行されている。

一見すると日本の循環基本法はサーキュラーエコノミーと似た資源循環を促すものに見えるが、循環基本法の趣旨を具体化するために施行された個別のリサイクル法における再商品化、再資源化とは、循環利用ができる「状態にすること」という準備行為にとどまっているのだ。

つまり循環基本法では、再利用、再生利用を行うことが趣旨となっているにもかかわらず、

図26　日本の資源循環体系の概観

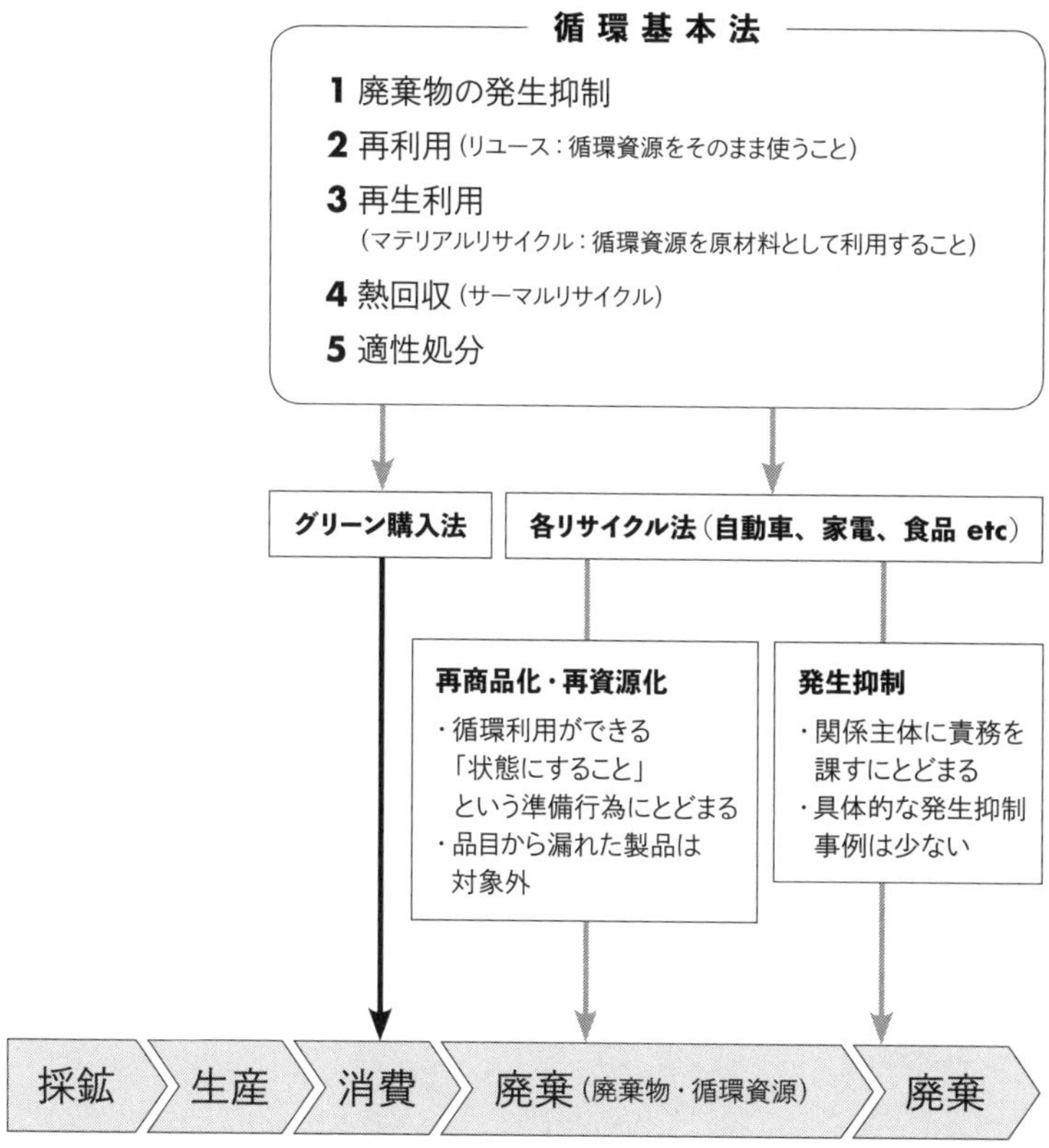

出所：循環基本法、各リサイクル法などから筆者作成

肝心の実施法では、それを行うことになっていないという矛盾した状態になっているのだ。

また、個別リサイクル法による再商品化、再資源化は自動車や建築材など実施法の品目別に実施されることから、品目から漏れた製品は資源循環の対象とされないという課題もある。

さらに、循環基本法における取り組むべき施策の最上位にある廃棄物の発生抑制では、現行法では関係主体に対する責務を課すにとどまっており、具体的な政策により発生抑制を行う事例は少ない状況にある。

また、日本の施策は、欧州のサーキュラーエコノミーのように経済モデルを根本的に変革する趣旨のものではなく、図26に示すように、資源の採取→製造→消費→廃棄、という従来の線型経済（linear economy）をもとにしたものとなっている。

一方、ＣＥＰによる資源循環は前掲した図25のとおり個別品目を対象にしたものではなく、資源の採取までさかのぼった、①生産→②消費→③廃棄物管理→④廃棄物から資源へ（再資源化）という製品のライフサイクルにおける各プロセスごとに具体的な施策を講じるものである。すべての廃棄物が資源循環の対象とされ、再生資源が流通する再生資源市場を創出するものとなっている。

責任の所在については、日本では個別の生産者が拡大生産者責任を負う生産者主役型の拡大生産者責任であるのに対し、欧州のサーキュラーエコノミーではリサイクル業者がリサイクル業を一手に担い、リサイクル業者の活動にすべての分野の生産者が協力・支援するリサイクル業主役型の拡大生産者責任となっている。

欧州のサーキュラーエコノミーは経済成長と雇用の創出が重要な趣旨であることから、リサイクル業者を主役とすることはリサイクルの効率化を促すだけでなく、日本で言うところの静脈ビジネスの発展にもつながることになる。

このように、欧州のサーキュラーエコノミーが廃棄物を再生資源化して流通させる実行力のある内容になっているのに対し、日本の再資源化は循環利用ができる「状態にすること」という準備行為にとどまっている。日本の資源循環政策はとても再生資源市場を構築できるものではなく、ピントの外れたものとなっているのである。

大規模ビジネスを展開する欧州企業、勢力拡大を目指す中国企業

ピントの外れた日本の状況を横目に、既に欧州ではフランスを本拠とするヴェオリア（VEOLIA）や、同じくフランスを本拠とするスエズ（SUEZ）など、大規模なリサイクルを手掛けるメガリサイクラーと呼べる大企業により、廃棄物回収から再資源化、そして再生資源販売を含めたビジネスモデルが確立されて、スケールメリットを活かした大規模なビジネス展開がなされている。

例えば、ヴェオリアは、中国やシンガポールにまで進出し、廃棄物処理ビジネスを行うなど大規模なビジネス展開を行い、2016年の売り上げは2兆9714億円（243億9000万ユーロ）に達している。こうした欧州のメガリサイクラーは、サーキュラーエコノミーの構築によ

りさらにビジネスの幅を広げ競争力をつけていくことになるだろう。

サーキュラーエコノミーの構築における中国の動きも著しい。

2016年9月、上海を拠点とする中国の廃棄物管理企業、CNTY（China Tianying Inc.）が、スペインの大手廃棄物管理企業、Urbaserを約20億ポンド（約3000億円）で買い取るという巨額企業買収を行った。同年には、中国企業がドイツの大手廃棄物管理企業であるEnergy from Waste（EEW）を約15億ユーロ（約2000億円）で買収したほか、欧州最大手の金属スクラップ処理企業であるドイツのScholzを約3億7000万ユーロ（約500億円）で買収するなど、次々と欧州の有力な資源循環関連企業を買収し勢力を拡大してきている。

そして、2018年7月16日には、北京で開催された第20回中国・EU首脳会議において、EUと中国が包括的な戦略的パートナーシップを推し進めるなかで、サーキュラーエコノミーの分野で対話・協力を進めることが合意されている。

まさに、欧州のサーキュラーエコノミー構築の動きに対し、中国は欧州企業の買収という形で勢力を拡大するとともに、EUとの協力関係の合意も取り付けるというしたたかな戦略に打って出ているのだ。

日本版サーキュラーエコノミーの構築を

欧州、中国がサーキュラーエコノミーの構築を目指して果敢にビジネスを展開している一方、日本の動きは鈍い。

日本の廃棄物処理・リサイクルビジネスは、個別の生産者が拡大生産者責任を負う生産者主役型になっており、廃棄物回収から選別は各産業の専門事業者が担い、廃棄物処理から販売は廃棄物処理業者が担うという細分化された構造になっている。

そのため、企業規模は中小企業が多く、大手であっても年間売上規模は数百億～1千億円程度となっており、とても欧州のメガリサイクラーや企業買収で勢力を拡大する中国勢に対抗できる状況にない。

現状の都市ごみのリサイクル率（2016年）を見ても、EUにおけるリサイクル率は平均で30％に達しているのに対して、日本のリサイクル率は18％に止まっている。日本の遅れは明らかだ。

それはすなわち、このままでは次の時代の資源となり得る再生資源を日本国内で生産することができず、将来においても再生資源を欧州や中国からの輸入に依存しなければならないというリスクを抱えているということになる。

気候変動問題に端を発する鉱物資源リスクに対しても、日本が従来型の備蓄と個別リサイクル法という対象品目が限定される施策で対処するのに対して、欧州ではよりマクロな視点から、再生資源市場の創出により資源制約と経済成長をデカップリングさせるサーキュラーエコノミーの構築による対処を目指しているという大きな違いがある。

サーキュラーエコノミーは単なる環境政策ではなく、経済モデルを直線型経済から循環型経済へと大転換させる経済政策である。そのため、サーキュラーエコノミーへの対応の遅れは経済全般に与える影響が大きい。

既に欧州を中心にサーキュラーエコノミーの国際標準化が取り組まれているが、欧州主導でつくられる再生資源の品質基準や製品ごとの再生資源の使用率などの国際標準は、当然欧州にとって有利なものとなり日本の国際競争力を低下させかねない。

そうした事態に陥らないよう、日本は早急に日本の状況に即した日本版サーキュラーエコノミーを構築し、その実績を積み上げることで日本の発言力を高める必要がある。

〈参考文献〉

EC "A EUROPEAN STRATEGY FOR PLASTICS IN A CIRCULAR ECONOMY" January 2018
平沼光、松八重一代、中川恒彦、中島賢一「エネルギー転換による鉱物資源リスクとサーキュラー・エコノミー」『東京財団政策研究所 REVIEW』No.6、2020年6月
黒川哲志、奥田進一編『環境法のフロンティア』成文堂、2015年
喜多川和典「サーキュラーエコノミー政策の動向――台頭する中国、政策方針打ち出せぬ日本」東京財団政策研究所 講演資料、2019年6月10日
経済産業省・環境省「海外展開戦略（リサイクル）」2018年6月
一般社団法人産業環境管理協会『リサイクルデータブック2018』2018年

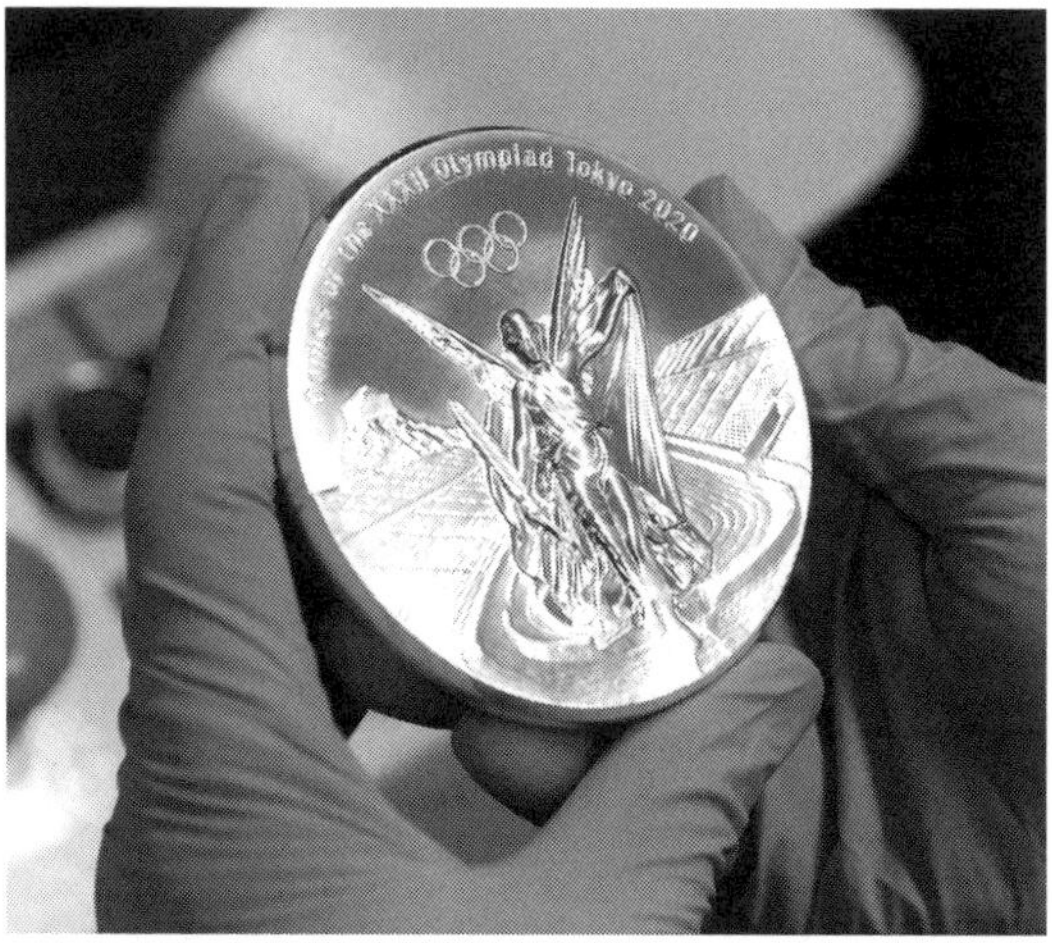

都市鉱山でつくったオリンピック・パラリンピックメダル
（提供：共同通信社）

e p i l o g u e

終　章

日本が
資源エネルギー
争奪で
生き残るために

本書ではここまで過去から現代にわたる資源エネルギーをめぐる競争について見てきた。第1章では、日本人の資源エネルギーに対する固定観念をリセットするため、およそ今日では血を流してでも奪い合う資源とは考えられないスパイスの争奪の歴史を紐解いた。第2章では、石炭が近代化に果たした役割を紐解き、資源エネルギーが繁栄のために欠かせない重要な条件であることを確認した。

第3章では、二度の世界大戦を通して石油を確保することが国の存亡にかかわることを知った世界が、石油という資源を確保するために繰り広げた競争の歴史を振り返った。

そして、第4章、第5章では気候変動問題に対処し持続可能な社会を構築するため、再生可能エネルギーの普及と脱化石燃料を進めるエネルギー転換という競争が起きている現在の状況をまとめた。

さらに第6章では、持続可能な社会の構築を大義として、再生資源市場を創出しようとする欧州のサーキュラーエコノミー構築という新たな競争の動きを考察した。

過去から現代にかけて様々な変遷を経て、世界はエネルギー転換とサーキュラーエコノミーの構築というステージに突入しているが、果たして日本は生き残ることはできるだろうか。

最終章となる本章では、エネルギー転換とサーキュラーエコノミーの構築という時代における日本の現状を振り返るとともに、生き残りのために何が必要となるのかを考察する。

1 直視が必要な日本の現状

10年遅れの日本のエネルギー転換

先進各国がおよそ2030年に再生可能エネルギー普及率40〜50%という高い目標を掲げ、エネルギー転換に対応するべく動き出し、様々な新たなエネルギーの潮流も生まれてきているが、日本のエネルギー転換への対応はどのようになっているだろうか。

前述したように日本はEVの急速充電設備の国際標準化や海洋温度差発電の開発など、特定の案件では奮闘しているものの、国としての再生可能エネルギーの導入目標は2015年7月に公表された日本のエネルギーミックスの方針となる「長期エネルギー需給見通し」に記された2030年に22〜24%という、先進諸外国と比べて低い目標となっている。

その後、2018年7月に公表された日本のエネルギー政策の基本方針となる「第5次エネルギー基本計画」において、再生可能エネルギーの主力電源化に取り組むことが明記されているが、実態となる導入目標は、2030年に22～24％という低い目標のままであり、再生可能エネルギーを主力電源化するという方針と実態となる政策目標が乖離している状況にある。

また、第5次エネルギー基本計画に明記された再生可能エネルギーの主力電源化については、同時に再生可能エネルギー普及における多くの課題も提示されており、まるで再生可能エネルギーの主力電源化が難しいことを強調しているようにも読み取れることも指摘されている。

ドイツをはじめとする先進各国は、2015年には既に再生可能エネルギー比率30％以上を達成していることから、2030年に22～24％という日本の目標は、これから10年かけてようやく今の欧州に追いつくことを公言していることになり、世界とのずれが顕著になっている。

菅義偉内閣総理大臣は2020年10月26日の所信表明演説で、2050年までに温室効果ガスの排出を全体としてゼロにすること、すなわち2050年カーボンニュートラルを達成し脱炭素社会の実現を目指すことを宣言した。

カーボンニュートラルを達成するためには温室効果ガス排出量の多い発電部門における大胆な削減が必要となり、現状の政策目標のままの再生可能エネルギーの普及では到底達成はできないだろう。菅総理大臣の2050年カーボンニュートラルの宣言は世界に発信され各国からも注目されており、もはや後戻りすることはできないことから、日本は不退転の決意をもってこれまで以上の再生可能エネルギーの普及に取り組まなければならない。

危ういクリーンエネルギー市場の獲得

世界が石炭のダイベストメントの流れにあるなか、日本は「長期エネルギー需給見通し」において、2030年の電源構成比率における石炭の割合を天然ガスの27％に次いで2番目のシェアとなる26％とするなど、石炭を引き続き主要なエネルギーとして活用する方針を示している。

そのため、2019年12月にスペイン・マドリッドで開催されたCOP25において、地球温暖化対策に後ろ向きな姿勢を示した国には、世界120カ国以上、1300もの団体からなる世界最大の気候変動NGOネットワーク組織「気候行動ネットワーク」（CAN：Climate Action Network）から「化石賞」が贈られている。

「化石賞」などは無視すればよいと思われるかもしれないが、世界はそんなに甘くはない。

前述したたように世界ではクリーンエネルギー市場の獲得競争が既に始まっており、各国、各企業は国際標準化という手段まで使い、何とかクリーンエネルギー市場の獲得における自国の優位性を築こうとしている。

そうしたなか、「化石賞」の受賞など、エネルギー転換に対する日本の消極的な姿勢は、「日本はクリーンエネルギー分野で遅れている国」というマイナスシグナルをマーケットに発信し、ノルウェー年金基金グローバル（GPFG）が日本の電力会社を名指しで投資先から除外したような影響を及ぼすだけでなく、実態としてIoEなどの革新的なエネルギー技術の開発が進まず、巨大クリーンエネルギー市場獲得における日本のシェアの喪失と国際競争力の低下につながりかねない。

廃プラを処理しきれない日本

サーキュラーエコノミーの構築においても課題は多い。

前述した通り日本の資源循環政策における資源再生は準備行為に止まっている状況にあり、実態としての資源循環は十分に行われてこなかった。

日本の廃棄物リサイクルは、リユースやマテリアルリサイクルが十分に行われることなく、その多くが熱回収という形で焼却されるか、または輸出という形で海外に出されていたのだ。

これまで日本のリサイクルの手段となっていた廃棄物の輸出について、事態を大きく変える出来事が起きている。

2017年に中国が生活由来の廃プラスチック（廃プラ）の輸入を禁止したのだ。

2016年の日本の廃プラの総排出量は899万tで、そのうち輸出された総量は152・7万tとなっているが、総輸出量のうち52・6％になる約80万tが中国に輸出されていた。日本にとって中国は廃プラの主要な輸出先であったわけだが、中国以外の輸出先が見つからなければ約80万tの廃プラの行き場がなくなり国内に滞留してしまうことを意味する。

廃プラ輸入規制の動きは中国だけにとどまらず、タイ、ベトナム、マレーシア、インドネシア、インドなどアジア各国に広がり、日本の廃プラ処理は厳しい状況を迎えている。

廃プラが輸出できないとなると、現状ではその処理方法は焼却による熱回収ということが有力になるが、前述したEUの廃棄物階層では、焼却による熱回収リサイクルは、資源循環における推奨度が低い最下層に位置づけられている。

日本の廃棄物処理方法を見てもその約70％が焼却となっており、日本にとって焼却はごみ処理方法の主力となっているが、もし、EUが進めるサーキュラーエコノミーがスタンダードになると、日本の焼却による熱回収リサイクルは通用しなくなるという事態になる。

日本には古くから「もったいない」という言葉があり、本来であれば物を無駄にせず再利用する国であるはずが、実はリユースやマテリアルリサイクルは欧州と比べて遅れている状況にあるのだ。

〈参考文献〉
橘川武郎『エネルギー・シフト 再生可能エネルギー主力電源化への道』白桃書房、2020年
一般社団法人プラスチック循環利用協会『プラスチック製品の生産・廃棄・再資源化・処理処分の状況』2017年
日本貿易振興機構（JETRO）「東南アジア諸国が廃プラスチック輸入規制を強化、日本の輸出量は減少」地域・分析レポート、2019年1月10日

2

日本にチャンスなエネルギー転換とサーキュラーエコノミー

エネルギー転換とサーキュラーエコノミーが持つ3つのメリットを認識せよ

現状、後れを取っている日本のエネルギー転換とサーキュラーエコノミーの構築であるが、これらは日本にとって不利なものではなく、むしろ資源エネルギーの海外依存という呪縛から逃れられる千載一遇のチャンスと考えるべきである。

これまでの世界の経済システムは、地中に埋まっている石油や天然ガス、鉱物資源などの天然資源を掘り出し、それをもとに製品を生産、消費し、いらなくなったら捨てるという、天然資源を直線的に消費し続ける線型経済（linear economy）を前提としていた。

そのため地中に埋蔵された天然資源に乏しい日本は、資源の調達を海外からの輸入に依存せざるを得ず、常に資源の供給不安定化と価格高騰におびえる日々を過ごしてきた。

一方、エネルギー転換とサーキュラーエコノミーの構築が目指すものは、化石燃料依存から再生可能エネルギー利用に転換し、天然資源ではなく再生資源を循環させる経済モデルを構築するものである。

すなわち、〝資源の調達を海外からの輸入に依存せざるを得ない〟というこれまで日本にとって圧倒的に不利であったゲームのルールが根底から覆されることになるのだ。

日本に再生可能エネルギーを主力電源化できる十分な資源ポテンシャルがあることは、環境省の『平成22年度 再生可能エネルギー導入ポテンシャル調査報告書』が公表された2011年3月の時点で既にわかっていた。

そして、日本は地下に埋蔵された化石燃料や鉱物資源に乏しくとも、地下から掘り出された天然資源の純度を高めてつくられた製品が、膨大な量の廃棄物として地上に蓄積されている。

これは、天然資源を採掘する鉱山に例えて、都市の中に存在する鉱山という意味の〝都市鉱山〟と呼ばれている。

捨てられた廃棄物を都市鉱山という資源として位置づけるなら、日本は紛れもない資源国となるだろう。

例えば、金は6800tが都市鉱山として日本国内に蓄積されており、これは世界の地下埋蔵量との比較（2009年）では、世界1位のアフリカ（6000t）、世界2位：オーストラリア（5000t）、同2位：ロシア（5000t）、世界3位：アメリカ（3000t）、同3位：インドネシア（3000t）を抑えてなんと世界1位の資源量となる（図27）。

その他、世界の資源埋蔵量と日本の都市鉱山の蓄積量を比較すると、銀、鉛、インジウムも日本が世界1位の資源国となり、銅は世界2位、白金、タンタルは3位という資源国に位置づけられる。

2021年の東京オリンピック・パラリンピックでアスリートに授与される入賞メダルは、「都市鉱山からつくる！みんなのメダルプロジェクト」と称して、一般市民から携帯電話などの使用済み小型家電を提供してもらい、それらに含まれる金属を使ってメダルが製作されている（本章扉写真）。

一般市民からの使用済み機器の提供は2017年4月から2019年3月までの2年間にわたり行われ、オリンピック・パラリンピックの金・銀・銅あ

図27　金の世界の埋蔵量と日本の蓄積量

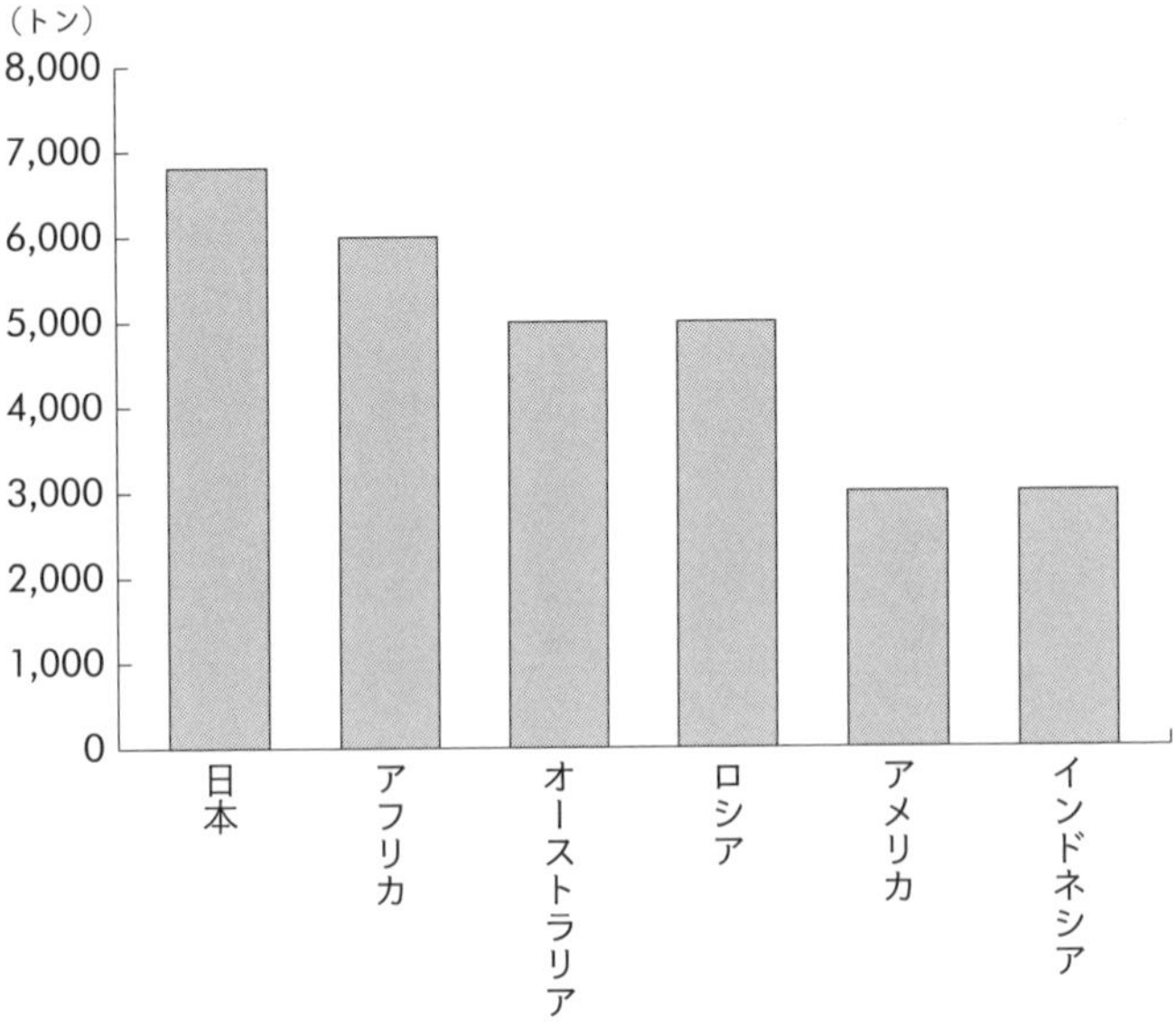

出所："USGS:Mineral Commodity Summaries 2009"などから筆者作成

わせて約5000個のメダルに必要な金属量を100%回収している。

エネルギー転換とサーキュラーエコノミーの構築という流れは、日本のなかにあるこうした資源を最大限活用することで日本が資源を生み出せる資源大国へと進化するチャンスなのだ。

そもそも日本は太陽光発電産業を牽引してきた歴史があり、現在においても高いエネルギー変換率の太陽光パネルを製造するなどの再生可能エネルギー分野の高度な技術を持っている。

IoEの重要な要素となるV2Gでは、日本のチャデモが唯一実用化されているEVの急速充電設備として国際競争力を発揮している。

中国の台頭が著しいリチウムイオン電池であるが、そもそもリチウムイオン電池を開発したのは日本であり、次世代の電池として世界的に注目されている全固体リチウムイオン電池の開発でも、日本が多くの特許を保有するなど一歩先んじている。

リサイクル・省資源化といった分野でも、レアアースショックの影響を受けてホンダがレアアースの一種であるジスプロシウムを一切使わないネオジム磁石をすぐに開発し、ハイブリッド車用駆動モーター向けとして実用している。

エネルギー転換とサーキュラーエコノミーの構築という流れは、資源の海外依存からの解放というだけでなく、こうした日本の高い技術がもれなくビジネスに直結し、クリーンエネルギー市場と再生資源市場の獲得につながるという極めて大きなメリットがある。

しかしながら、これまでの日本の資源エネルギー政策は、1kW／hあたりの電力コストや、海外から資源を調達することを前提としたエネルギー安全保障の議論に終始し、クリーンエネルギー市場や再生資源市場を獲得することの重要性が置き去りにされてきた。

エネルギー転換とサーキュラーエコノミーの構築に日本が率先して取り組むことは、気候変動や持続可能な社会の構築という国際的な環境問題における日本のプレゼンスを向上させることはもちろんのこと、資源の海外依存という日本にかけられた長年の呪縛からの解放をもたらす。

そして、日本の技術力を大いに発揮できる舞台であるクリーンエネルギー市場や再生資源市場の獲得につながるという三つのメリットがある。

エネルギー転換とサーキュラーエコノミーの構築という新たなステージで生き残るには、まずはエネルギー転換とサーキュラーエコノミーは日本にとってチャンスであり、大きな利益をもたらすことを、政策当局者はもとより、すべてのステイクホルダーが理解することが重要となる。

すべてのステイクホルダーの参加による資源エネルギー政策の立案を

エネルギー転換とサーキュラーエコノミーの構築は、これまでの化石燃料依存からの転換と循環型経済という新しい経済モデルを構築することから、社会全般に関わってくる課題である。

そのため、政策の立案においても、経済活動、技術開発、環境保全、安全保障、国土利用、地域振興など様々な分野を横断する視点が必要であり、特定の主務官庁のみで対応するには限界がある。

欧州でもエネルギー転換とサーキュラーエコノミーの構築は、欧州の包括的な経済成長戦略であるグリーン・ディールの一環として取り組まれており、政策立案においてはより俯瞰的な議論が求められる。

すべての分野を包括して俯瞰的な議論を実施するため、筆者は『2040年のエネルギー覇権』（日本経済新聞出版）にて、関係各省庁、各機関はもとより、資源エネルギーに関わるNPO、NGO、自治体、学術関係者、そして電力会社をはじめとするエネルギー関連企業など、すべてのステイクホルダーが参加し議論を行う場となる「エネルギー政策立案プラットフォーム」を構築するべきであることを提言している（図28）。

資源エネルギーや環境問題に関わる調査、研究や政策議論は様々な省庁の審議会や委員会、そして関連する国立研究開発法人などの機関で取り組まれており、データや議論の結果などが必ずしも共有されておらず、ある種の縦割りとなっている。

また、再生可能エネルギーの普及や廃棄物の収集、再利用を促進するためには、地域社会の受容性が重要になってくることから、ステイクホルダーとして自治体をはじめ地域コミュニティの参加が求められる。

そうした行政機関の縦割りの議論を改め、地域コミュニティも含めたすべてのステイクホルダーが参加し俯瞰的な議論を行う場として「エネルギー政策立案プラットフォーム」を構築し、電力会社が持つ様々なデータはもちろんのこと、各省庁や各省庁が所管する国立研究開発法人が持つデータや研究成果など、関係各所が持っている情報を開示・共有し、社会科学と自然科学的知見に立った議論を行うことで、エビデンス(論拠)にもとづいた具体的な施策を導き出すことが重要である。

エネルギー転換とサーキュラーエコノミーの構築で生き残るには、「エネルギー政策立案プラットフォーム」を構築し、政策当局者はもとよりすべてのステイクホルダーにより、いかにしてエネルギー転換とサーキュラーエコノミーの構築を進めていくかの議論を早急に始める必要がある。

図28　エネルギー政策立案プラットフォームの概観

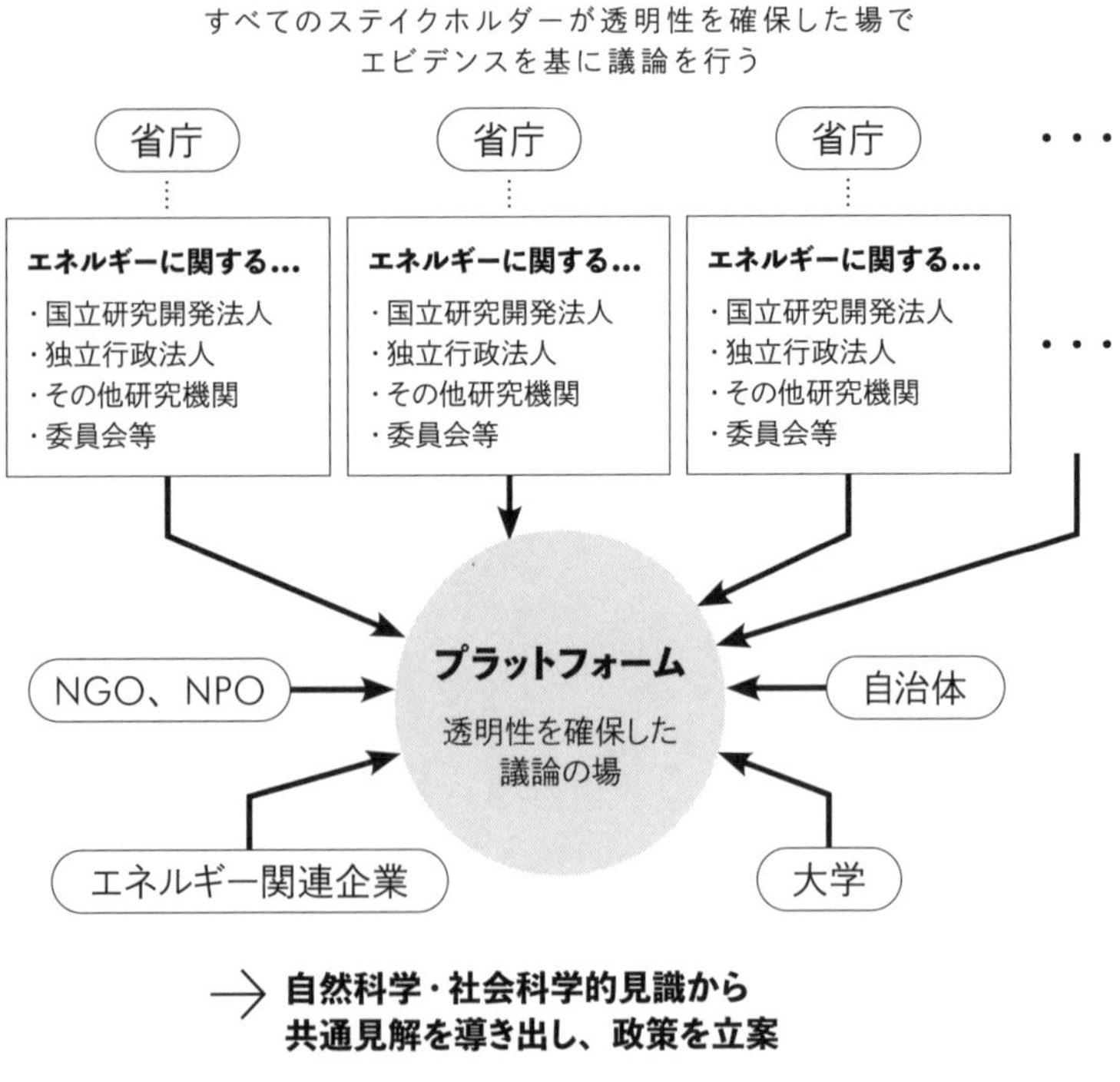

出所：筆者作成

実証ではなく実装を前提としたモデル地域の構築を

エネルギー転換とサーキュラーエコノミーの構築を日本が推進するためには、具体的に何をするべきであろうか。

気候変動問題への対処や福島第一原子力発電所事故によるエネルギー政策の見直しなどから、日本においても再生可能エネルギーの固定価格買い取り制度（FIT制度）や電力システム改革など、再生可能エネルギー普及のための法制度が施行されてきたが、日本の発電電力構成に占める再生可能エネルギーの割合（2017年）は16％（大規模水力を含む）にとどまっている。

もちろん、FIT制度の見直しや電力系統における制約の解消など、再生可能エネルギーを導入しやすい環境を整える法制度的な対処は引き続き取り組むことは言うまでもないが、普及の速度を加速するためには、政策的に再生可能エネルギーの社会実装を進めることが必要である。

これまで再生可能エネルギーの普及においては様々な実証実験が行われてきたが、実際に社会で実用される社会実装を達成するものは少ない状況にある。

例えば、2011年から取り組まれていた福島沖での浮体式洋上風力発電の大規模実証実験は、社会実装されることなく撤退となっている。

実証実験では2MW、5MW、7MWの3基の風車が運転されたが、2020年12月7日には、政府が福島沖に設置した浮体式洋上風力発電施設をすべて撤去する方針を決めた。

福島復興のシンボルとなるようにと、期待を込めて始められた実証実験であるが、民間の引き取り手も現れず、「実証すれど実装されず」ということになってしまった。

そもそも計画自体が社会実装を前提としたものではなかったからとも言えるが、このようなことを繰り返していては、資金と時間を費やすだけで再生可能エネルギーの革新技術の普及は進まない。

再生可能エネルギーの普及速度を加速するためにも、今後は社会実装を前提として、実証実験後の扱いまで固めたフィージブル（feasible）なモデル地域づくりが必要である。

第5章で述べたように、世界のCO_2排出量の70%を都市が占めていることから、都市のゼロエミッション化は急務となっている。

また、革新的なエネルギー技術や資源循環システムをいきなり国全体に行き渡らせることは難しく、グーグルが「サイドウォーク・トロント」の創出を目指したように、どこかに先端的なモデル地域をつくりあげ、それをひな型にして全国展開することが現実的である。

日本においても早急にエネルギー転換とサーキュラーエコノミーを社会実装するモデル地区をつくることが必要だ。

特に、サーキュラーエコノミーの構築については、日本の資源循環の法制度を根本から見直すと同時に、資源循環を実現するリサイクル施設やサプライチェーンなどの循環システムの社

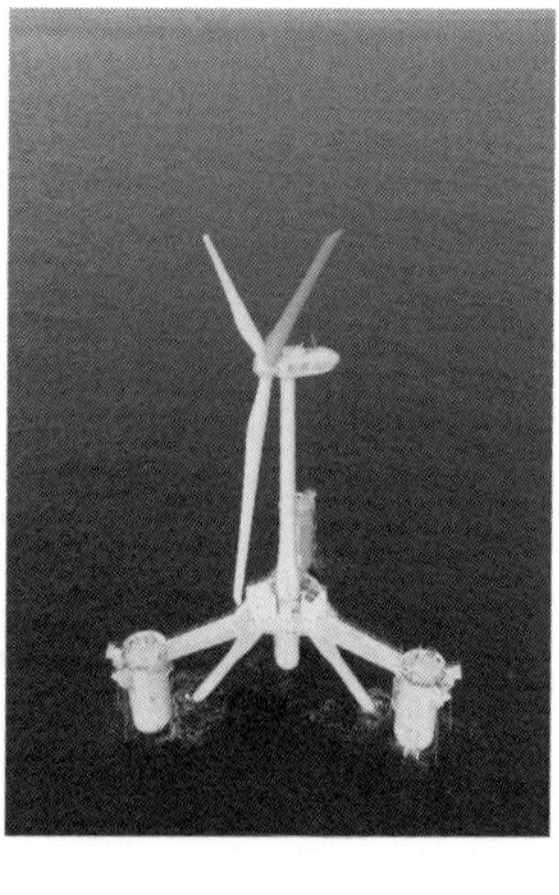

福島沖の浮体式洋上風力発電実証機「ふくしま未来」
（提供：共同通信社）

会実装を進める必要がある。

当然、こうしたモデル地域をつくるのは容易でなく、実現可能性の高い候補地が必要となる。

その意味で、東日本大震災からの復興のため〝再生可能エネルギー先駆けの地〟を目指し、特区制度など多くの政策オプションの投入が可能な福島県は、有力な候補となり得るだろう。

〈参考文献〉

平沼光『日本は世界1位の金属資源大国』講談社＋α新書、2011年
環境省Webサイト「エコジン」VOLUME・61、2017年10・11月号
https://www.env.go.jp/guide/info/ecojin/issues/17-11/17-11d/tokusyu/2.html#main_content
資源エネルギー庁『日本のエネルギー2019』2020年
「福島の洋上風力発電、全撤退へ　600億投じ採算見込めず」共同通信、2020年12月12日

おわりに

——資源エネルギー政策は日本が世界をリードするものに

afterword

本書では過去から現代にわたる資源エネルギーをめぐる攻防を追うとともに、未来に向けた資源エネルギーの動向を考察してきた。

ここまで見てきたように、資源エネルギーは何か特定の物に固定されることなく、時代とともに移り変わってきた。

トレヴィシックの高圧蒸気機関の開発は、石炭の活用の幅を広げ産業革命の原動力となった。ドレークは変人扱いされながらも石油の掘削を実現し、石油という資源を世に送り出した。シェールガスに手を出すのは愚か者とされながらも、ミッチェルは果敢に開発に挑み、シェールガス革命を導いたなど、そこには常に人の働きかけがあった。

人が働きかけることで、それまで資源とみなされなかった物に価値を見出し、それを利用しようと働きかけることで技術が革新され、その技術によっ

て資源でなかったものが資源となって世に広がっていくというサイクルを、これまで繰り返してきたのだ。

そして現代、気候変動問題や持続可能な社会の構築という課題に対応するため、エネルギー転換とサーキュラーエコノミーの構築という新たなサイクルを迎えているが、これらは主にEUやアメリカのプラットフォーマーなどの欧米が働きかけて起こしたサイクルであり、日本が働きかけたものではない。

日本は化石燃料資源を持たない資源エネルギーに乏しい国というレッテルを自ら貼り、資源エネルギーの国際動向に影響力を与える力は無いと考えているのではないだろうか。

しかし、化石燃料資源を持たずとも、これまで日本は資源エネルギーの分野で世界をリードする重要な役割を果たしてきたことを忘れてはならない。

量産型セダンとして世界初となる水素を燃料とする燃料電池車（FCV）のミライを世に送り出したのは日本である。量産型の電気自動車（EV）として世界初となるリーフを世に送り出したのも日本である。

FCVやEV、そして風力発電のモーターに欠かせないレアアースを使ったネオジム磁石を発明したのは、日本人の佐川眞人博士である。この発明が無かったら、レアアースは資源ではなくただの土くれであっただろう。

IoEの重要な要素となるV2Gに欠かせないEV急速充電器を実用化し

たのは、日本である。ＩｏＥや省エネ高効率機器に欠かせないリチウムイオン電池を発明したのは、先頃ノーベル化学賞を受賞した日本人の吉野彰博士である。

もし、これらの技術が無かったら、今日のエネルギー転換は推進できたであろうか。答えは、否である。

欧米主導で始まったエネルギー転換であるが、実は日本の技術があったからこそ世界はエネルギー転換へと舵を切ることができたのであり、本来であれば日本こそがエネルギー転換を主導する立場にあるのだ。

これは、サーキュラーエコノミーの構築でもあてはまり、レアアースレス磁石をホンダがいち早く実用化するなど、日本は代替・省資源化やリサイクルにおける高い技術を有しており、国内の法制度を整備しリサイクル事業者を育てることでサーキュラーエコノミーを日本が主導できる可能性は十分にある。

エネルギー転換は欧州主導で始まったが、まだ日本が巻き返すチャンスはある。

日本のエネルギー政策の大方針となるエネルギー基本計画は少なくとも３年ごとに策定される。現在の第５次エネルギー基本計画は２０１８年に策定されていることから、２０２１年は次の「第６次エネルギー基本計画」が策定される年となる

特に、菅総理が宣言した2050年までに温室効果ガスの排出を全体としてゼロにするカーボンニュートラルを達成するためには大胆な再生可能エネルギー普及目標が必要であり、第6次エネルギー基本計画は、いかにして先進諸外国に勝る再生可能エネルギーの導入比率をあげられるかという点がポイントとなるだろう。

そのためには、再生可能エネルギーを電源だけでなく、熱供給なども含めて日本の主力エネルギーとする視点が必要である。

世界から批判の集まる日本の石炭利用についても、第5章で紹介した、アウディ・イー・ガスのように、大幅に導入した再生可能エネルギーの余剰電力でつくった水素と、石炭火力発電所から発生するCO_2でメタネーションを行うことで、CO_2の削減と天然ガスの製造を行うなど、新たな改善策の提示が考えられる。

さらに、新たな俯瞰的な視点として、エネルギー基本計画のなかに日本版サーキュラーエコノミーの構築についても記すことが重要だ。

本書を執筆している間も、米国バイデン政権が本年4月に気候変動サミットの主催を予定しているなど、世界は気候変動対策の動きを加速させている。

加速する世界の動きに煽られ、日本の第六次エネルギー基本計画も本書が出版される頃には策定されているかもしれないが、臨機応変に対処し、未来

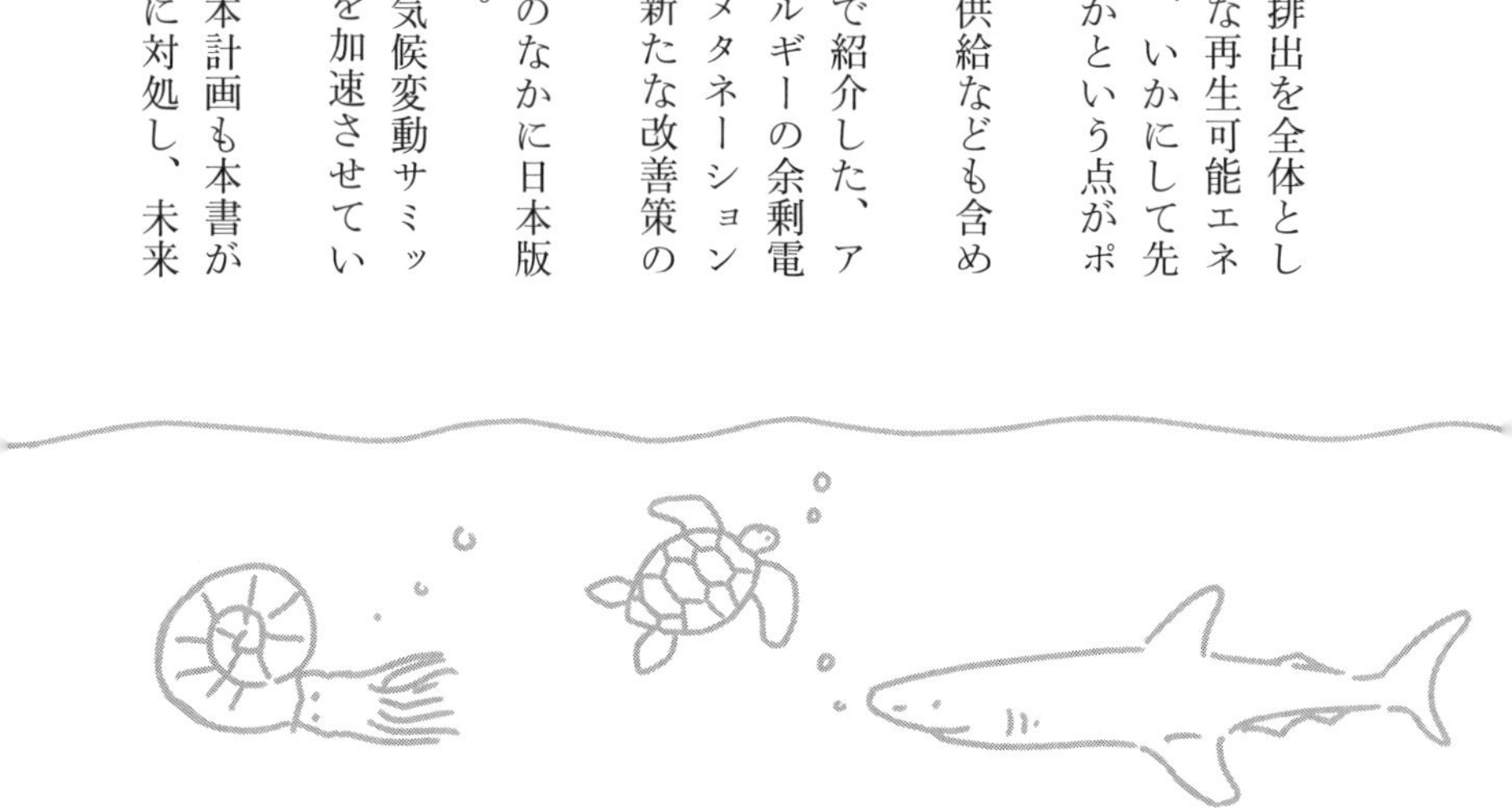

に向けての日本の資源エネルギー政策は、日本こそが世界のエネルギー転換とサーキュラーエコノミーをリードする内容とするべきだ。

日本は資源エネルギーに乏しい国というステレオタイプな考えは捨て、資源エネルギーは自ら働きかけて生み出すものであるという考えを持てば、日本が世界をリードすることは十分に可能なのである。

PROFILE

平沼光

Hikaru Hiranuma

東京財団政策研究所主任研究員
早稲田大学大学院社会科学研究科博士後期課程修了、博士（社会科学）。日産自動車株式会社勤務を経て現職。内閣府 日本学術会議 東日本大震災復興支援委員会 エネルギー供給問題検討分科会委員、福島県再生可能エネルギー導入推進連絡会系統連系専門部会委員を歴任するほか、国立研究開発法人科学技術振興機構（JST）低炭素社会戦略センター客員研究員も務める。主な著書に『2040年のエネルギー覇権』（日本経済新聞出版、2018年）『日本は世界一の環境エネルギー大国』（講談社＋α新書、2012年）『日本は世界1位の金属資源大国』（講談社＋α新書、2011年）『社会イノベーションと地域の持続性』（共著、有斐閣、2018年）『シリーズ日本の安全保障 第8巻　グローバル・コモンズ』（共著、岩波書店、2015年）『宇宙船地球号のグランドデザイン』（共著、生産性出版、2013年）『原発とレアアース』（共著、日本経済新聞出版、2012年）など。

資源争奪の世界史
スパイス、石油、サーキュラーエコノミー

2021年5月24日　1版1刷
2022年2月 7 日　　2刷

著者
平沼光

発行者
白石賢

発行
日経BP
日本経済新聞出版本部

発売
日経BPマーケティング
〒105-8308　東京都港区虎ノ門4-3-12

イラスト
高柳浩太郎

装幀・本文設計
新井大輔　中島里夏（装幀新井）

DTP
マーリンクレイン

印刷・製本
中央精版印刷

Printed in Japan
ISBN978-4-532-35888-4